NÃO DURMA

MICHELLE HARRISON

NÃO DURMA

Tradução
Michelle MacCulloch

1ª edição

Rio de Janeiro | 2017

Copyright © 2012 by Michelle Harrison

Publicado originalmente na Grã-Bretanha em 2012 pela Simon & Schuster UK Ltd, uma companhia CBS.

Título original: *Unrest*

Texto revisado segundo o novo
Acordo Ortográfico da Língua Portuguesa

2017
Impresso no Brasil
Printed in Brazil

CIP-BRASIL. CATALOGAÇÃO NA PUBLICAÇÃO
SINDICATO NACIONAL DOS EDITORES DE LIVROS, RJ

Harrison, Michelle, 1979-

H261n   Não durma / Michelle Harrison; tradução Michelle MacCulloch. – 1ª ed. – Rio de Janeiro: Bertrand Brasil, 2017.
23 cm.

Tradução de: Unrest
ISBN 978-85-286-2073-3

1. Ficção inglesa. I. Macculloch, Michelle. II. Título.

	CDD: 823
16-36515	CDU: 821.134.3(81)-3

Todos os direitos reservados pela:
EDITORA BERTRAND BRASIL LTDA.
Rua Argentina, 171 – 2º andar – São Cristóvão
20921-380 – Rio de Janeiro – RJ
Tel.: (0xx21) 2585-2000 – Fax: (0xx21) 2585-2084

Não é permitida a reprodução total ou parcial desta obra, por quaisquer meios, sem a prévia autorização por escrito da Editora.

Atendimento e venda direta ao leitor:
mdireto@record.com.br ou (0xx21) 2585-2002

Para Darren
Fred e Luke

Com agradecimentos a Janet
e Emma Porter

Parte 1

Sono, irmão da morte.

Virgílio

Não estou dormindo... mas isso não significa que eu esteja acordado.

Autor Desconhecido

Capítulo 1

Do lado de fora

Começou como sempre começava.

Eu me sentei na cama, sem saber ao certo o que tinha me acordado. A primeira coisa que pensei foi na nova família que tinha se mudado para o andar de cima. Dentre outras coisas, meu pai os chamava de baderneiros. Não fazia nem um mês da mudança e já tinham conseguido irritar todo mundo, correndo pelas escadas a qualquer hora, gritando, xingando e arrotando.

Mas não foram eles desta vez. Havia apenas o sussurro do silêncio. Nosso apartamento, assim como o restante do quarteirão, estava quieto. O quarto estava escuro, com exceção da luz do corredor. Nos últimos tempos, era comum meu pai deixar essa luz acesa, embora nenhum de nós tocasse no assunto.

Algo se moveu do outro lado da porta, fazendo a luz que entrava pela brecha da porta bruxulear. Uma pessoa, indo em direção ao quarto do papai. Perguntei-me há quanto tempo meu pai estaria ali, me olhando pelo vão da porta, e se tinha entrado no quarto enquanto eu ainda dormia. Sabia que ele passava noites em claro, pensando. Preocupado. Comigo, com a mamãe. Com o acidente e com o fato de coisas diferentes quase terem acontecido. A culpa familiar tomou conta de mim. Sem pensar, levantei da cama e atravessei o quarto, tremendo, só de cueca. O apartamento estava congelando. Saí para o corredor, semicerrando os olhos diante da repentina claridade, minha mão procurando o interruptor. Queria mostrar a ele, da maneira mais simples possível, que esta noite eu estava bem. Olhei para o relógio do final do corredor.

Três horas da manhã.

Eu já deveria saber naquele momento. A hora era o primeiro sinal. Esse era o problema. Não percebi até ser tarde demais.

Minhas mãos encontraram o interruptor ao mesmo tempo em que os dedos dos pés encontraram a poça. Congelei, a mão ainda no ar. O piso laminado estava marcado com manchas de água, cada uma do tamanho de uma pegada, levando até o banheiro. Eu estava em cima de uma delas, e era muito gelada.

Do outro lado do corredor, a porta do banheiro se fechou. Meus olhos acompanharam as pegadas molhadas. Meus ouvidos captaram um ruído — um soluço abafado — vindo do banheiro, e água gotejando de leve. Então, minha mão se afastou do interruptor e se estendeu à minha frente, buscando a porta do banheiro conforme eu seguia seu rastro molhado.

Queria perguntar para o papai por que ele estava chorando, embora, bem no fundo, eu soubesse a resposta. Uma densa nuvem de vapor me envolveu quando abri a porta. Mas não estava quente, e sim gelada e úmida. Estremeci de novo. A porta continuou a se abrir sem emitir nenhum som, e um pouco do vapor saiu do banheiro, se dissipando pelo corredor.

Dei um passo para dentro, nuvens de vapor de água grudando na minha pele. O som de água vinha da banheira. Uma das torneiras estava aberta. Através da névoa, eu só conseguia ver um braço estendido na lateral da banheira.

— Por que você está acordado tão tarde? — perguntei. — E por que está chorando?

Não houve resposta. Foi quando percebi como era magro o braço na lateral da banheira. Pálido e sem pelos... e *feminino*. Dei um passo hesitante para a frente, vendo — sem querer — mais do que deveria.

A mulher na banheira estava olhando para a frente, mas não me via. Seus olhos estavam vidrados e vazios, e seu longo cabelo se espalhava como alga. A água tinha uma coloração rosada e uma leve agitação. A torneira aberta mantinha a água quente, e o lento e contínuo filete fazia com que ficasse no nível exato para não transbordar.

A maior parte do vapor já tinha escapado pela porta aberta, tornando tudo horrivelmente fácil de ver. A leve curva de um sorriso nos lábios sem cor. A lâmina de barbear na beirada da banheira. Os cortes nos pulsos, vermelhos e abertos.

Tarde demais percebi. Lembrei.

Isso já aconteceu. O que só podia significar uma coisa...

Virei-me, afastando-me cambaleante da banheira e correndo para o meu quarto, ziguezagueando para não tropeçar no gato nem nas minhas chuteiras. O terror deveria ter ficado para trás quando saí do banheiro, mas agora que eu me lembrava, sabia que havia mais.

A luz vinda do corredor banhava a minha cama quando cheguei à porta. Eu queria me jogar nela e me encolher embaixo das cobertas até parar de tremer. Duas coisas me impediram.

A primeira era que havia uma sombra ao lado da cama. Uma sombra fina e alta que, de alguma forma, era mais escura do que todas as outras no quarto — e vagamente humana. Estava imóvel e não tinha rosto, mas, ainda assim, eu sabia para onde estava olhando.

Um corpo estava deitado na minha cama. Eu vi o cabelo curto e escuro no travesseiro. Já sabia quem era.

Eu. Dormindo.

Um murmúrio tentou escapar da minha garganta, mas não conseguiu. Sabia que precisava voltar para mim, voltar *para dentro* de mim, mas a sombra ao lado da cama era ainda mais aterrorizante do que a mulher na banheira.

Lentamente, a cabeça da sombra se moveu. Seu foco mudou, não mais no eu em cima da cama, e sim no eu parado na porta. Movi-me para a frente, correndo para o outro lado da cama e me aproximando do meu corpo. A cama não se mexeu — eu não tinha peso, era leve como o ar.

Precisava voltar. *Tinha* de voltar.

A boca do meu corpo adormecido estava aberta. Eu já tinha feito isso antes. Debrucei-me, tentando abrir mais a boca enquanto enfiava a cabeça na minúscula e impossível cavidade. Senti o olhar fixo da sombra nas minhas costas e soube que ela tinha dado um passo na minha direção. Na *nossa* direção.

Tentei de novo, desesperado, minhas mãos apertando os dois lados do rosto do meu corpo. Quando achei que não ia funcionar, que nunca conseguiria voltar, aconteceu. Senti um arranhar, depois tudo ficou apertado à minha volta, e então...

Estava de volta ao meu corpo, acordando em um susto — de verdade, desta vez. O coração acelerado. A respiração difícil, tremendo, chorando. Sozinho no quarto. Não havia sombra alguma, embora a sensação dela ainda me deixasse encharcado de suor.

Queria me encolher embaixo das cobertas, mas tinha uma última coisa que eu precisava saber. Saí da cama e atravessei o corredor. Desta vez, não havia mulher na banheira. Estava vazia — assim como a minha cama quando voltei.

Terminou como sempre terminava. Comigo encolhido embaixo das cobertas, assustado demais para dormir de novo até o amanhecer.

Capítulo 2

Rastros

— Aconteceu de novo ontem à noite.

Papai olhava pela janela da sala de estar, fumando o que devia ser o quinto dos seus vinte cigarros diários. A mão livre puxava a cortina já encardida pela nicotina, oferecendo uma vista do jardim na frente do prédio. Não era bem um jardim. A minúscula área gramada, com uma única árvore e uma detestável placa *PROIBIDO JOGAR BOLA*, era ofuscada por altos blocos de concreto cinza.

Ele ficou tenso. Soltou a cortina e virou-se para mim enquanto eu me sentava no sofá, espanando cinza de cigarro da almofada.

— Quer tomar café da manhã? — perguntou ele.

Balancei a cabeça.

— Não estou com fome. — Estava enjoado por causa da falta de sono, mas já passava das onze.

— Um pouco de café, então. Vá tomar banho. Você parece um morto-vivo. — Ele saiu da sala, deixando cinza pelo carpete como um rastro de migalhas.

Levantei e fui para o banheiro, fechando a porta contra o tilintar dos utensílios da cozinha. Não pude deixar de olhar para a banheira. Uma marca de água era visível bem abaixo do nível que eu vira — ou achara que vira — durante a noite. À luz fria da manhã, já não tinha certeza. Mesmo assim, decidi não tomar banho se isso significava entrar na banheira. Em todo caso, o boiler estava com defeito há várias semanas, deixando a água gelada a cada poucos minutos — ou até segundos, nos dias ruins —, mas, estranhamente, nenhum dos encanadores que papai chamou conseguiu descobrir o problema.

Fui até a pia e a enchi, jogando água congelante no meu rosto e pescoço. Eu podia ter esquentado um pouco de água em uma chaleira, como papai vinha fazendo, mas o frio pelo menos ajudava a me despertar do estado sonolento em que estava.

Depois de lavar, enxuguei meu rosto, passei fio dental e escovei os dentes, evitando olhar meu reflexo. Não precisava me olhar no espelho para saber que meu pai estava certo: eu parecia um morto. O pedaço do "vivo" fora otimismo da parte dele.

Eu costumava ter uma aparência boa, com olhos azuis — *muito* azuis —, cabelo escuro, quase preto, e dentes bonitos. Não mais. Meus olhos vermelhos imploravam por descanso. Meu cabelo precisava de um corte e, na maior parte dos dias, estava oleoso o suficiente para fritar batatas nele. Meus dentes ainda eram bonitos, mas estavam manchados por causa da quantidade de café que eu tomava para me manter acordado. Há meses que eu não praticava nenhum esporte. Por incrível que pareça, não ganhei peso, mas perdi. Escondia meu corpo embaixo de camadas de roupas, mas só uma máscara conseguiria esconder meu rosto magro e minhas olheiras profundas.

Eu sabia o que parecia. Assombrado — sem teto, até. Mas isso não era chocante. O que *era* chocante era que eu não me importava.

Papai bateu na porta.

— Elliott? Seu café está aqui.

Saí do banheiro e quase tropecei na caneca de café no chão. Peguei-a e fui atrás do meu pai, na cozinha. O cheiro de torrada queimada dominava o ambiente. Sentei, tomando um gole do café amargo. Peguei o açúcar e coloquei mais uma colher.

— Você foi ao meu quarto ontem à noite — perguntei, mexendo o café — enquanto eu estava na cama?

— Não. Fui pra cama antes de você. Sabe disso.

Eu sabia, mas ainda assim me agarrava a qualquer possibilidade de que a pessoa que eu vira na porta não fosse Tess.

— É, mas...

— Eu escutei — interrompeu ele. — Quando você disse que aconteceu de novo. Então, qual deles foi?

Provei o café de novo. Ainda amargo.

— O primeiro. A garota na banheira...

— A experiência fora do corpo?

Assenti.

— Eu a vi, pai. Senti as pegadas molhadas no corredor. Tudo foi exatamente... como antes. O sangue na água, a sombra no quarto. — Parei. O rosto do papai estava ainda mais cinza, quase do tom do cabelo.

— Por que você não liga para o dr. Finch? — sugeriu ele. — E vê se ele não pode atendê-lo hoje, talvez amanhã. Pode haver alguma desistência.

— Para quê?

— Falar talvez ajude.

— Estou falando agora.

Papai pegou o maço de cigarros de novo e acendeu um.

— Você sabe o que quero dizer — disse ele, mais calmo depois do primeiro trago. — Falar com um *profissional*.

— Eu *já* falei — contestei. — E falei e falei. Ele só fica repetindo o que está nos livros. Que nada disso é real e que tem a ver com acordar durante o sono REM.

Papai soltou uma longa baforada.

— Então, talvez, você devesse começar a escutar.

— Talvez *você* devesse.

— Já escutei, Elliott. O que você está dizendo não é novidade. Todos nós: eu, você, sua mãe, Adam, todos nós sabemos o que aconteceu aqui. Eu e sua mãe escondemos de vocês o quanto pudemos, mas sabíamos que iam acabar sabendo. Esse tipo de coisa tende a se espalhar.

— Eu sabia desde o primeiro ano do ensino médio que uma mulher tinha se matado aqui — falei. — No início, isso me incomodava, mas aos poucos fui parando de pensar no assunto. Não pensava nisso havia anos. Agora, de repente, adquiri essa... essa *condição* e comecei a vê-la.

— Você *acha* que consegue vê-la.

— Não, eu...

— Por que só consegue vê-la na banheira, morrendo? Por que acha que é assim, hein? — perguntou ele. — Quando as pessoas falam sobre Tess Fielding, elas não falam nada além da forma como ela morreu. Se ela é um fantasma, se é isso o que você está vendo, por que é sempre no momento da morte? Por que não vê outros momentos da vida dela antes disso, quando ela morava aqui?

Dei de ombros, sem olhar nos olhos dele.

— Talvez não sejam os eventos diários que deixem rastros. Talvez só os violentos.

— Rastros? — Papai balançou a cabeça. — Se você prestasse mais atenção aos livros que o dr. Finch lhe dá ao invés dessa baboseira paranormal... — Ele apagou o cigarro. — Não é de se surpreender que você esteja preocupado com morte, não depois do que aconteceu. É por isso que você ficou obcecado pela história de Tess. Você pode ter *achado* que morar no mesmo apartamento que ela não te afetaria, e talvez não afetasse antes. Mas agora a sua mente está lhe pregando peças, e Tess é uma bem fácil.

Levantei e derramei o café na pia.

— Aonde você vai?

— À casa de Adam.

Papai levantou uma sobrancelha.

— Você vai assim?

Olhei para a minha calça jeans velha e camiseta amassada.

— E daí?

Ele balançou a cabeça.

— Não acha que está na hora de voltar para a faculdade? Se você está bem o suficiente para ir à casa de Adam, então...

— Esqueça, pai. Já disse que não estou pronto.

Peguei minhas chaves. A batida da porta ecoou pelo prédio enquanto eu saía, começando a descer os três lances de escada. Quanto mais eu descia, mais sentia cheiro de urina. Andei mais rápido, satisfeito por fugir, e corri para o carro. Abri e entrei.

O carro roncou e ganhou vida, o som do motor abafado pelos gritos de Kurt Cobain saindo pelos alto-falantes. Deixei a música bem alta enquanto contornava o jardim e pegava a estrada. O barulho me manteria acordado.

Antes do acidente, eu gostava de dirigir. Assim que passei no exame, comecei a pegar a estrada, satisfeito com a liberdade e com as possibilidades. Meu carro não era exatamente uma Ferrari, mas era decente, e eu não tinha feito nada estúpido como escurecer os vidros ou colocar escapamentos enormes como os garotos que tiravam racha. Eu nem participava de rachas. Por isso o que aconteceu comigo era tão injusto.

Parei no sinal vermelho. Sem eu perceber, minha mão passou pelo cabelo. Meus dedos tatearam a cicatriz na parte de trás da minha cabeça, firme e macia. Nunca mais cresceu cabelo ali, mas o restante a cobria bem.

À frente havia algumas lojas do lado direito. Pessoas formavam fila para o correio e, na outra extremidade, em frente à lanchonete, um grupo de garotas comia batatas fritas direto da caixa de papel. Reconheci duas. Amigas de Juliet. Jogando o cabelo para trás e rindo. Procurei por Juliet, mas não a vi. Então, ela saiu da lanchonete, ajeitando o cabelo preto para trás.

Como se soubesse que estava sendo observada, os olhos dela encontraram os meus. Se ela não me reconhecesse, o que era inteiramente possível, ela reconheceria o carro. Nós saímos algumas vezes no ano passado, embora ela me lançasse olhares pelos corredores da faculdade desde o começo.

Da última vez que saímos juntos, fomos a uma festa. De 18 anos de alguém. Juliet estava bebendo, mas eu estava sóbrio. Dirigindo. Ela sugeriu que fôssemos para o andar de cima. Eu respondi que de jeito nenhum, não em uma festa em que qualquer um poderia entrar a qualquer momento.

Em vez disso, levei-a para a casa de Adam.

Depois disso, não liguei mais. Não que não gostasse dela, mas já tinha passado por isso antes. As garotas têm uma mania. Você fica mais íntimo e elas acham que são suas donas. Adam me avisou várias vezes e viu isso acontecer com vários amigos. Em um momento, você está cheio de ideias e ambições. No seguinte, uma garota dá o golpe da barriga e você fica preso. Não, obrigado.

Então, não liguei mais para ela. Fui um covarde. Dei uma piscadela para ela das duas primeiras vezes em que me questionou. Na época, eu tinha cara para isso. O tipo de cara que consegue escapar de quase tudo: telefonemas esquecidos, datas perdidas para entregar trabalhos. Eu sabia disso e usava.

Peguei o número dela de novo. Era como um jogo. Quando ela percebeu que estava sendo passada para trás, o olhar dela ficou bem sério e entendi que ela sabia.

— Fiz alguma coisa errada? — perguntou ela um dia, na frente do meu armário. — É isso? Por que você não ligou? — O queixo dela tremia, e tive aquela sensação horrível que temos quando uma garota chora e não sabemos como fazê-la parar.

— Você não fez nada. Eu só... só não quero um relacionamento.

As amigas dela, e os meus amigos, observavam de longe. Passei os braços em volta dela. Ela ficou tensa, e eu sabia que queria me empurrar, mas não queria fazer uma cena. Deixou que eu a abraçasse. Lentamente, inclinei a minha cabeça e a beijei. Era um beijo de despedida, e ela sabia.

— Você vai contar para todo mundo agora? — perguntou ela.

— Não sou esse tipo de cara.

Os olhos dela estavam cheios de mágoa.

— É, sim. Você é um cretino.

Afastei-me, sabendo que estava certa. Eu *era* um cretino, mas tinha ética. Nunca espalhei que dormira com ela.

Fitei Juliet de dentro do carro, perguntando-me se devia tentar sorrir. Ao longo dos últimos meses, o olhar dela se suavizara, indo da raiva para a indiferença. O que eu vi agora foi outra coisa: pena. Não gostei. Senti minha expressão ficando feia, cruel.

Os carros buzinaram atrás de mim. O sinal tinha ficado verde. Pisquei, quebrando o contato visual com Juliet, deixando o carro morrer e ouvindo mais buzinas. Finalmente, engatei a primeira e passei pelo sinal. Eu recebera autorização para voltar a dirigir três semanas antes. Tentei dizer para mim mesmo que estava enferrujado, mas parecia ser apenas mais um item da longa lista de coisas que eu não sabia mais fazer bem.

Meu irmão morava a dez minutos de carro, em uma casa que dividia com a namorada e outro casal. Depois de estacionar, subi o caminho e bati na janela da cozinha.

A porta da frente foi aberta segundos depois por Adam, usando só calças jeans. Ele fez um gesto para eu entrar. Fechei a porta e me sentei à mesa da cozinha enquanto ele subia para o andar de cima. Observei--o, com seus ombros largos e pele morena. O nó de tensão nos meus ombros se desfez.

A casa de Adam era o único lugar onde eu podia relaxar. Era bagunçada com as coisas de quatro pessoas, mas sempre me pareceu aconchegante e convidativa, como uma casa deve ser. O cheiro também era bom. Vi um bule de café fresco.

Levantei-me e peguei uma xícara na prateleira.

— Posso tomar uma xícara? — perguntei.

— Se você precisar. — Adam voltou para a cozinha, enfiando uma camiseta pela cabeça. — Você sabe que não devia.

— Umas duas xícaras de manhã não fazem mal. — Eu me servi de leite. — Só não devo tomar mais tarde. De qualquer forma, aquela coisa que o papai bebe é água suja. Preciso vir aqui para conseguir um café decente.

Adam franziu o nariz.

— Ainda não consertaram o boiler, então?

— Não. Por quê?

— Por que você está começando a feder que nem um mendigo.

Tomei um gole de café.

— Eu lavei o rosto.

— Não é o seu rosto que está fedendo. Posso sentir o seu sovaco daqui.

Isso é o que eu amo em Adam. Com ele não tem enrolação.

Ele pegou uma toalha e roupas em uma pilha de roupas limpas e jogou para mim.

— Vá se ajeitar. — Ele olhou para o relógio. — E seja rápido. Vou abrir ao meio-dia, você está me atrasando.

— Não posso só... — comecei, mas Adam balançou a cabeça.

— Hoje, não. Amy vai voltar para casa na hora do almoço e está revisando. Não vai querer você perambulando pela casa.

Fui para o banheiro e liguei o chuveiro, tirando minhas roupas. Cheirei minhas axilas e meus olhos lacrimejaram. Adam estava certo. Senti algo se agitar dentro de mim, uma pontada de vergonha. A água quente atingiu minha pele quando entrei na banheira. Fechei os olhos, porque não estava com medo. Não havia nenhuma garota morta ali.

Dez minutos depois, saí vestindo as roupas do meu irmão. Como as minhas, elas ficavam largas, um lembrete do quanto estava magro. Na verdade, tudo em Adam me lembrava de como eu era. A diferença de idade era pequena — Adam tinha 20, era três anos mais velho. Antes, as pessoas viam que éramos irmãos. Tínhamos as mesmas feições, estrutura e cores quase idênticas. Agora, eu era apenas uma versão ruim dele. Como uma música cover barata. As palavras estão todas lá, na ordem certa e no tom, mas nunca são tão boas.

Adam assentiu, aprovando. Não sabia se ficava satisfeito ou irritado com isso. Fui servir outro café — o primeiro já tinha esfriado —, mas Adam estava de pé, vestindo a jaqueta.

— Não dá tempo. Pegue a sua chave, pode me dar uma carona.

Ainda quente do banho, tremi quando coloquei o pé para fora de casa. Estávamos em maio, aquela estranha e mutável época do ano em que não é mais primavera, mas ainda não é verão também. No carro, Adam olhou minha coleção de CDs e mudou o disco, depois ficou tocando cordas imaginárias.

Quando nos aproximamos do cruzamento, olhei para a lanchonete de novo. Desta vez, só trabalhadores e crianças estavam do lado de fora.

— Vi Juliet mais cedo.

Adam parou a performance.

— Juliet... aquela morena que você pegou no ano passado?

Assenti. Eu só tinha contado para Adam. Sabia que podia confiar nele. Nós tínhamos um código, eu e ele. Bem, principalmente ele. Adam sempre sabia o que fazer e o que falar. Como dormir com uma garota sem precisar entrar em um relacionamento ou deixá-las *muito* mal. E o primeiro passo era não ficar tirando onda por aí.

— Você devia ter visto a forma como ela me olhou.

— Achei que ela já tivesse superado.

— E já. Ela não me olhou como costumava olhar, como se me odiasse. Olhou como se eu fosse patético.

— Esse é preço que se paga por dar o pé na bunda de alguém.

— Não, quero dizer patético como se ela tivesse pena de mim.

Adam ficou quieto.

— Você vai voltar a ser como era. Só precisa de tempo, e vai ser... como se nada tivesse acontecido. Precisa começar a se cuidar. Volte a correr comigo. As coisas vão voltar a ser como antes: garotas se jogando em cima de você.

— Estou muito cansado para correr — resmunguei, me esforçando para não perder a cabeça. — E, no momento, não estou interessado em garotas.

Adam ficou tenso com meu tom de voz e, por um momento, o clima no carro ficou pesado demais para ser ignorado. Então um olhar sonhador tomou conta do rosto de Adam.

— Era o que eu pensava até conhecer Amy.

— Ah, tá bom...

— Estou falando sério! — Ele sorriu, e senti um aperto dentro de mim. — Você só não conheceu a garota certa ainda. Vai saber quando conhecer. Não vai querer brincar com ela.

— Verdade. — Não consegui me segurar. — Tem essa garota que fica aparecendo nua no meu banheiro de vez em quando, mas falta alguma coisa nela... ah, claro, é isso. Vida.

Imediatamente, o sorriso de Adam desapareceu. Ele assoviou por entre os dentes e olhou pela janela. Nenhum de nós disse mais nada até o carro parar.

Já estava arrependido da minha explosão. Adam fazia com que eu me sentisse melhor, e eu não queria ir embora, principalmente de volta para casa. Só o que me esperava lá era a programação diária da televisão e o terror toda vez que eu precisava ir ao banheiro. Meu rosto deve ter refletido meus pensamentos.

— Entre um pouco se quiser — disse Adam.

Olhei pelas janelas escuras do The Acorn.

— Não quero falar com ninguém.

A mão de Adam estava na maçaneta da porta.

— Serão só os clientes de sempre, e ninguém vai incomodar você. Não vai ficar cheio. Venha, você pode me ajudar a arrumar o bar.

Ele saiu, e me vi tirando a chave da ignição e seguindo-o pelo estacionamento. Um único cliente, um homem de 60 e poucos anos, esperava para entrar. Ele deu uma batidinha no relógio e provocou Adam dizendo que tinha perdido a hora, mas nem olhou para mim. Continuei olhando para baixo, de toda forma. A maioria das pessoas me conhecia como o "garoto Drake do acidente". Adam destrancou as portas e entrou enquanto eu e o cliente esperávamos o alarme ser desarmado.

O lugar fedia a cerveja e tabuleiros sujos, o tipo de cheiro que deixa de ressaca até quem não bebeu. Enquanto Adam pegava as gavetas da caixa registradora no escritório, enchi os baldes de gelo e as jarras de água. Ele voltou quando eu estava fatiando limões e colocou as bandejas no caixa. Durante esse tempo todo, o cliente ficou esperando pacientemente no balcão, lendo o jornal.

— O de sempre? — Adam perguntou, mal esperando uma resposta antes de colocar o copo embaixo da torneira de Guinness. Puxou até a metade e deixou encher, depois serviu um suco de laranja para si e uma Pepsi para mim. Um minuto depois, outro homem entrou. Adam já tinha servido a bebida dele antes que chegasse ao balcão, depois foi encher de novo o copo de Guinness.

— Esse trabalho não deixa você de saco cheio? — perguntei. — As mesmas pessoas, as mesmas bebidas, as mesmas conversas? Dia após dia?

Adam deu de ombros.

— Às vezes. Mas não é para sempre. Só até a banda decolar. — Ele xingou quando a bomba gorgolejou. Fechou-a. — O barril acabou. — Ele olhou para a porta quando mais clientes entraram. — Poderia fazer as honras?

Terminei de cortar os limões e larguei a faca, com medo. Eu sabia trocar o barril. Adam tinha me ensinado umas semanas atrás, e era bem fácil. O problema era que eu não queria descer até a adega.

Fui até a pia e lavei o suco de limão das mãos.

— Ok, eu vou.

O prédio era dividido em três: o bar público, que era a parte mais cheia durante o dia; o salão do bar, onde tinha mesa de sinuca, TV e caça-níqueis; e um salão nos fundos. O acesso para a adega era por uma pequena porta no final do salão do bar. Abri-a e entrei. O ar frio deixou os pelos dos meus braços arrepiados. Tateei para encontrar o interruptor e acendi, depois comecei a descer pela escada estreita.

No final, a adega se estendia, fileiras de barris metálicos e canos e manômetros nas paredes. Dois ventiladores enormes sopravam ar gelado com um ruído monótono. O frio constante e a claustrofobia causada pelo teto baixo era suficiente para assustar qualquer um, mas como a maioria dos lugares antigos, as coisas não terminavam aí. Havia uma história.

Olhei para os barris até encontrar o que tinha acabado. Em poucos momentos, desconectei-o e coloquei um novo no lugar. Uma vez conectado, com um movimento, o manômetro subiu. Era tudo o que eu precisava fazer. Fiquei de costas para a parede enquanto isso, lançando olhares rápidos para os cantos mais escuros da adega. Quando voltei para a escada, um flash de luz veio de cima.

Luz do sol batia no alçapão, dois quadrados de madeira que se abriam para a rua. Foi ali que aconteceu. Nos anos 1960, um proprietário chamado Richard Stacker caiu do alçapão. Não era muito alto, mas ele bateu em alguns barris antes de aterrissar no piso de pedra, quebrando o pescoço. Diziam que o fantasma dele assombrava o bar inteiro, embora a adega fosse o lugar onde ele mais era visto. Adam nunca vira nada, mas admitia que detestava ir à adega. A faxineira, uma devota católica chamada Mary, se recusava a descer ali e se benzia toda vez que o nome de Stacker era mencionado. Aparentemente, ela o avistara uma vez na porta.

Eu nunca vira nada, mas a adega sempre me deixava nervoso — principalmente logo depois das minhas "experiências". A sensação de arrepio nos meus braços voltou, os minúsculos pelos se eriçando embora eu estivesse bem longe do ar gelado dos ventiladores.

Corri daquele lugar, subindo as escadas e voltando para o calor e para a luz.

Adam sorriu com zombaria.

— Sobreviveu, então? O velho Stacker não apareceu?

Tomei um longo gole do meu refrigerante.

— Não que eu tenha visto.

Adam pegou um balde e começou a puxar a torneira do novo barril. Meu olhar encontrou Stacker em uma foto desbotada de um recorte de jornal, em uma moldura ao lado da prateleira de troféus de dardo.

— Isso me lembrou — Adam bebeu de uma vez o conteúdo do balde — de que Pete quer fazer uma daquelas noites assombradas. Sabe, como aquelas que fazem na televisão? Ele vai pagar um cara para fazer uma sessão espírita e vai cobrar entrada.

Levantei as sobrancelhas.

— Você acha que muita gente vai aparecer?

Adam apontou para a prancheta ao lado do telefone.

— Você precisa ver a lista. Vai estar completa antes do fim da semana se as cosias continuarem assim.

— Meio doentio, lucrar em cima de um cara que quebrou o pescoço.

Adam deu de ombros.

— Vai ser basicamente um bar aberto após o horário de expediente com algumas assombrações e um buffet liberado. Você deveria vir. Posso conseguir um ingresso grátis.

— Por que eu ia querer fazer isso? Já tenho problemas o suficiente em casa.

Adam se debruçou mais perto e falou baixinho:

— Essa é a questão. Talvez, se você passar a noite em algum lugar diferente, poderia distinguir se a coisa no apartamento... é real ou não. Pense bem: se você está realmente *captando* alguma coisa, qual o problema de captar alguma coisa aqui também?

Balancei a cabeça.

— De jeito nenhum. As pessoas já falam de mim. E se eu surtar na frente de todo mundo. Só vai piorar as coisas.

Adam assentiu.

— É, acho que sim. Foi só uma ideia. — Ele atravessou o bar para completar o copo de um cliente, me deixando encarando a fotografia do proprietário morto.

Apesar do que tinha dito, eu *estava* pensando sobre o assunto. Pensando *mesmo*. Talvez embora jamais arriscaria ir a uma caça a fantasmas ou uma sessão espírita ou qualquer coisa do tipo perto de casa, a ideia se arraigou. Assombrações eram um negócio sério, e havia outros lugares, longe daqui, onde ninguém me conhecia. Onde não importaria se algo acontecesse e eu me expusesse. Onde eu pudesse descobrir de uma vez por todas se o que estava vivendo era real ou se estava simplesmente maluco.

O velho Stacker riu para mim, desbotado e amarelado. Levantei meu copo em um brinde e agradeci a ele silenciosamente. Pela primeira vez em seis meses, eu tinha um plano — e alguma esperança.

Capítulo 3

Atropelamento e fuga

Acho que devo explicar o que aconteceu para me deixar assim.

Nunca achei que fosse morrer jovem. Nunca nem pensei em morrer. Eu pensava nas mesmas coisas que a maioria dos garotos de 17 anos pensa: baladas, carros, garotas, sexo e como ficar bêbado sendo menor de idade. A única coisa que eu pensava em fazer com O Futuro era tirar boas notas e, quem sabe, conseguir entrar em uma boa universidade. Às vezes pensava em artes também, embora, depois que ganhei o carro, minha vida social tenha superado todas as outras coisas. Admito que estava sendo relaxado, mas não me importava. Curtia a vida.

O acidente apareceu em todos os jornais locais e até em alguns nacionais. *CHOQUE MORTAL: RAPAZ EM ESTADO CRÍTICO* e *MOTORISTA MISTERIOSO DO CASO DO ATROPELAMENTO E FUGA* foram algumas das manchetes das quais me lembro. Sei o que parece. Garoto que acabou de passar no exame de motorista. Correndo, provavelmente para se exibir para uma garota ou para os amigos. Soa familiar, não?

Mas não era eu quem estava dirigindo. Nem estava no carro. Como falei antes, não corria nem dirigia feito um maluco. Gostava do meu carro e queria que ele continuasse inteiro — assim como eu.

Era um sábado à tarde e eu tinha ido encontrar uns amigos no centro da cidade. Não planejava ficar muito tempo — só precisava de uma camisa nova para usar à noite. O lugar estava cheio por causa das compras de Natal. Uma única rua separava o estacionamento do shopping, uma rua movimentada. Uma das vias estava tranquila, mas o lado mais perto de mim estava engarrafado. Corri até o cruzamento e apertei o botão, esperando o sinal mudar. Assim que mudou, os carros pararam e desci da calçada.

Foi assim: fui até o meio da rua e escutei o barulho de um motor de carro, alto demais, perto demais. Ele continuava se aproximando e não vinha de trás dos carros mais próximos que tinham parado, mas do outro lado, da pista que estava limpa, sem tráfego. Ou, pelo menos, sem tráfego até aquele momento. Lembro-me de virar a cabeça no último instante e ver o sol refletido no capô de um carro escuro — preto ou, talvez, azul.

Babaca, pensei, correndo para a calçada. *Você não está vendo o sinal vermelho?* Mas o carro não parou, nem diminuiu a velocidade, e fiquei olhando quando ele se afastou acelerando. O número da placa começava e acabava com S, mas o resto estava obscuro por respingos de lama.

Alguém gritou atrás de mim, tirando meu olhar da rua. Só então vi as pessoas saindo de seus carros e se amontoando no cruzamento. Vozes tagarelavam, vozes em pânico que chegavam a mim entrecortadas.

— ...não mexa nele...

— ...acabei de chamar uma ambulância...

— ...dê um pouco de espaço para ele...

— ...nem parou, o miserável continuou correndo...

— ...número da placa, mas estava rápido demais...

— ...ah, Deus, a cabeça dele...

Alguém tinha sido atropelado? Vi uma mulher chorando, segurando o guidão de uma bicicleta infantil, e me senti mal. Será que tinha sido o filho dela? Havia tanta gente que eu não conseguia ver nada. Mas então alguém mudou de lugar e um menininho apareceu atrás da mulher. Eu o vi olhando para mim, os olhos grandes e escuros, e ele recuou, com o polegar enfiado na boca.

Continuei na calçada, sem saber o que fazer. Sentia-me um merda parado ali sem fazer nada, mas o que eu *podia* fazer? Não sabia nada sobre primeiros socorros. Por outro lado, pareceria insensível ir embora. Senti um gosto estranho na minha boca e segurei a vontade de cuspir.

Sirenes soaram, rapidamente se aproximando até suas luzes iluminarem a rua e uma ambulância aparecer. Dois paramédicos — um homem e uma mulher — pularam do carro e pediram para os curiosos se afastarem. A multidão abriu caminho e, de repente, ficou em silêncio, e eu consegui ver as pernas da pessoa deitada na rua.

Estranho, pensei, *ele está usando uma calça jeans igual a minha...*

O gosto voltou. Tipo... de temperos e carne. Passei a língua pelos dentes, mas era mais um *cheiro* do que um gosto. Mais pessoas saíram do caminho e, pela primeira vez, vi uma mulher de meia-idade debruçada sobre o corpo, fazendo respiração boca a boca. A paramédica estendeu a mão e tocou no braço dela. A mulher se afastou. Havia um sanduíche pela metade ao seu lado, espalhado pelo asfalto. O pão estava salpicado de sangue.

— Ele parou de respirar um minuto atrás, mais ou menos — disse ela, tirando o cabelo grisalho dos olhos. — Sou enfermeira... fora de serviço... eu...

A voz dela foi abafada por um som alto que parecia vir de dentro da minha cabeça. Sem perceber, me aproximara do corpo. Os olhos dele estavam fechados, a boca aberta e frouxa. Embaixo da cabeça, o asfalto estava mais escuro e molhado, circundado por uma coroa que crescia e se espalhava. Assisti ao paramédico começar a massagear o peito do garoto. A mulher colocou alguma coisa sobre o rosto dele.

Eu conhecia aquele rosto. *Meu* rosto.

Não tinha conseguido atravessar a rua.

Uma série de palavras saiu da minha boca. Não as escutava nem compreendia. Ninguém mais as escutava também, agora eu percebia.

Porque o meu corpo estava estendido ali, sendo golpeado e bombeado, e ainda assim, eu estava aqui, longe dele. Impotente. Um espectador... do quê? Da minha própria morte?

— Tarde demais. — A mulher balançou a cabeça, mas continuou segurando a máscara no lugar. — Ainda não tem pulso. Ele se foi.

— Continue. — Apesar do ar gelado de dezembro, suor se acumulava acima do lábio superior do homem conforme ele continuava trabalhando. — Só mais um pouco.

— Estou aqui! — gritava para eles, debruçado sobre o meu corpo. — Não morri! Não parem, não desistam de mim!

E eles não desistiram. Continuaram pressionando o meu peito, suas vozes firmes, gritando instruções um para o outro. Meu peito levantava e abaixava conforme ar era forçado para dentro dos meus pulmões através da máscara.

Quantos segundos se passaram? Quantos minutos? Faltava pouco tempo antes que meu corpo se fechasse para sempre e essa parte de mim, assistindo a tudo, o que quer que ela seja, também fosse embora. A não ser que... a não ser que essa fosse a realidade de estar morto. Eu já estava morto? Minha vida não podia ter acabado, ainda não. Não agora, não dessa forma... mas tinha tanto sangue no chão. Mesmo se eu sobrevivesse, para que tipo de vida eu voltaria? Ficaria com alguma deficiência? Com danos cerebrais?

Alguma coisa estava acontecendo. Como se algo me puxasse, um ímã me atraindo para mais perto do meu corpo. Senti o aperto no peito, sobrecarregado com o peso de outra pessoa, e o cheiro de alguma coisa artificial. Plástico...

Vi os olhos do meu corpo se abrirem, então... eu não estava mais do lado de fora. Os rostos dos paramédicos apareceram sobre o meu.

— Ele voltou. Aguente firme, filho.

Por um momento, eu estava dormente, totalmente dormente. *Estou paralisado?* Em pânico, tentei me sentar.

— Não, fique parado, não tente se mexer ainda...

Eu tinha me mexido, então. Bom. Eu tinha me mexido... Não estava...

Pinos e agulhas primeiro, em toda parte. Depois, dor. Diferente de tudo que eu já tinha sentido. Cada batida do meu coração vibrava na minha cabeça esmagada. Era como se houvesse dentes ali. Dentes afiados de animais, lutando e rosnando um para o outro para ver quem ficava com o maior pedaço do meu cérebro. Senti o cheiro de sangue mesmo através da máscara. A parte de trás da minha cabeça estava pegajosa e quente de sangue. Torcia para ser só isso. Apenas sangue, e não pedaços do meu cérebro.

A paramédica se debruçou por cima de mim. O rosto dela sumia e voltava, sumia e voltava, no mesmo ritmo das luzes por cima da cabeça dela, contornando sua silhueta, depois não.

Dor. Era só nisso que conseguia me concentrar. Ela começou a falar, e eu tentava escutar e entender, mas não conseguia.

— Nós vamos mover você agora, querido. Levá-lo para o hospital. Vão cuidar de você lá. — Ela olhou para o colega. — Pronto? Levante...

Apaguei.

Uma cirurgia, uma placa de metal e vinte e oito pontos depois, eu acordei. Dez semanas depois disso, duas das quais em tratamento intensivo, fui liberado para ir para casa. Mudado, física e mentalmente. Nos dois meses seguintes, sofri de dores de cabeça paralisantes e visão embaçada. Aos poucos, elas foram diminuindo. Os médicos diziam que eu tinha sorte, que a minha recuperação era uma das mais incríveis que eles já tinham visto. *Sorte*. Eu não achava o mesmo.

A polícia ainda não tinha pegado quem me atropelara. Um monte de gente que estava no local do acidente prestou depoimento. O carro era preto. Quem dirigia era uma mulher, branca, de 20 e poucos anos, talvez menos. O número da placa começava e acabava com S, mas o resto estava coberto de lama. Ninguém sabia mais nada.

Eles também não conseguiram localizar a enfermeira; aquela que estava comendo o sanduíche que pude sentir através do hálito dela. Os jornais — e os médicos — diziam que ela era uma heroína. Mandando oxigênio para os meus pulmões e impulsionando a corrente sanguínea, era quase certo que salvara a minha vida. Nenhum apelo para que ela aparecesse trouxe resultado. Talvez ela fosse como eu e não gostasse de atenção. Agira em um impulso, fizera o que achava certo e seguira seu caminho. Embora eu compreendesse, teria gostado de ter a chance de agradecer. Sabe quando temos aquelas cenas na nossa cabeça, em que ensaiamos exatamente o que diríamos para uma pessoa e o que elas responderiam? Eu tinha tudo planejado. Até compraria um sanduíche para ela.

Também pensava na motorista.

No início, pensava muito. O que diria para ela se a visse. Pensava tanto nisso que criava alguns cenários em minha mente. Às vezes, apenas perguntava a ela por quê. Por que não tinha parado se o sinal estava vermelho? Por que não tinha parado quando me atropelou e eu fiquei sangrando no asfalto? Ela não se importava? Outras vezes, dizia a ela que a odiava e como arruinara a minha vida e me mudara. Às vezes, imaginava que ela era presa e condenada, e que quando, do banco dos réus, ela tentava olhar nos meus olhos para implorar perdão, eu olhava para a frente e a ignorava.

Eu me perguntava se ela pensava no que tinha feito. Ela se arrependia? Sua mente estava atormentada? Eu achava que não. Todo mundo que testemunhou o que aconteceu dizia a mesma coisa. A motorista não hesitou, nem diminuiu a velocidade.

A polícia interrogou a mim, a minha família e meus amigos, para saber se havia alguém com algum ressentimento de mim. Não era o caso. Havia Juliet, claro, mas ela não dirigia, e a ideia de ela tentar me atropelar por dispensá-la era absurda. Juntando com o fato de que a rua era movimentada, a ideia de que havia sido proposital foi rapidamente esquecida.

Na minha cabeça, existia outra linha de raciocínio: o que podia estar passando na cabeça da mulher para justificar o fato de ela não ter parado.

Talvez o carro fosse roubado. Talvez ela estivesse sofrendo um sequestro relâmpago e houvesse alguém no banco de trás forçando-a a dirigir. Talvez tivesse assaltado um banco... ou estivesse indo para o leito de morte de um parente... ou estivesse grávida, em trabalho de parto... ou talvez fosse uma espiã do governo indo evitar um ato de terrorismo. Talvez, talvez, talvez. Minha mente buscava possibilidades e desculpas, por mais absurdas que fossem. Qualquer coisa, qualquer razão que explicasse como ela podia ser tão indiferente à minha vida.

Cada dia que se passava, o rastro se apagava mais. A polícia me disse que eu deveria aceitar o fato de que talvez a justiça nunca fosse feita. Tentava convencer a mim mesmo de que não importava. Que a pior condenação que ela teria seria alguns meses na prisão — no máximo uns dois anos. Talvez fosse melhor assim, porque ela teria que viver não apenas com a culpa, mas com o medo da verdade vir à tona.

Mas a verdade pura e simples era que ela escapara impune.

Atropelamentos em que o culpado foge viram notícia. Pode variar de uma pequena matéria até uma primeira página inteira, dependendo das circunstâncias. Às vezes, tem um elemento que a imprensa capta e não larga; algo que faz com que a notícia seja grande. O que tornou a minha história grande não foi o fato de eu ser jovem, embora fosse. O que sobressaiu no meu acidente foi ter ficado clinicamente morto por quase dois minutos até os paramédicos me trazerem de volta.

Já sabia disso mesmo antes de ver o relatório. O que mais explicaria a experiência que eu tive após o impacto, quando estava fora do meu corpo, observando estranhos se debruçando sobre o meu corpo e vendo o culpado fugir? Os médicos tinham teorias sobre o que eu vira e sentira. Eles chamavam de "experiência de quase morte". Muitas pessoas que tinham sido consideradas mortas ou que chegaram perto da morte aparentemente passavam por isso. Algumas experiências eram parecidas com a minha, com a pessoa saindo do próprio corpo. Outras descreviam encontros com uma luz brilhante e sensações de paz. A minha não teve nada a ver com isso. Lembro-me do meu pânico e desespero. Não era a minha hora de morrer, e eu sabia disso.

Fiz muitas pesquisas nos meses que se seguiram ao acidente. Só um pouco no começo, depois mais quando a outra coisa começou a acontecer. Médiuns e espiritualistas acreditam que as experiências de quase morte são uma prova da vida após a morte. Cientistas e médicos apresentam teorias de que essa é a forma de o cérebro lidar com a situação quando uma pessoa sabe que está morrendo; uma forma de conforto que está geneticamente programada dentro de nós.

O que os médicos *não conseguiram* explicar foi como, antes de saber quaisquer detalhes sobre os depoimentos das testemunhas, a minha descrição da placa do carro foi a mesma dos outros, embora eu estivesse estendido imóvel no chão com a vida por um fio.

E foi por isso que, da primeira vez que eu saí do meu corpo depois do acidente e me vi deitado na cama, achei que estava morto.

Capítulo 4

Vidas Passadas

Quando parei o carro no portão, achei que havia algum engano. Eles estavam fechados, e uma placa de madeira pendurada do lado de fora confirmava isso. Desliguei o carro e procurei no meu paletó (ou melhor, no paletó do Adam, porque eu não tinha terno) no banco do carona. Do bolso interno, tirei a folha de papel timbrado e reli. Lugar certo, hora certa; o que estava acontecendo?

Saí do carro, satisfeito em sentir a brisa e esticar as pernas depois da viagem de quarenta minutos. À direita do portão, havia uma espécie de guarita de segurança. As cortinas estavam fechadas, mas havia uma câmera, um botão e um alto-falante. Apertei o botão, sem esperar uma resposta, mas houve um ruído e, em seguida, uma voz masculina.

— Pois não?

Limpei a garganta.

— Vim para uma entrevista com Arthur Hodge.

Ruído.

— Seu nome?

— Elliott Drake.

— Final da rua, prédio principal. Alguém estará esperando por você e lhe mostrará onde estacionar.

Houve um zumbido grave, e os portões começaram a se abrir. Voltei para o carro e acelerei assim que havia espaço suficiente para passar. O carro chacoalhou ao passar pelo caminho de cascalho. Dos dois lados, o terreno era esplêndido; cheio de árvores e verde, se estendendo bem além do que me lembrava, embora fizesse muito tempo desde a última vez em que estive aqui. Pelo espelho retrovisor, vi os portões se fechando, me trancando ali.

A entrada de visitantes, um moderno prédio de tijolos, ficava bem à frente, e, conforme me aproximei, vi um homem atarracado nos degraus, acenando para eu me dirigir para a esquerda. Dois vastos estacionamentos se abriam, um para ônibus e o outro para carros. Parei o mais perto da saída possível e saí do carro, lutando para vestir o paletó. Odiava a sensação de usar terno. A última vez que eu vestira um fora no funeral da mamãe, quase três anos atrás, e também pertencia ao meu irmão. O tecido grudava na pele suada do meu pescoço e, mais uma vez, desejei não ter escutado Adam e vestido um terno. De qualquer forma, duvidava de que fosse conseguir o emprego e, para melhorar a situação, hoje estava sendo o dia mais quente do ano.

Quando entrei no prédio, a poeira do cascalho da entrada já tinha coberto meus sapatos recém-engraxados, fazendo com que deixassem de ser pretos e brilhantes para se tornarem cinzentos e foscos. O que, somado ao terno amassado e ao suor escorrendo pelo meu rosto, fazia eu me sentir um trapo. Irônico, levando em consideração que passara os últimos meses parecendo um mendigo e nem ligando.

Ainda assim, o homem atarracado na entrada fez com que me sentisse elegante. Ele estava suando ainda mais do que eu, desde as palmas das mãos — que ele enxugara rapidamente na bermuda amarrotada — até o topo da cabeça careca. Ele formou um sorriso com os lábios carnudos e consegui relaxar. Se *ele* tinha um emprego, então as minhas chances eram maiores do que eu imaginara. Esperava que, quando ele me levasse para conhecer Arthur Hodge, eu já tivesse parado de suar.

— Elliott? — O homem estendeu a mão.

Apertei, assentindo.

— Arthur Hodge, Chefe do Departamento de Passeios. — Ele envolveu a minha mão na dele, suada e gorda, e sacudiu para cima e para baixo. — Por aqui.

Por sorte, ele se virou rápido demais para perceber a minha surpresa. Eu o segui pela entrada do prédio, através de um arco de pedra coberto por glicínias. Flores roçavam nos meus ombros, soltando um leve aroma que perdurou até nos aproximarmos de uma série de casas antigas com varandas e portas coloridas. Uma placa no muro dizia *ÁREA PRIVADA — APENAS FUNCIONÁRIOS*. Ele me guiou por um pátio, através de mais arcos cobertos de plantas, antes de entrar por uma porta. Era tão baixa que precisei me encolher, e, antes que tivesse tempo de olhar em volta, fui levado por um corredor estreito com portas dos dois lados. Em cada uma delas, havia uma placa de latão com um nome e um título: chefe disso, gerente daquilo. Logo entramos em um pequeno escritório e ele me convidou a sentar. Quando ele se debruçou sobre a mesa, uma mecha de cabelo ruivo saiu de onde ele tinha cuidadosamente a colocado a fim de esconder a parte careca. Ele passou a mão, colocando-a de volta no lugar. Desviei o olhar.

Tudo no escritório era antigo. Vigas largas iam de um lado a outro do teto, e havia uma lareira de ferro fundido atrás da mesa. Arthur Hodge bateu em cima de alguns papéis, chamando a minha atenção.

— Então, Elliott. Bem-vindo ao Museu Vidas Passadas. Assim como o Black Country Museum e o Beamish Museum, somos um museu *vivo*, uma aldeia ao ar livre onde os visitantes podem realmente ter uma experiência em uma vida histórica. Hoje temos trinta e dois prédios no nosso terreno, um terço dos quais estão no mesmo lugar onde foram originalmente construídos. Os outros consistem em prédios históricos de todo o país que foram removidos e cuidadosamente reconstruídos aqui. Alguns dos originais, como o elisabetano, foram preservados como parte do patrimônio histórico e cultural da região muitos anos antes do museu ser inaugurado. Outros, como a escola vitoriana, por exemplo, permanecem no local original, mas eram ruínas parciais das guerras. Ao invés de serem destruídos, tornaram-se parte do museu e foram reerguidos.

Assenti. Não sabia muito sobre o lugar, exceto uma coisa: que se acreditava ser o lar de alguns dos prédios mais mal-assombrados da Grã-Bretanha.

Arthur Hodge juntou as mãos e abriu seu sorriso de lábios carnudos novamente.

— Vamos começar, então. Você está se candidatando ao cargo de *trainee* de Guia de Passeios, cuja principal função é oferecer passeios guiados, mas como a descrição do cargo informa, às vezes também envolve outras funções como ajudar na loja ou nos salões de chá e afins. É a sua primeira visita ao Vidas Passadas?

— Não — respondi. Minha voz saiu baixa. Esforcei-me para esconder meu nervosismo. — Estive aqui uma vez em um passeio do colégio. Mas foi muitos anos atrás, eu tinha 10 anos.

— E o que você achou do lugar?

— Bem, faz muito tempo, mas eu me lembro de gostar da loja de doces...

O sorriso de Arthur se apagou um pouco e eu, mentalmente, me repreendi. Precisava me esforçar — que criança *não* se lembraria da loja de doces? Prossegui apressadamente:

— E dos passeios a cavalo e de charrete... — Os lábios gordos começaram a se abrir de novo, e busquei lembranças, tentando cavar algo que pudesse apaziguá-lo. — Vimos o sapateiro consertando sapatos... — Uma imagem levava à outra, e eu sorri, meio aliviado e por causa das lembranças daquele dia que, até este momento, estavam completamente esquecidas.

O sorriso de Arthur também voltou. Ele fez uma anotação no meu currículo.

— Havia uma história de fantasmas também — lembrei-me. — Alguma coisa sobre uma mulher e uma janela. Escrevi sobre isso quando voltamos para a escola.

O sorriso aumentou.

— Essa história é apenas a ponta do iceberg no que diz respeito à atividade sobrenatural deste lugar. Somos cautelosos com o quanto revelamos, dependendo do público, mas depois voltamos a isso. Agora, me diga, Elliott. O que você acha que pode acrescentar a esse cargo?

Tinha descoberto esse emprego uma semana antes. Assim que voltei para casa, depois do The Acorn, comecei a pesquisar sobre caça a fantasmas e noites paranormais na Internet. Papai não estava em casa, e fiquei feliz por ele não ficar espiando sobre os meus ombros, bufando para todo esse "papo furado".

Havia muitos eventos fantasmagóricos anunciados, a maioria parecia terrível. Sites espalhafatosos com imagens de sangue escorrendo e vídeos exagerados de pessoas correndo no escuro e gritando, segurando tochas tremeluzentes. Mas tinham dois que pareciam sutis e genuínos, com opiniões positivas das pessoas que tinham participado. Só havia dois problemas com eles: a distância (um era uma mansão em Cornwall, o outro, um castelo na Escócia), e a logística de qualquer visita que eu fizesse. Se houvesse fantasmas, não conseguiria me conectar com eles apenas andando com um monte de estranhos. Precisava *dormir*. Foi quando tive a ideia de me hospedar em um hotel mal-assombrado.

Mais uma hora navegando pela rede me rendeu anotações sobre algumas possibilidades. Alguns telefonemas depois, ficou óbvio que até esses eram uma perda de tempo. Uma estadia de uma noite em qualquer um deles limparia a minha já patética conta bancária.

Desisti e fui assistir à televisão. Estava seriamente considerando aceitar a sugestão de Adam e ir à noite mal-assombrada no The Acorn, quando folheei o jornal para procurar o caderno de TV e a palavra "paranormal" chamou minha atenção em uma propaganda na margem.

Vidas Passadas — o melhor museu vivo do Reino Unido!

Volte no tempo e viva a história como nunca. Situado no coração da região rural de Essex, Vidas Passadas é uma aldeia histórica a céu aberto com atrações para a família toda. Aprenda a dançar como uma elisabetana, experimente uma sala de aula vitoriana e seja testemunha de um combate real entre cavaleiros! Para mais detalhes sobre nossos eventos premiados de fins de semana, incluindo caminhadas fantasmagóricas e noites paranormais, visite nosso site ou ligue para...

Esquecendo-me da televisão, voltei para o computador e digitei o endereço do site, com a intenção de ver o custo da hospedagem — mas a primeira coisa que vi foi uma vaga de emprego. E a parte racional do meu cérebro perguntou: por que pagar para estar lá se você pode ser pago? Não precisava ser permanente. Só o necessário para eu descobrir o que precisava, depois poderia pedir demissão.

Trinta minutos depois, eu já tinha enviado a solicitação de emprego.

Dois dias depois, o e-mail chegou. Eu tinha uma entrevista.

Ela rapidamente começou a despencar ladeira abaixo, apesar do começo promissor. Eu gaguejava em toda pergunta, até nas mais básicas. Soube que estava indo realmente mal quando Arthur Hodge parou de fazer anotações e passou apenas a assentir da mesma forma em todas as minhas respostas. Estava começando a me irritar. Além disso, tivera outra noite insone e meus olhos ficavam cada vez mais pesados, como se alguém tivesse jogado areia no meu rosto. A poeira do estacionamento de cascalho não ajudara, e eu me irritava a cada piscada.

— De acordo com seu currículo, você deveria estar no meio de seu *A-level* — disse ele, pegando a caneta de novo. — Artes, História e Fotografia. Estou certo?

Pelo tom da voz dele, pude perceber que achava que eu tinha mentido. Não ajudou em nada a melhorar o meu humor.

— Está. — Tentei não cerrar os dentes. — Terminei o primeiro ano.

— Mas não o segundo?

— Larguei. Bem, não exatamente... decidi parar durante um ano. Só adiei.

Naquele momento, eu trocaria uma semana de sono para usar a cara presunçosa de Arthur Hodge como alvo para jogar dardo.

— Por que a mudança de planos?

Que se dane, decidi. Eu não tinha nada a perder contando a verdade. Provavelmente não o veria novamente depois de hoje.

— Larguei por que sofri um acidente no ano passado — falei. — Fui atropelado por uma motorista que fugiu e passei semanas no hospital me recuperando. Quando voltei para o colégio, já estava muito atrasado. Achei que seria mais fácil trancar esse ano. Quando eu voltar para terminar meus *A-levels,* todo mundo será novo. Ninguém vai saber o que aconteceu comigo e vou poder levar uma vida normal, sem todas as perguntas e os olhares. — Pela primeira vez desde que entrara naquele escritório, percebi que minha voz não tremia. Foi estranhamente tranquilizador me abrir, ser eu mesmo e não precisar pensar na resposta certa ou errada por um ou dois minutos.

Isso certamente tirou a expressão presunçosa do rosto de Arthur Hodge. Eu estava meio que esperando o olhar de pena que passara a temer, mas, ao invés disso, ele pareceu compreensivo e até envergonhado. Talvez eu ainda tivesse uma chance.

— Ah. — Ele limpou a garganta. — Sim, isso explica algumas coisas. — Ele endireitou os papéis e se levantou. — Bem, assim terminamos a entrevista. Se quiser me acompanhar, posso fazer um rápido passeio com você e lhe falar um pouco mais sobre o emprego. É importante que saiba exatamente o que é necessário e como o trabalho pode ser cansativo. A maior parte dele é física, e algumas pessoas não conseguem acompanhar o ritmo.

Eu me levantei e o segui de volta para o pátio. Ele destrancou um portão de madeira e, depois dele, o museu se estendia por uma rua desordenada. Estava praticamente vazio, mas, quando olhei em volta, vi alguns sinais de vida: dois jardineiros cuidando de canteiros de flores nas margens da rua de pedras, alguém lavando as janelas de um prédio torto, e uma garota de cabelo claro limpando estábulos mais à frente.

— O museu é mantido por funcionários que estão virtualmente presentes o ano inteiro — disse Arthur. Ele continuou andando sobre as pedras. Eu o segui com passos meio mancos, tentando não fazer careta cada vez que sentia a ponta de uma rocha através da sola fina dos meus sapatos. — Praticamente toda a comida que servimos nos salões de chá é produzida aqui, somos quase autossuficientes.

Adotei uma expressão entusiasmada. Não era burro o suficiente para acreditar quando ele me disse que a entrevista tinha acabado. Tudo que eu falava e fazia ainda estava sendo levado em consideração, e a minha reação ao lugar era especialmente importante.

— Existem duas áreas para os funcionários: os escritórios principais de onde acabamos de sair e o Velho Celeiro ali. — Ele apontou para o prédio torto ao lado dos estábulos. — Tem uma sala comum, armários e um vestiário. Todos os nossos funcionários se vestem a caráter, claro.

Gemi por dentro. Tinha me esquecido disso. As fantasias eram para ajudar a manter o clima histórico. Se eu *conseguisse* o emprego, Adam nunca me deixaria esquecer dessa parte.

— Que tipo de roupas os guias usam? — perguntei.

Hodge acenou com a mão.

— Ah, nada muito elaborado. Preferimos algo simples; andamos o dia todo, então precisa ser prático.

Assenti, aliviado.

— Alguma lembrança da sua visita anterior? — perguntou ele, parando de repente.

Parei e olhei ao redor. Bem na frente, vi um poço e senti uma onda de reconhecimento.

— Eu me lembro daquilo — falei, apontando. — Do poço. — Fomos na direção dele. — É daqui que todas as ruas saem, e a loja de doces fica ali... acho que o sapateiro fica... por ali, em algum lugar.

— Você tem boa memória — disse Arthur, sorrindo. — Obviamente, algumas coisas foram acrescentadas nos últimos anos, mas nós mantemos cada área, ou rua, do museu como uma era particular, construindo do meio para fora. A área central perto do poço é chamada de Planície. As quatro ruas começam ali e cada uma representa uma era diferente. Elisabetana, georgiana, vitoriana e eduardiana.

— Ele apontou para um prédio de madeira inclinado. — Calthorpe House e, depois, Swan Hotel são as estruturas elisabetanas originais da Cornmarket Street, a parte mais antiga do museu. É também a parte mal-assombrada, se você gosta dessas coisas. — Os olhos dele brilharam. — Muitas coisas pavorosas acontecem. — Ele se virou e começou a voltar para o lugar de onde tínhamos vindo. — Então, essa foi uma versão muito reduzida do passeio. Se você tiver sucesso, receberá um treinamento completo sobre cada uma das ruas e oferecerá passeios de vinte a vinte e cinco minutos. Quando conhecer bem a história do lugar, poderá trabalhar nos passeios completos, que duram quase duas horas. — Ele apontou para o piso irregular.

— Como você já deve ter percebido, ficar de pé o dia todo em um lugar como este não é fácil. Outra coisa que devo mencionar é o clima. O emprego envolve encarar os elementos climáticos: chuva, sol ou neve. Se você de fato for selecionado para o cargo, deverá levar isso em consideração.

Assenti.

— Alguma pergunta?

No caminho para a entrevista, tentara pensar em formas de passar a noite lá sem precisar pagar a diária de um quarto.

— Gostaria de saber sobre as caminhadas fantasmagóricas; se os próprios guias trabalham nesses eventos ou se vocês contratam separadamente. É que eu percebi que elas acabam tarde, e é uma longa viagem...

— Não é obrigatório — cortou ele —, mas muito apreciado. A maioria dos funcionários que fica aqui até tarde trabalha em turnos, mas depois da nevasca do ano passado, passamos a oferecer alguns quartos básicos para quem não consegue voltar para casa durante um mau tempo. É sempre uma opção, desde que não tenha medo de escutar histórias de fantasmas.

— Não me importo — respondi logo. Ele pareceu satisfeito e anotou alguma coisa em um bloquinho que tirou do bolso da bermuda.

— Mais alguma coisa?

— Não, acho que é isso. Mas agradeceria se o senhor pudesse me dar uma ideia de quando terei uma resposta sua. — Enquanto falava, percebi duas coisas: a primeira era que a segunda parte da entrevista, mais informal, tinha sido bem melhor do que a primeira. E segundo, que eu realmente, *realmente* queria esse emprego.

— Tenho mais duas entrevistas esta tarde — disse Arthur. — Então, deve receber uma resposta nossa nos próximos dias, no máximo até o final da semana.

De volta ao carro, pinguei colírio nos meus olhos. Olhando no espelho, vi como eles estavam vermelhos. Até aquele momento, estava me sentindo mais confiante sobre o emprego, mas, a menos que o Vidas Passadas gostasse de ter funcionários que parecessem vampiros, não tinha muita esperança.

Meu humor piorou na volta para casa. Uma entrada errada aumentou em trinta minutos a viagem e, quando finalmente cheguei em casa, só queria cair na cama. No meu quarto, a cama estava desarrumada, e os lençóis, ainda amassados desta manhã. As cortinas nem tinham sido abertas. Um cheiro rançoso emanava dali.

Entrei, puxei as cortinas e abri a janela, expulsando as sombras. Ar fresco entrou no quarto abafado. Na sala de estar, uma luz piscava na secretária eletrônica. Papai não estava em casa. Decidi que esperaria ele chegar antes de tirar um cochilo para tentar colocar um pouco do sono em dia.

Apertei o botão de "play", arrancando a gravata. O recado era para mim, de Adam, perguntando se eu iria com ele visitar o túmulo da mamãe. Quando a gravação terminou, a gravata era uma bola amassada na minha mão.

Apertei o botão de apagar, desejando que pudesse fazer o mesmo com os últimos seis meses da minha vida.

Capítulo 5

O Médico e o Monstro

— Não liga. — Adam se debruçou preguiçosamente por cima do braço do sofá para pegar a garrafa de cerveja. — Vou conseguir um emprego para você no The Acorn assim que você fizer 18 anos. — Os olhos dele brilharam. — Você vai ter muito com o que se ocupar na adega, com o velho Stacker.

— Cala a boca — mandou Amy, dando uma cotovelada no meu irmão. Ela piscou para mim com seus olhos da cor de caramelo derretido e tomou outro gole de vinho. Dava para ver porque meu irmão estava tão apaixonado.

— Ele sabe que estou brincando. — Adam se inclinou para o lado, fungando o pescoço de Amy.

— Você iria receber uma resposta do emprego hoje mesmo? — perguntou ela.

— Ele disse até o final da semana. — Dei de ombros e coloquei minha garrafa de cerveja ainda cheia na mesa de centro. — Hoje é sexta-feira e não tive nenhuma resposta.

— Vai deixar essa cerveja? — perguntou Adam, de olho garrafa.

— Vou. — Levantei-me e peguei meu casaco. — Está tarde. É melhor ir embora.

— Você mal tocou na cerveja, me dá aqui.

Empurrei a bebida quente para ele. Tinha tomado alguns goles por insistência de Adam, tinha perdido o interesse em beber desde o acidente, e raramente terminava uma se sabia que ia dirigir.

Meu irmão soluçou.

— Você ouviu meu recado mais cedo? Sobre visitar a mamãe?

— Ouvi — respondi, fechando meu casaco. — É só me ligar quando quiser ir.

Adam ficou em pé, cambaleando.

Fui em direção da porta, mas ele segurou meu braço.

— Elliott — falou baixinho. — Sei que você não gosta de ir, mas ignorar não vai mudar nada.

— Ir também não.

Ele me soltou e suspirou.

— Vou ligar, então.

— Tudo bem. — Dei tchau para Amy e saí, meu humor piorando.

Depois de passar os últimos dias sem fazer nada em casa, esperando por um e-mail que nunca chegou, finalmente desisti por volta das seis horas e fui para a casa de Adam. Embora tivesse me divertido, não foi uma boa decisão. As outras pessoas que moravam lá tinham saído, então ficamos só nós três, batendo papo, comendo a comida que pedimos e assistindo a um filme. Mas agora eu pagava o preço. Meu corpo inteiro implorava por descanso. Eu nem devia ter dirigido, de tão cansado que estava. Graças a Deus, era tarde e as ruas estavam vazias. Fui com a janela aberta o caminho inteiro, o ar gelado batendo no meu rosto para me manter acordado. A tensão aliviou um pouco quando cheguei ao jardim e estacionei, mas foi substituída por uma de outro tipo.

Olhei para o terceiro andar. Todas as luzes estavam apagadas — papai estava na cama. Senti uma pontada de culpa quando pensei nele, voltando para casa, cheirando a produtos químicos e sujeira de outras pessoas, e encontrando um apartamento vazio, um jantar de micro--ondas e um bilhete dizendo que eu estava na casa de Adam.

Vou preparar o jantar para ele amanhã, pensei, arrastando-me pelas escadas. *Vou cozinhar alguma coisa decente.*

Entrei. Na cozinha, a gata ficou rodeando os meus tornozelos. Percebi que papai não tinha dado comida para ela — a ausência de louça na pia me mostrou que nem ele tinha se alimentado. Fora direto da porta para a cama, provavelmente tão cansado quanto eu, se não mais.

Coloquei comida de gato em um prato, lavei as minhas mãos — e parei. A luz da secretária eletrônica estava piscando. Apertei o botão para escutar, olhando o horário da ligação. Tinha a perdido por questão de minutos.

A voz de Arthur Hodge soou. Escutei duas vezes, mas eu tinha entendido certo da primeira vez. Ele estava me oferecendo o emprego.

Percebi que estava com um leve sorriso no rosto, mas a excitação que achava que sentiria não apareceu, estava cansado demais até para me animar com esse golpe de sorte. Ao invés disso, senti apenas alívio porque, finalmente, teria a chance de encontrar algumas respostas.

Não me preocupei em tomar banho, nem em fazer nada que eu deveria — nem mesmo escovar os dentes. Fui direto para o meu quarto, tirei a roupa e caí na cama sem nem fechar as cortinas.

Existem dois tipos de cansaço. O primeiro tipo — o bom — é o estado de exaustão física e mental que você fica depois de fazer algum exercício. Seu corpo fica pesado e relaxado, e sua mente, leve. Você está no melhor estágio para um sono de qualidade.

O outro tipo de cansaço não é bom. É aquele tipo que você sente porque não dormiu o suficiente por algum motivo — talvez tenha acordado cedo a fim de pegar um voo muito cedo para alguma viagem, ou passou a noite estudando para as provas. Você fica fisicamente exaurido, mas sua mente está agitada, se recusando a desligar.

Assim como o cansaço, meu distúrbio do sono tem dois lados. O primeiro é a experiência extracorpórea — ou projeção astral, como às vezes é chamada. É muito ruim. Ruim por causa do que eu vejo à minha volta quando acontece, o pânico de tentar voltar para o meu corpo, e também porque é muito parecido com o que aconteceu quando eu quase morri. Quando eu *morri*, por dois minutos.

Mas o outro lado... esse é pior.

Na personalidade dupla do meu distúrbio do sono, passei a ver esse lado como o Monstro e o outro como o Médico.

E, nesta noite, quando consegui o emprego, foi o Monstro quem veio me fazer uma visita.

Segundo os livros que li, isso ocorre quando você está quase dormindo ou quase acordando. O corpo entra em um estágio de sono conhecido como REM. É quando você sonha. O que normalmente acontece é que os músculos são paralisados para impedir que você reaja aos sonhos e se machuque ou machuque outras pessoas. Mas às vezes é possível acordar um pouco, e não apenas ver as coisas que estão à sua volta como elas realmente são, mas fazer isso enquanto você ainda está paralisado e no estágio REM. Realidade e sono se misturam. A combinação de estar impotente e o peso do corpo paralisado pode gerar uma sensação de esmagamento. É quando começa o medo. Misture medo com alucinações do sono e você está prestes a ter uma experiência da qual nunca irá se esquecer.

Em todo o mundo, isso recebe diferentes nomes, dependendo da cultura. *Demônio Apertador. Segurado por um Fantasma. Corpo Pressionado por um Fantasma. Atado ao Metal. Aparições que Pressionam.*

Pressionam.

Pressionando.

Pressão no meu peito. Em algum lugar nas profundezas do meu sonho, percebo que estou lutando para respirar. A pressão aumenta, fica mais pesada, e com ela eu sou levado de volta ao acidente, quando mãos de estranhos massagearam meu coração, tentando trazê-lo à vida e devolver o ar aos meus pulmões.

Mas eles pressionavam com muita força, não dando tempo para meu pulmão encher. Colocando mais ar para fora do que para dentro; esmagando-me. E eu não conseguia me mover, nem um músculo sequer. As mãos que deviam ajudar agora pareciam poder ferir. Pressionando meu coração com alguma intenção desconhecida... sufocar, fazê-lo parar?

Meus olhos se abriram para a escuridão do quarto. Quando isso aconteceu, algo se escondeu no canto oposto à cama. A pressão no meu peito abrandou. *O gato*, pensei. *É só aquele gato estúpido.* As cortinas estavam abertas como eu as tinha deixado e a luz amarela do poste da rua entrava no quarto. Por um momento, tudo parecia calmo.

No canto, algo se moveu. *Não* era o gato. Era grande demais. E o movimento não parecia de um animal. Foi pensado. Astuto.

Tentei me mexer... e não consegui.

O que...?

Meu corpo não estava fazendo o que meu cérebro mandava. *De novo, não*, pensei. *Por favor, isso não. De novo, não.*

Tinha lido sobre pessoas que acordam no meio de uma cirurgia. O corpo inteiro ainda dormente e inútil por causa da anestesia, mas suas mentes, alertas e claras, assim como a minha agora. Minha mente sabia que havia alguma coisa no quarto comigo, alguma coisa que não era certa. E, independentemente do que fosse, essa coisa sabia que eu não podia me mexer. Sabia que estava impotente.

Eu queria me encolher para longe da coisa no canto. Queria gritar pelo meu pai... *tentei* gritar, mas era como em um pesadelo. Um sussurro patético, pouco mais do que um sopro, foi tudo o que consegui soltar. Não importava o quanto eu tentava — era como se alguém tivesse enfiado algodão na minha garganta, abafando tudo. Mas isso não era um pesadelo. Eu estava acordado. Minhas roupas estavam penduradas no encosto da cadeira onde eu as jogara; minhas chaves e carteira no mesmo lugar de sempre, em cima da escrivaninha. Tudo estava como devia estar, exceto...

A coisa se mexeu de novo. Um movimento lento, horripilante. Esforcei-me para vê-la melhor, mas da minha posição — estava deitado de barriga para cima — minha visão era limitada. A luz da rua se concentrava no meio do quarto. Não chegava às partes mais distantes, aos cantos; e a coisa sabia disso. Ela ficava nas sombras, se misturando a elas.

Tentei me mexer de novo, entrando em pânico. Meu corpo estúpido, traidor, continuou deitado, imóvel, como um pedaço de carne no açougue. Eu podia sentir o lençol enrolado nas minhas pernas, o colchão sob minhas costas, mas nenhuma tentativa de me mexer funcionava.

— *Paaaai...* — Meu grito saía como um sussurro, nada mais.

A coisa ficou mais ousada. Deslizou um pouco para fora da sombra e para mais perto da cama. Ela rastejava, com pausas que foram ficando mais curtas. Sua forma foi se definindo. Um braço, um ombro.

Não era uma coisa. Era uma pessoa de quatro. *Engatinhando.*

Moveu-se para a luz. Uma teia emaranhada de cabelo molhado caía sobre seu rosto.

Se eu já não estivesse incapaz de me mexer, teria ficado paralisado de medo. Pelo menos meu coração estava batendo? Já não tinha certeza.

A figura chegou ao pé da cama, pelo lado direito. O lado em que eu estava. Começou a mudar de posição, abrindo-se como uma flor. Ficando de pé. Outra tentativa de gritar resultou em um som abafado.

O cabelo emaranhado se repartiu com o movimento da cabeça. Eu conhecia aquele rosto. Já o vira antes. Dessa forma, agora... e na banheira, submerso em água, sem vida.

Tess Fielding estava parada aos pés da minha cama, me olhando. Nua, sem a menor vergonha. Água escorria pela sua pele que parecia de cera, pingando no carpete e na cama. Uma gota cintilava no meu pé, caída do corpo dela. Repulsa cresceu dentro de mim. Ela deu pequenos passos, chegando cada vez mais perto, até assomar por cima de mim.

O olhar dela vagou pelo meu corpo, depois voltou para o rosto. Água pingava do cabelo dela no meu peito, escorrendo friamente pela lateral do meu corpo. Ela aproximou o rosto do meu. Seus olhos estavam vermelhos, os lábios, tingidos de azul. Seu contorno alternava entre bruxuleante e borrado até ficar sólido. Vi os lábios dela se moverem, mas não escutei nada.

Mexa-se!, eu gritava para o meu corpo. *MEXA-SE! Saia daqui, desgraçado!*

Ele me ignorava, inanimado como uma boneca.

Sua boca se abriu e fechou, criando formas e palavras que só ela escutava.

Não consigo escutar você, eu tentava dizer. *Nã-não... não consigo escuuuutaaaaar...*

Tentei me mexer de novo. Não consegui. Quis fechar os olhos para não vê-la, e não consegui. Estava impotente para fazer qualquer coisa, a não ser olhar.

Os olhos dela assumiram uma expressão selvagem, e seu corpo se agitou com a força de suas palavras. Ela estava gritando agora. Furiosa porque eu não conseguia escutá-la, ou talvez porque pudesse ver que eu não queria. Ela estendeu as mãos na minha direção, e o foco da minha atenção mudou do seu rosto para seus pulsos. Cortados e vermelhos e abertos sem a menor dignidade. Seu momento final e mais sombrio, cru, feio e exposto.

— *Deixe-me... em... paz.*

Mas ela não ia embora. Chegou ainda mais perto, debruçando-se sobre mim. Colocando as mãos em mim, pressionando meu peito, meu coração, como se tentasse pará-lo usando a força ou só sua vontade... ou talvez pelo desejo de sentir mais uma vez a batida de um coração. O rosto dela estava no meu. Ela se esgueirou de lado para cima do meu corpo, agachando-se como um sapo sobre mim.

Devagar, ela se abaixou na minha direção, os joelhos encolhidos para se juntarem às mãos dela no meu peito. O ar fugiu dos meus pulmões; a mesma sensação que eu tivera acordado. Só que agora era dez vezes pior. Senti o peso aumentando e a carne molhada e pegajosa dela, como um peixe morto, encostando na minha. Ela tinha me imobilizado.

Quando eu tinha 10 anos, tivemos que sacrificar nossa cadela. Todos ficamos em volta da maca do veterinário — eu, Adam e mamãe chorando, e papai tentando muito se controlar. Nós nos revezamos para acariciá-la, desde o momento em que a agulha entrou até o momento em que seu coração parou. Lembro-me de como o corpo dela ficou diferente. Como ficou pesado quando os músculos relaxaram e a tensão foi embora. A expressão 'peso morto' não existia à toa.

Esse era eu agora. Um peso morto. O peso de uma pessoa morta. Meus pulmões lutavam para inspirar ar. Tentei respirações curtas, que não foram suficientes. Os lábios dela continuavam se mexendo, mais rápido, cuspindo palavras.

Escuridão veio deslizando pelos cantos da minha visão. Ela estava espremendo o ar para fora de mim. Tirando minha vida. As pontas dos longos cabelos dela terminavam nos meus polegares, grudando ali como lesmas gordas. Bile subiu pela minha garganta. Se eu não conseguia mover meu corpo inteiro, talvez eu pudesse mover apenas aquela pequena parte... me livrar, pelo menos, do cabelo morto e encharcado.

Minha visão vacilou. O rosto cinzento de Tess Fielding, seus dentes cinzentos, logo iriam embora. O cabelo molhado dela sugava meu polegar. Eu não podia ver, mas podia sentir. Imaginar. Se eu pudesse, pelo menos, mexer aquela pequena parte de mim...

Meu polegar estremeceu, e a mecha de cabelo caiu. Foi um movimento mínimo e, ainda assim, fez uma coisa maior se libertar. Percebi que estava trincando os dentes, e isso fez uma onda percorrer o meu corpo. Devagar, eu retornava ao controle. Encarei Tess com tudo que ainda restava em mim, desejando que os movimentos voltassem. Meus dedos se mexeram... depois minhas mãos, e meus pés. Tudo estava acordando, voltando à vida. Gritei, virando-me de lado e jogando a coisa em cima de mim do outro lado do quarto.

Eu estava de pé, fora da cama, com os lençóis enrolados nas pernas. Acordado. Joguei-me na direção do interruptor de luz e o liguei ruidosamente. Minhas coisas, familiares e bagunçadas, receberam-me como a um velho amigo. Agarrei um taco de hóquei que estava encostado na parede e segurei-o, pronto para atacar qualquer coisa que se aproximasse. Mas eu estava sozinho. Para onde quer que Tess tivesse ido, não estava aqui, pelo menos não de forma visível.

Cada batida do meu coração fazia minhas pernas balançarem. Estremeci, tentando normalizar a respiração, e esfreguei o rosto, molhado com só Deus sabe o quê. Meu suor e minhas lágrimas. A gelada água da banheira que pingava *dela*...

Meu estômago embrulhou. Corri para o banheiro. O último lugar que eu queria ir, mas como costumava acontecer depois desses episódios, a adrenalina e o medo se manifestavam na forma de náusea. Só vomitei *mesmo* uma vez, na pia da cozinha, incapaz de encarar o banheiro. Quando papai entrou e me viu, compreensivelmente, ficou furioso. Eu não ousaria fazer de novo.

Forcei vômito até meus olhos lacrimejarem. Nada saiu, mas quase caí dentro do vaso quando algo se moveu atrás de mim.

— Que inferno! Não fique me vigiando!

Meu pai estava parado na porta, piscando. O grito fez com que desse um ou dois passos atrás, mas depois ele voltou a se aproximar, fechando mais o robe.

— Desculpe. Só queria ver se você estava bem.

— O que você acha? — Eu me endireitei. Ele ficou observando enquanto eu lavava as mãos e jogava água no rosto, o que fez com que eu me sentisse com 5 anos de novo, quando precisava de supervisão para garantir que eu tinha escovado os dentes antes de ir para a cama.

— Você quer mijar ou o quê? Ou só está aqui para ficar me olhando?

— Só achei que talvez você quisesse... achei que talvez você tivesse tido outro daqueles sonhos.

A referência a "sonhos" teve esse efeito. Forçou-me a mentir, só para afastá-lo.

— Não, bebi muito na casa de Adam. E, caso você tenha se esquecido, já tenho quase 18. Já está na hora de você aprender a bater na porta.

Resposta errada.

— *Bebendo?* E veio dirigindo para casa? — Papai apontou o dedo bem no meu rosto, sua expressão transtornada. — É melhor você estar brincando. E, se quer privacidade, seu idiota ingrato, a porta do banheiro não apenas fecha, mas também tem tranca. *Então, use, droga!*

Ele bateu a porta. No momento seguinte, a porta do quarto dele também bateu. Minha garganta doía de vontade de chorar, mas a necessidade de abrir a porta do banheiro foi mais forte. Não podia ficar ali trancado sozinho. Papai devia saber disso. Ele devia *saber*. Mas a culpa era minha, menti e levei o troco.

Abri com força a porta, que bateu na lateral da banheira.

Um choro de criança veio de baixo. Eu me contorci, hesitando no corredor entre o banheiro e o quarto, ficando com mais frio a cada minuto. Quando não consegui mais suportar, entrei no quarto, tirei a colcha da cama e fui com ela para a sala de estar.

Sentindo o fedor dos cigarros do papai, me joguei no sofá e me enfiei embaixo do edredom com os controles remotos, assistindo a séries bobas no mudo, uma atrás da outra.

Na porta ao lado, o quarto do papai estava em silêncio, mas sabia que ele estava acordado, furioso. A criança do apartamento de baixo resmungava, um zumbido lento se misturando a uma voz moderada; um dos pais tentando resolver a situação. Continuou por quase meia hora até finalmente parar. Fiz uma careta. Sem dúvida, amanhã de manhã haveria um bilhete irritado na caixa de correio.

Quando os pássaros começaram a cantar e a primeira luz da manhã entrou pelas cortinas amareladas, eu me permiti fechar os olhos, cansado demais para me preocupar se algum dia eles abririam de novo.

Realmente esperava ter de me humilhar por uma semana para compensar pelo meu ataque na noite anterior, mas, para minha surpresa, meu pai me pediu desculpas. Ele entrou na sala com uma caneca de café às dez horas daquela manhã e a colocou no tapete ao meu lado. Sentei, tirando as pernas do sofá para abrir espaço para ele, que se sentou no outro canto, tragando o cigarro com força.

Peguei a caneca e abaixei o volume da TV. Já estava acordado há mais ou menos uma hora, assistindo ao jornal. Não que eu gostasse de ver, mas a normalidade daquilo ajudava de alguma forma. Papai olhou para a tela.

— Você não bebeu ontem, bebeu?

Fiz que não com a cabeça.

Cinza de cigarro voou no tapete. Papai nem percebeu.

— Não devia ter fechado a porta do banheiro. Desculpe.

— Tudo bem. — Tomei um gole do café muito quente, queimando a língua. — Perdi a cabeça, gritando com você daquela forma. Sei que só foi ver se eu estava bem.

— Ontem não foi... um bom dia — continuou papai. — Teve uma confusão com a escala, acabei chegando tarde. E, para piorar, esta semana faz três anos que a sua mãe... — Ele balançou a cabeça de leve. — Quem poderia imaginar que eu acabaria com um trabalho simplório como esse, limpando para outras pessoas? — Ele riu. — Olhe o estado deste lugar. Nem me lembro da última vez que limpei a *nossa* casa.

Acompanhei o olhar dele. Um raio de luz atravessava as cortinas. Deveria ser alegre e quente. Ao invés disso, mostrou tudo o que estava errado: a poeira nas prateleiras, as marcas meladas de xícaras em todas as superfícies. As queimaduras de cigarro no tapete, e os cinzeiros transbordando.

— Sua mãe teria um ataque se visse este lugar — sussurrou papai.

Não havia o que dizer. Nós dois sabíamos que era verdade: o apartamento estava um caos. Olhei para mim mesmo, braços brancos e magros saindo de debaixo do edredom. *Eu* estava um caos. E o coitado do meu pai tentava, sem sucesso, segurar as pontas.

— Estou melhorando — falei, querendo que fosse verdade. — Arranjei um emprego.

Papai virou-se para me olhar.

— Um *emprego*? Onde?

— Naquele museu, Vidas Passadas. Consegui uma vaga de guia.

O rosto dele mostrou a decepção.

— Mas fica muito longe daqui. Todo o seu salário vai seu gasto com a gasolina...

— Tem acomodação — cortei. — Se eu fizer hora extra, posso passar a noite.

— E os seus estudos? — perguntou papai. — Sua arte? E a universidade?

— Vou voltar — prometi. — No ano que vem. E assim, posso economizar para as mensalidades.

Ele assentiu devagar.

— Mas e se continuar? Você sabe... quando você está dormindo? O que você vai fazer se acontecer e outras pessoas escutarem?

Respirei fundo.

— Vou dizer que são apenas sonhos. Vai ser constrangedor, mas terei de viver com isso. Além do mais, existem histórias sobre aquele lugar. Dizem que é mal-assombrado.

Esperei o papai revirar os olhos ou sair bufando de raiva, mas ele não fez nada disso. Talvez estivesse cansado demais para discutir.

— Eu sei o que você pensa quando conto sobre o que vejo aqui quando estou... quando *deveria* estar dormindo. Sei que acha que não é real. E eu também não sei se é. Só sei que me assusta muito e, se eu não fizer *alguma coisa*, vai acabar me enlouquecendo.

— Como isso pode fazer com que os sonhos parem? Não entendo. Se você acha que está sendo assombrado, esse emprego só vai piorar as coisas. Independentemente do que esteja acontecendo com você, vai ser um convite para acontecer mais.

— Se Tess Fielding for apenas um sonho, então é um sonho recorrente — respondi. — E ela me encontrará aonde quer que eu vá. Mas se ela for... *real*, então essa será a melhor forma de eu descobrir.

Papai balançou a cabeça.

— Se você acha que vai ajudar, então faça isso. — Ele apagou o cigarro no cinzeiro. — Mas eu não concordo, Elliott. Não acredito em fantasmas. Nunca acreditei. No que eu acredito é que a mente prega peças. E se você ficar enchendo a cabeça com mais histórias de assombração, elas vão lhe pregar peças assim como a história de Tess. Mesmo se você vir alguma coisa, alguma coisa diferente, como vai saber se é real?

Não respondi. A ideia era terrível e inteiramente possível.

— Não vou saber — respondi. — Mas não posso simplesmente ficar aqui, neste apartamento, sentindo medo. Talvez uma mudança de cenário seja o que eu preciso. Talvez ela não me siga.

Papai esfregou a mão no queixo, fitando a televisão.

— Espero que não.

Capítulo 6

Ophelia

A primeira manhã no Vidas Passadas se arrastou em uma monotonia de formulários, saídas de incêndio e regras de segurança. Eu seguia desajeitadamente pelas pedras atrás da mulher que me mostrava o lugar.

Mais cedo, ela me encontrara na recepção e se apresentara como Una. Usava um longo vestido marrom por cima de uma camisa bege. Eu achava que era vitoriano, mas não tinha certeza. Mesmo sem a roupa histórica, ela era uma mulher estranha: magra, com pescoço curto e enrugado, cabelo castanho espetado saindo do gorro.

Olhei no relógio. Eram 9h45. O museu abria as portas ao público às dez. Até agora, o lugar estava tranquilo, apenas com alguns trabalhadores com suas roupas de época andando por ali. Era esquisito assistir a vida se desenrolando como acontecera tantas décadas antes. Quando as hordas de pessoas entrassem mais tarde, tudo aquilo mudaria, mas, por enquanto, o lugar parecia intocado pelo tempo.

Una me levou para o Velho Celeiro e digitou o código da porta.

— Aqui fica a sala principal dos funcionários — disse ela. O térreo tinha sido todo transformado em um grande salão. Uma garota loura usando calças de montaria estava em uma cozinha básica no canto, bebendo em uma caneca quebrada com a figura de um cavalo. Senti o aroma de café antes de ela se virar, jogando o cabelo por cima dos ombros. Caiu por suas costas em uma trança que ia até a cintura.

Três sofás velhos e alguns pufes ficavam em volta de uma mesa de centro. Um rádio tocava baixinho em um degrau da escada. Una abaixou ainda mais o volume.

— Tudo bem escutar rádio, mas o som não deve chegar aos visitantes — explicou ela. — Fazemos de tudo para retratar o passado da forma mais precisa possível.

Pelas costas de Una, a garota loura revirou os olhos. Parecia ter a minha idade. Arrisquei um sorriso, que morreu quando ela me olhou sem nenhuma expressão e desviou o olhar.

Vaca metida, pensei, voltando minha atenção para Una, que já estava subindo as escadas. Corri para alcançá-la.

— Armários, banheiros, chuveiros e vestiários — disse Una, apontando. — Os trajes estão na frente, arrumados de acordo com a época. Você vai usar o mesmo tipo de roupa quase sempre, a menos que esteja substituindo alguém.

Olhei as araras de roupas. Algumas eram elaboradas e com cores vibrantes, e outras eram simples e desinteressantes, da cor de lama e musgo. O contraste entre os pobres e ricos não podia ficar mais claro.

— Você deve ter recebido o número de um armário junto com seu kit de boas-vindas — continuou Una.

Procurei dentro do envelope pardo. Armário número vinte e oito. Localizei-o e joguei minhas coisas ali dentro antes de enfiar a chave no bolso.

— Telefones celulares não são permitidos no museu em momento algum — disse Una. — Mesmo no silencioso. Não importa o quão sutil você ache que está sendo, nossos ancestrais *não* verificavam furtivamente seus celulares para ver se tinham mensagens de texto.

Quando descemos de novo, procurei a garota de cabelo claro, mas ela tinha ido embora, deixando a caneca vazia no escorredor de louça.

— E aqui chegamos ao final da sua apresentação — disse Una. — Entendo que é muita coisa para absorver, mas se tiver alguma dúvida, pode me encontrar na oficina de encadernação em Goose Walk; talvez queira marcar no seu mapa. — Ela olhou um relógio pendurado em uma corrente no seu pescoço. — De qualquer forma, tenho certeza de que você gostaria de tomar um chá. Temos alguns minutos antes que um membro da equipe venha pegá-lo, e a partir daí, é tudo com eles. Só preciso descobrir quem deve vir procurá-lo. — De um cubículo na parede, perto da porta, ela tirou um telefone e discou.

Pessoas fantasiadas entravam e saíam da sala dos funcionários, preparando bebidas e conversando. Fui fazer café, pegando a caneca de cavalo do escorredor.

— Alô? — escutei Una dizer. — Arthur? Quem vai treinar Elliott Drake hoje? — Houve uma pausa. — Doente? *De novo*? Quem está substituindo? Ah. Não tem mais ninguém? Tudo bem, tudo bem. Pode mandar ela para cá.

Ela suspirou e desligou.

— Sinto muito. Estamos com um guia a menos hoje, e vamos receber várias escolas. Providenciei para que minha sobrinha cubra alguns dos passeios menores, então você ficará com ela. Tem mais ou menos a sua idade.

Assenti.

— O que sua sobrinha normalmente faz visto que não é guia?

Una devolveu o telefone ao cubículo.

— Ela cuida dos cavalos, fazendo passeios de montaria e em charretes e limpando os estábulos. É obcecada por cavalos. Ah, lá está.

Olhei para a xícara de cavalo quebrada na minha mão, lembrando-me da garota que a usara mais cedo. Ela estava usando calças de montaria. O café azedou no meu estômago.

A porta do Velho Celeiro se abriu e a garota loura entrou.

— Arthur disse que você queria falar comigo?

A voz dela era mais grave do que imaginei.

— Oi, querida — respondeu Una. — Preciso que você cubra Goose Walk... — Ela respondeu à tentativa da garota de pegar fôlego para falar com um olhar de aviso. — E Elliott, aqui, vai acompanhá-la. É o primeiro dia dele.

— Ótimo — respondeu a garota. Seu tom de voz sugeria o oposto. Una a ignorou.

— Elliott, esta é minha sobrinha, Ophelia. Ela conhece cada pedacinho deste lugar, então você estará em boas mãos.

Algo se passou entre elas. Enquanto Una saía do Velho Celeiro, seus olhos se demoraram nas mãos da sobrinha, que estavam cobertas por luvas até o cotovelo. Ophelia ofereceu um olhar de desafio em resposta. Ele sumiu assim que a porta se fechou.

— Desculpe se estraguei o seu dia — falei, com a intenção de ser incisivo. Mas, de alguma forma, soou como um verdadeiro pedido de desculpa.

Ela me encarou, sem expressão, mas fiquei com a impressão de que estava sendo avaliado.

— Você não estragou.

Comecei a sorrir quando ela continuou:

— *Eles* estragaram.

Pela segunda vez naquela manhã, tive de fingir que não estava sorrindo por causa dessa garota. Começava a me sentir um idiota.

— Presumo que você não goste de trabalhar como guia?

Ela deu de ombros.

— Não sou muito de falar.

— Dá para perceber.

— Você está usando a minha caneca — afirmou ela friamente.

— Eu sei.

Ela me encarou com indiferença de novo. *Qual é o problema desta garota?*, pensei. O rosto dela era como uma máscara. Levantei a caneca para ela, esperando que ela fosse tomá-la bruscamente, mas não. Simplesmente pegou como se estivesse lidando com um cavalo nervoso. A luva dela roçou nos meus dedos. Era de um material macio, provavelmente camurça.

— Tem canecas reservas no armário — disse ela, lavando a sua na pia.

— OK — falei, revirando os olhos pelas costas dela. — Desculpe ter usado a sua.

Ela colocou a caneca de volta no escorredor e se virou para mim.

— Eu desculpo você.

Era impossível dizer se ela estava sendo sincera ou sarcástica. De qualquer forma, deixou parecer como se seu perdão não fosse algo muito comum.

— Vamos lá — disse ela. — Hora de trocar de roupa.

Segui-a para o andar de cima. Um cheiro que lembrava cavalo vinha dela. Não era desagradável. Ela me levou até a área dos trajes e vasculhou a arara feminina. Parei ao lado da masculina, sem saber por onde começar, mas determinado a não pedir a ajuda dela. Lembrei-me que Una mencionara Goose Walk e marcara o lugar no meu mapa. Várias pequenas construções cresciam em espiral. Um pequeno quadro ao lado indicava a era, e em poucos segundos, descobri que eu precisava de algo da arara vitoriana.

Escolhi a roupa mais simples que encontrei: uma camisa grossa creme e calça marrom-escura. Quando puxei o cabide, vi que o traje vinha com braçadeiras e um chapéu reto. Fiz uma careta e olhei as outras araras. Uma horrenda roupa justa com meia-calça da era elisabetana chamou a minha atenção. Podia ser muito pior.

Ophelia fez a sua escolha e se encaminhou para o cubículo a fim de trocar de roupa. Encontrei uma segunda cabine, entrei e me despi, depois vesti o traje pouco familiar. O tecido era duro e pesado, arranhava. Não havia espelho na cabine, mas, quando saí com as minhas roupas embaixo do braço, o sorriso sarcástico de Ophelia me disse tudo o que eu precisava saber.

— Parece que você saiu do livro *Oliver Twist*.

Tentei pensar em uma resposta espertinha, mas não consegui.

Ela apontou para a mesa perto da janela.

— Precisamos dar baixa nas roupas ali.

Observei enquanto ela se debruçava sobre a mesa, preenchendo os detalhes que copiou de uma pequena etiqueta pendurada no seu cabide. Por acaso, Ophelia estava perfeita. O vestido simples apertava na cintura, deixando seu corpo esguio com uma silhueta mais rica em curvas, e seu cabelo estava preso em um coque embaixo do chapéu de palha. O par de luvas marrom fora substituído por um azul-escuro.

Olhei no espelho pendurado na parede. Ophelia estava certa — eu parecia um moleque de rua. Puxei o chapéu mais para baixo e me virei, desgostoso. Ela me entregou a caneta e se afastou da mesa, batendo o pé impacientemente.

Vestido diurno azul, réplica vitoriana c. 1850, ela escrevera no livro de registro, seguido de um número, uma data e o nome dela: Ophelia Knight. A caligrafia dela era desajeitada e infantil. Copiei a etiqueta pendurada no meu cabide: *Camisa e calça de trabalhador. Réplica vitoriana c. 1845.*

Quando abaixei a caneta, Ophelia estava enfiando suas outras roupas no armário. Procurei o meu e coloquei as minhas lá dentro.

— E agora? — perguntei.

— Agora vamos encontrar o nosso grupo — respondeu ela.

— O que vou precisar fazer?

— Nada de mais. Só acompanhe o ritmo, dê atenção a qualquer pessoa que precise de ajuda e escute. Faça anotações se quiser.

Saímos do Velho Celeiro. Ophelia andava com facilidade sobre as pedras arredondadas, e precisei me apressar para acompanhá-la. Embora não sentisse mais as pedras através das minhas botas robustas, as saliências do piso significavam que qualquer passo em falso poderia resultar em um tornozelo torcido.

Perto dali, próximo aos arcos, Arthur Hodge se encontrava entre dois grupos de crianças de colégio. Ele acenou e se aproximou dela para os professores não escutarem.

— Vamos lá, Ophelia! Pelo amor de Deus, estamos esperando há dez minutos.

— Quando você me avisa na última hora que vou precisar fazer um passeio e ainda dar uma de babá — ela balançou a cabeça na minha direção, — isso acontece — disse, entre os dentes. — Qual é o meu grupo?

Olhei os dois grupos por cima do ombro dela. O primeiro era um bando de adolescentes. Pareciam ter por volta de 13 anos, e suas expressões variavam do tédio à pura maldade. Pior ainda era a professora, uma mulher que mais parecia um Rottweiler, gritando para que eles ficassem quietos. O segundo grupo era de crianças menores de 8 ou 9 anos. Estavam gritando e inquietas, não dando a menor atenção para o professor sem graça que parecia ter acabado de sair da escola. Não tinha muita escolha. Hodge balançou a cabeça na direção do Rottweiler. A professora estava encarando Ophelia desde que havíamos chegado, olhando-a de cima a baixo como se duvidasse que alguém tão jovem fosse qualificada para ser guia.

Observei Ophelia pelo canto do olho, mas o rosto dela não revelava nada sobre o que estava sentindo. Comecei a me perguntar se ela ao menos piscaria se uma bomba explodisse. Ela apenas assentiu e, assim, Hodge saiu com o grupo mais jovem.

Ophelia estendeu a mão para a Rottweiler.

— Serei sua guia esta manhã. — Sua voz foi tão firme quanto o aperto de mão. Tive de segurar o riso quando a Rottweiler se apresentou como sra. Barker.

Ophelia falou com o grupo, a voz clara e confiante:

— Bem-vindos ao Vidas Passadas. Estou aqui para garantir que vocês aproveitem ao máximo sua visita, portanto, se tiverem alguma pergunta, por favor, façam.

Alguém levantou a mão.

— Sim? — disse Ophelia.

Virei meu pescoço junto com o resto da turma e vi três rapazes implicando uns com os outros. O que estava com a mão levantada tinha um sorriso irritante.

— Ele quer saber se você tem namorado.

— Eu não! Ele que quer saber! — protestou o amigo. Algumas garotas ao lado deles deram risadinhas.

— Lucas! — gritou a sra. Barker. — O que eu lhe disse no micro-ônibus?

Observei a reação de Ophelia. Ela estava inabalada.

— Por que quer saber, Lucas?

O rosto do garoto ficou vermelho, mas pude perceber que ele ainda não estava pronto para desistir.

— Porque você é bonita, senhorita.

A classe caiu na gargalhada.

— LUCAS! — Sra. Barker foi marchando até o fundo. — Eu te avisei, não avisei?

— Ué, mas ela é! — insistiu Lucas, rindo.

Era? Olhei para Ophelia, intrigado. Definitivamente não era feia, mas não havia nada nela que chamasse a atenção. Olhos verdes, cabelo e pele cor de palha. Nada que um pouco de maquiagem não pudesse melhorar. Boa cintura, supus, mas não das melhores para agarrar.

— Que bom que você perguntou, Lucas — disse Ophelia. A classe ficou quieta na mesma hora, e até a sra. Barker pareceu surpresa. — Um dos prédios que vocês verão hoje é a escola vitoriana, Mayfields. Você sabe como era a vida dos alunos de uma escola vitoriana?

A pergunta foi direcionada para Lucas, mas a classe inteira fez que não com a cabeça.

— Era terrível. Os professores vitorianos gostavam de aplicar castigos. Uma coisa que eles faziam com alunos engraçadinhos era dar a eles uma mistura de água e sabão para lavarem a boca. Você gostaria de se voluntariar?

Os colegas dele zombaram, e soltaram gritinhos de *"engraçadinho"*. Lucas caçoou.

— Não podem fazer essas coisas hoje em dia.

— Uma pena — disse a sra. Barker.

— Certo — disse Ophelia. — Alguma pergunta *relevante?* Não? Então, vamos começar. — Ela partiu, mais devagar agora, para permitir que o grupo a acompanhasse. Fiquei bem ao seu lado.

— Isso foi cruel — falei. — Acho que ele não quis ofender.

Ophelia continuou olhando para a frente.

— Talvez não. Mas, se eu tivesse deixado passar, eles teriam me crucificado.

Seguimos pela Planície, passamos pelo outro grupo e, finalmente, paramos do lado de fora de um prédio caindo aos pedaços na esquina.

— Aqui — anunciou Ophelia — é Goose Walk. Todos os prédios foram construídos a partir de 1840. Com exceção da escola, que já estava originalmente aqui, eles foram demolidos, tijolo a tijolo, de seus locais originais em toda a Inglaterra e reconstruídos. — Ela apontou para o prédio.

"Comecemos com o Toll Cottage. Construído em 1847, ficava na aldeia de Old Tiverton, na estrada que atravessava Londres. Todos que passavam precisavam pagar uma taxa antes de seguir com sua carroça ou seu animal. Funcionou como um posto de pedágio por vinte anos. Quando a estrada de ferro foi construída, a estrada com pedágio passou a não ser mais necessária e a casa foi vendida."

Ophelia abriu a pequena porta. Todo mundo se apertou para entrar. Uma cadeira de balanço estava perto de uma lareira que crepitava. Cheirava a fumaça de madeira e carvão.

— As pessoas que moravam aqui eram pobres. Não havia gás, eletricidade, nem água encanada. Água da chuva era bombeada de fora e esquentada no fogo para cozinhar e lavar. As janelas foram posicionadas de forma que qualquer pessoa do lado de dentro da casa conseguisse ver a estrada perfeitamente.

Alguns alunos entraram no cômodo ao lado. Fui atrás. Dentro, havia uma única cama de ferro. Uma colcha de retalhos a cobria e, ao lado, havia uma mesa com uma vela, outra lareira e um tapete. Uma oração emoldurada estava pendurada na parede. Voltei para o cômodo principal.

— Onde fica o banheiro? — perguntou um garoto.

— Não tem banheiro interno — explicou Ophelia. Ela abriu outra porta e nos levou para a parte de trás da casa. Um caminho passava por uma horta e, no final, havia uma casinha de tijolo. Ela apontou. — Vejam vocês mesmos.

A turma correu para lá, se espremendo na porta. Soltaram risinhos e exclamações de nojo, e eu fiquei na ponta dos pés para ver por cima das cabeças deles. Um balde de lata ficava embaixo de uma tábua de madeira com um buraco no meio.

— Era aqui que eles tinham de vir quando queriam usar o banheiro, independentemente do tempo — disse Ophelia.

— Que nojo. Aranhas para todos os lados — disse uma garota, franzindo o nariz. — Mas o que eles usavam para... você sabe? Para se limpar?

Outra explosão de risos. Desta vez, Ophelia se juntou a eles. Era a primeira vez que eu a via perder a expressão indiferente. O sorriso suavizou o rosto dela, mas não a deixou bonita. Ela apontou para um prego na parede com papéis rasgados pendurados.

— Jornal velho — disse ela.

— Era como reciclar, senhorita?

— Isso — disse Ophelia. — Exatamente. Cada centavo contava.

A parada seguinte foi na escola, Mayfields. Era um prédio cinza, sombrio, com cheiro de desinfetante. Bancos e carteiras estavam alinhados em frente a um quadro negro com números escritos com giz.

— A escola foi projetada para acomodar por volta de trezentos alunos — disse Ophelia. — Eles tinham entre 3 e 7 anos. As crianças mais velhas geralmente tinham de ajudar com as tarefas de casa ou trabalhar a fim de ganhar dinheiro para suas famílias.

"Agora, todos vocês devem considerar a sra. Barker severa, mas comparada com as professoras vitorianas, posso garantir que vocês a achariam fofinha como um gatinho."

Alguém nos fundos miou. A sra. Barker abriu um leve sorriso.

— Vocês devem ter percebido o quanto as salas são escuras. Por que acham que elas são assim?

Um aluno levantou a mão.

— As janelas são altas, senhorita.

— Correto — disse Ophelia. — Os vitorianos eram muito rígidos, até na forma como construíam suas escolas. Eles faziam janelas altas para que os alunos não conseguissem olhar para fora e se distrair. As aulas não eram nem um pouco divertidas. As crianças aprendiam recitando as coisas incessantemente e simplesmente copiando do quadro. Assim, não aprendiam direito e ficavam entediadas. Tem alguém com dislexia nesta turma?

Duas pessoas levantaram a mão. Uma delas era do garoto que dissera que Ophelia era bonita.

— Ah, Lucas — disse Ophelia. — Gostaria de ser um voluntário?

Os amigos dele assoviaram. O garoto pressionou os lábios. Ophelia riu.

— Não se preocupe, não tem nada a ver com água e sabão. É só um minuto.

Lucas saiu dos fundos e sorriu para seu público.

De um armário atrás da mesa, Ophelia pegou vários objetos: uma coisa pequena feita de madeira, um cone de papel e uma pilha de réguas. Ela colocou o objeto de madeira e as réguas em cima da mesa e levantou o cone.

— Vocês provavelmente já ouviram falar dessas coisas — disse ela. — Venha aqui, Lucas.

Lucas se aproximou. Ophelia entregou o cone para ele.

— Os vitorianos não reconheciam a dislexia ou nenhuma outra dificuldade de aprendizagem. Eles acreditavam que todas as crianças aprendiam da mesma forma e no mesmo ritmo. O "B" no chapéu é de "burro". Coloque o chapéu e vá para o canto.

Lucas o colocou e caminhou desengonçado até o canto, ainda sorrindo.

— Olhe para a parede — disse Ophelia. — E fique em pé bem ereto.

Ela olhou para o resto da turma.

— Você. — Ela apontou para a outra pessoa que levantara a mão. A menina passou pelo grupo. — Coloque a mão em cima da mesa.

A menina obedeceu. Sem avisar, Ophelia pegou um monte de réguas e bateu com força na mesa. O som ressoou pela sala e a menina estremeceu, assim como todos os outros ali, incluindo eu, que pulei. A menina recolheu a mão.

— Imagine como isso teria doído se eu tivesse acertado seus dedos ao invés da mesa — disse Ophelia. — Não apenas uma vez, mas cinco, talvez dez. Agora, algum outro voluntário?

A sra. Barker escolheu um garoto da frente. Ophelia levantou o pequeno objeto de madeira. Quando olhei mais de perto, vi que havia dois pedaços de madeira, cada um com quatro pequenos buracos. Uma correia grossa os unia.

— Aqui temos um instrumento de castigo — explicou Ophelia. — Alunos pegos brincando com as mãos ou roendo as unhas eram obrigados a usar isso. Vire-se — disse ela ao garoto. — Junte as mãos nas costas.

Ela virou as palmas das mãos do menino para fora e enfiou os dedos dele nos pequenos buracos. Uma vez na posição, ela amarrou a correia com força em volta dos pulsos dele.

— Ai — reclamou ele.

— Desconfortável, não? — disse Ophelia. — Piora muito depois de umas duas horas. — Ela puxou a correia para libertá-lo.

— Posso sair do canto agora?

Eu me virei. Lucas estava olhando por cima do ombro. Não exibia mais a expressão arrogante, e seu rosto estava cinza.

— Aguente firme, Lucas — disse a sra. Barker. — Você ainda está de castigo, lembra?

— Mas tem um cheiro estranho aqui. Está me deixando enjoado.

Ophelia colocou o objeto de castigo em cima da mesa e ficou imóvel.

— Que tipo de cheiro?

— Tipo... tipo... xixi — disse o garoto finalmente.

Na mesma hora, as brincadeiras começaram. Alguns dos amigos de Lucas se aproximaram dele, fungando.

— Você molhou as calças de novo, Lucas?

— Não estou sentindo cheiro de nada... ah, esperem. Estou sentindo! Está fedendo!

— Pode sair — disse Ophelia para Lucas. Ele veio na direção dela, fuzilando-a com o olhar. Atrás dele, as exclamações continuaram, e eu ergui o nariz e funguei. *Havia* alguma coisa, primeiro fraca, mas rapidamente se tornando ácida, o inconfundível cheiro de amônia. Ficou constante, asfixiante, desagradável. E, ainda assim, não era apenas um cheiro. Junto com ele, veio uma onda de emoções: sofrimento, humilhação. Tristeza. Senti um formigamento na nuca quando os cabelos dali arrepiaram. O clima na sala ficou pesado. Claustrofóbico.

Tossi, os olhos lacrimejando.

— Deus, o que *é* isso?

— Será que algum animal entrou aqui? — A voz da sra. Barker estava abafada por trás das mãos. Os olhos, arregalados. Perguntei-me se ela, ou qualquer outra pessoa na sala, estava sentindo a mesma coisa que eu. As brincadeiras e gracinhas tinham parado, e a maioria dos alunos fora para a porta. Duas meninas se agarravam uma à outra.

Ophelia tirou o chapéu de burro da cabeça de Lucas e juntou os outros objetos de castigo nos braços antes de guardá-los de volta no armário e trancar.

— Quer que eu abra a janela? — ofereci.

Ela balançou a cabeça.

— Não é necessário. O cheiro vai sumir a qualquer momento.

— Duvido! — disse um dos alunos, tampando o nariz.

Ophelia foi até o canto, fungando.

— Foi embora.

Inspirei de novo, mas já dava para sentir que o ar tinha mudado. Estava úmido e cheirava a mofo, como antes, mas a sensação de claustrofobia tinha evaporado junto com o cheiro de urina. Um por um, os alunos começaram a fungar, cautelosos a princípio, depois respirando exageradamente fundo.

— Basta — disse a sra. Barker. — Acalmem-se!

— O que foi aquilo? — perguntou Lucas, os olhos apertados. — Algum tipo de truque para me fazer parecer estúpido?

— De forma alguma — disse Ophelia. — Não foi nenhum truque, juro.

Não tinha certeza, mas achei que a pele bronzeada dela tinha perdido um pouco da cor. Alguma coisa na forma como ela falou fez com que um calafrio percorresse minha pele. Todo o grupo ficou em silêncio, esperando que ela continuasse.

— O que acabou de acontecer foi testemunhado apenas algumas poucas vezes por outros grupos — disse ela. — Mas é a primeira vez que acontece com um grupo meu.

— O *que* aconteceu? — perguntou a sra. Barker.

Ophelia apontou para o armário.

— No século passado, os castigos que eu demonstrei foram aplicados inúmeras vezes nesta sala, usando esse mesmo equipamento. Temos certeza disso porque também existe um livro com nomes e detalhes sobre aqueles que foram punidos. Não mostramos o livro do castigo no passeio porque, do ponto de vista do museu, ele é um pouco... perturbador. Mas parece que um menino em particular foi vítima de certo professor. Pelas descrições, temos quase certeza de que o menino tinha dislexia. Em uma ocasião, ele foi obrigado a ficar no canto o dia inteiro, sem poder comer nem ir ao banheiro. Vocês certamente já adivinharam o que aconteceu. — Ela fez uma pausa. — Ele foi obrigado a ficar em cima da própria urina, tremendo de frio durante o resto do dia.

— Então você está querendo dizer que o que acabamos de sentir... Quero dizer, era o *fantasma* do garoto? — perguntou Lucas, o olhar fixo no canto. Sussurros se espalhavam pela sala.

— Não acho que "fantasma" seja a palavra certa — disse Ophelia. — Não existem evidências que sugiram que o menino morreu aqui, mas acreditamos que às vezes certos eventos, principalmente os traumáticos, deixam uma marca nas coisas e nos lugares. Às vezes, essas marcas se manifestam através de um cheiro, um som ou uma sensação...

— Eu senti uma coisa — disse Lucas, com a voz contida. — Não foi só o cheiro. Eu me senti estúpido, humilhado, e... furioso.

Mesmo se eu não tivesse sentido as mesmas coisas, não tenho dúvidas de que me convenceria pelo que Lucas dissera. Era óbvio que a experiência toda tinha mexido com ele e, a julgar pela expressão de seus colegas, alguns deles sentiram as mesmas emoções. Dava para perceber que, como eu, pelo menos metade deles mal podia esperar para sair daquele prédio.

Ophelia assentiu.

— Vamos continuar. Teremos aulas aqui às duas da tarde, se alguém quiser voltar.

Nós os guiamos para a porta, não que precisassem de muito estímulo. Perguntei-me se algum deles teria coragem de voltar para a aula mais tarde.

Quando todos se reuniram do lado de fora, um pouco da tensão foi embora e eles começaram a conversar. Ophelia se afastou um pouco, observando-os.

— Vamos dar uns minutinhos para eles — murmurou ela.

— Você lidou bem com a situação — falei. — Como sabia o que fazer?

Ela continuou com a expressão séria.

— Como eu disse, isso já aconteceu antes. São os objetos, e falar sobre eles faz com que... aquilo se manifeste, seja lá o que for. Eu sabia que precisava guardá-los.

— O que aconteceria se você não os guardasse?

Os olhos cinza de Ophelia ficaram solenes.

— Um guia uma vez tentou isso. O homem no canto tinha uns 40 anos. Ele poderia ter saído do lugar quando o cheiro começou, mas era como se estivesse congelado de medo. Fez xixi nas calças ali mesmo, na frente de vinte estranhos. Ele ficou histérico, a esposa ficou histérica. O passeio acabou, foi terrível.

— Você viu?

Ela assentiu.

— Estava em treinamento. Depois disso, evitava usar os instrumentos de castigo nos meus passeios. Consegui evitar até Hodge descobrir...

— Hodge? É assim que você o chama?

— É como todo mundo o chama, menos Una. De qualquer forma, ele ficou furioso, disse que deveria ser um passeio autêntico e que a probabilidade de aquilo acontecer de novo era mínima. Ele tem uma teoria.

— Qual?

— Que, embora os instrumentos sejam gatilhos, é preciso mais alguma coisa, uma terceira coisa, para agir como catalisador. Em alguns dos casos, descobriu-se que um membro do grupo tinha quase morrido. Uma vez, foi o guia. Ele tinha tido um infarto dois anos antes e morrido na mesa de cirurgia, mas depois conseguiram trazê-lo de volta.

Uma coisa gelada se torceu dentro de mim.

— Ele jurou que teve uma experiência de quase morte — continuou Ophelia. — Viu um túnel com uma luz e todas essas coisas. E houve uma coisa parecida com o outro grupo, um visitante desta vez. Ela ficara em coma causado pela diabetes e escutara vozes de familiares que já tinham morrido.

— Então você está me dizendo que é preciso que alguém do grupo tenha experimentado a morte, combinado com os instrumentos de castigo, para servir como catalisador?

— Essa é a teoria.

— Mas você disse que o menino não morreu ali. Por que a morte seria um catalisador?

— Eu disse que não existem evidências disso — respondeu Ophelia. — Mas quem pode ter certeza? — Ela voltou para o grupo.

Eu a segui, enjoado ao saber que, se a teoria de Hodge estivesse certa, *eu* era o catalisador. E quaisquer passeios que acompanhasse — ou guiasse — teriam uma alta chance de trazer à tona coisas que ficavam fervendo pouco abaixo da superfície.

Capítulo 7

Ligações Perigosas

Fiquei parado na porta da loja de doces vitoriana, tentando me concentrar em fazer anotações enquanto Ophelia falava.

— Este prédio e a padaria ao lado foram construídos como casas em 1840...

Minha cabeça latejava com a necessidade de cafeína e com o peso do que acabara de acontecer. Fiquei perto da saída, tentando me concentrar no que Ophelia estava dizendo para o caso de existir qualquer outro gatilho fantasmagórico que eu pudesse acionar, mas a minha mente insistia em voltar para a sala de aula. Fitei as palavras escritas na página, torcendo para que elas fizessem sentido quando eu as lesse mais tarde. No momento, elas não tinham significado. Deste jeito, meu emprego não duraria mais do que uma semana.

— ...a fachada da loja foi acrescentada em 1870. Originalmente...

Do lado de dentro, uma mulher gorda estava atrás do balcão, pesando balas e explicando como elas eram feitas. Jarras de balas duras enchiam as prateleiras atrás dela, e bandejas de *sugar mice* estavam na janela. O interior da loja tinha um cheiro doce e quente, e os alunos se espremiam em volta do balcão, contando moedas.

Um tempo depois, seguimos para a padaria ao lado. Mais uma vez, eu me posicionei na porta. O grupo encheu a pequena loja. Podia sentir o cheiro de açúcar no hálito deles, e talvez fosse uma onda de energia causada pelo açúcar, ou a percepção do que eles tinham acabado de testemunhar, mas havia uma agitação neles. Tinham sentido alguma coisa, *testemunhado*, de fato, alguma coisa, e estavam ansiosos por mais.

— Tem mais alguma história de fantasmas? — perguntou Lucas. Uma bala alojada em sua bochecha e raspando em seu dente.

Ophelia assentiu.

— Mas a maioria das histórias está associada às partes mais antigas do museu. Vocês vão ficar sabendo mais tarde. Agora, deixe-me contar mais sobre essa padaria... — A voz dela flutuava pela minha cabeça em blocos de datas, nomes e fatos, e apenas metade era anotado em meu caderno. Este lugar não tinha o mesmo clima da escola. Tinha um leve cheiro de fermento que me fazia lembrar da época em que minha mãe assava pães e, como um pão crescendo, um nó se formou na minha garganta com a lembrança. Fechei o caderno e o coloquei no bolso quando saímos e atravessamos a pequena ponte de pedra sobre o canal.

Depois de passar pela ponte, a rua ficava mais larga e levava a uma praça com mais algumas lojas. Reconheci o sapateiro, mas havia me esquecido do resto, ou talvez tivessem sido acrescentados depois da minha visita com a escola. Agora, havia uma farmácia, um armazém e uma oficina de encadernação, além de um imponente prédio cinza. À esquerda da praça, havia um parque de diversões, suas cores brilhantes e vertiginosas estranhas na paisagem vitoriana. Na entrada, estava escrito: *Parque Itinerante do Critchley*

Alguns alunos já estavam implorando à professora que os deixasse ir. O que era surpreendente, visto que os brinquedos eram enfadonhos se comparados com o que a maioria deles provavelmente estava acostumada. Não havia montanha-russa, ou nenhum brinquedo veloz gerador de adrenalina. Em vez disso, uma barraquinha para derrubar cocos e ganhar prêmios, uma casa de espelhos e tobogãs em espiral.

— Vamos passar por aqui na volta. — Ophelia seguiu direto pelo parque sob o som de vaias e nos levou até um grande prédio feio sem nenhuma identificação. — Primeiro, o asilo.

No meio da manhã, tive um intervalo de vinte minutos antes do horário marcado para o próximo grupo. Minhas pálpebras já estavam pesadas. Mas, quando chegamos ao Velho Celeiro, o café já tinha acabado. Irritado, tive que me satisfazer com chá, mas li na caixa que era descafeinado. Não havia nada com cafeína.

Mal tinha acabado de tomar o último gole e já estava na hora de ir encontrar o próximo grupo. Desta vez, era um grupo de universitários. Na mesma hora, notei uma garota com cabelo ruivo reluzente e lábios igualmente reluzentes. Seria difícil não notar — ela estava me encarando. *Agora*, sim. Em um impulso, eu sorri. Ela também sorriu e baixou o olhar, que segundos depois já estava fixo em mim de novo. Senti uma onda da velha animação. Tinha me acostumado tanto aos olhares curiosos e de pena que nem conseguia me lembrar da última vez que alguém me olhou daquela maneira.

Quando chegamos à escola, eu já tinha desligado quase totalmente a voz de Ophelia. A história dos castigos me trouxe de volta por um momento, mas, desta vez, ela apenas mostrou os instrumentos e explicou rapidamente como eram usados. Não houve voluntários nem nada para perturbar o que quer que estivesse dormente. Conforme saíamos, meu olhar encontrou a boca da ruiva. Quanto tempo fazia que eu não ficava com uma garota? Tempo demais. Nem *beijei* uma garota depois de Juliet — nem tivera vontade... mas agora eu tinha. Pela primeira vez em meses, me senti como o antigo eu.

Quando o passeio terminou, levamos o grupo de volta para o ponto de encontro. Já era quase meio-dia.

— Temos uma hora de almoço — disse Ophelia. — Vou te mostrar aonde ir... — E virou para responder a uma pergunta.

Procurei a ruiva no grupo, mas não encontrei. Então, um reflexo vermelho vindo de uma área próxima chamou minha atenção. Fui até lá e vi que era a área de fumantes. Entrei. A ruiva era uma das três pessoas com um cigarro. Os lábios dela se curvaram em um sorriso quando parei na sua frente.

— Meu nome é Kim — disse ela.

— Elliott.

Ela estendeu o maço de cigarros.

— Você mora por aqui?

— Não, obrigado. E não, não sou daqui. Moro em Thurrock.

Ela colocou o maço no bolso e exalou uma nuvem de fumaça.

— Eu moro perto. — Ela me olhou através de longos cílios pretos, depois lançou um olhar significativo para os amigos, que entenderam o recado e saíram, nos deixando sozinhos.

— É? — Reconhecia um convite quando via um. — Podíamos nos ver quando eu sair do trabalho.

— Talvez.

Definitivamente.

— Então, há quanto tempo você trabalha aqui?

— Primeiro dia.

— Isso explica por que não falou muito durante o passeio.

Dei de ombros.

— Preciso aprender o trabalho. — Peguei-me fitando a clavícula dela. A pele estava bronzeada, mas havia uma intrigante marca mais clara. — Preciso voltar. Está na hora do almoço e não faço ideia de para onde devo ir, então talvez a gente...

Kim olhou sobre o meu ombro. Senti a mão dela na minha.

— Você vai descobrir — sussurrou ela. — Vem cá.

— O que...? Onde? — Olhei para trás. Pela brecha do portão, vi Ophelia procurando por alguma coisa, sem dúvida se perguntando para onde eu tinha ido, mas Kim estava me empurrando para os fundos do pátio, onde uma porta levava a um corredor na lateral do prédio de entrada. Em cima, havia dois símbolos: um homem e uma mulher.

Minhas pernas ficaram bambas. Ela certamente não ia...

... mas ia. Hesitei ao passar pela porta do cubículo do toalete feminino. Kim trancou quando entramos. Fiquei parado, encostado na porta, o coração acelerado. Eu não costumava ficar nervoso, mas não estava acostumado a ter mulheres se jogando em cima de mim. Não mais. Não assim.

— Ninguém vai notar que você sumiu? — perguntei, rouco.

— O lugar é grande, vou dizer que me perdi.

A mão dela ainda estava no trinco, o braço, apoiado na minha cintura. Lentamente, ela passou as duas mãos pelo meu peitoral. Tentei não pensar se ela estava sentindo meu corpo esquelético por baixo da camisa. Ela me fitou com olhos muito azuis. Lentes de contato. Então, pressionou o corpo contra o meu, levantando a boca na direção da minha.

Engoli, surpreso, mas correspondi ao beijo. O gosto dela era... errado. A doçura do batom sabor de chiclete misturado com a fumaça amarga do hálito dela. A língua dela deslizou pela minha, depois desceu pelo meu pescoço... Seus dedos começaram a abrir os botões da minha camisa.

— Não — sussurrei. Não aqui, não assim, com a luz forte do banheiro reluzindo em cima de nós.

— OK. — As mãos dela foram para as minhas costas. A boca encontrou a minha de novo. Seus polegares engancharam no meu cinto, então deslizaram para a frente. Senti alguma coisa no umbigo. Meu cinto afrouxou.

Fechei os olhos, depois gentilmente empurrei-a pelos ombros, constrangido.

— Desculpe... mas não posso.

Ela olhou para mim e cruzou os braços.

Respirei fundo, endireitando minhas roupas.

— Escute, realmente preciso ir, mas... me dê seu telefone. Eu ligo para você.

Ela balançou a cabeça.

— Telefone quebrado. Só vai voltar a funcionar daqui a uns dois dias. Você conhece o Rusty Bicycle?

— O que é isso, um pub?

— É. A cinco minutos daqui. Pode me encontrar lá amanhã, umas sete horas?

— Tudo bem.

Ela levou a mão até o meu rosto, passando um dedo embaixo do meu olho.

— Não se esqueça de tirar a maquiagem primeiro. — Ela esfregou um dedo no outro, como se esperasse encontrar alguma coisa neles, e saiu. Eu ri.

— Não estou usando maquiagem.

— Ah, eu pensei... Quer saber? Deixe pra lá. Vejo você amanhã.

Antes que eu pudesse falar qualquer coisa, ela mandou um beijo e desapareceu pelo corredor.

Meu sorriso se desfez quando saí do cubículo, piscando por causa da luz forte. Meu dedo percorreu o mesmo trajeto que o dela, na mancha escura embaixo do meu olho. Ela tinha pensado que as olheiras eram falsas. Pintadas como parte da fantasia.

Ela não tinha percebido que este era o verdadeiro eu.

— Não sabia que você fumava — disse Ophelia quando voltei para o grupo.

— Não fumo. Só precisava ir ao banheiro. — Observei o grupo de Kim seguir para dentro do museu. Localizei o cabelo ruivo no final do grupo enquanto ela ria com as amigas. Senti um aperto no peito.

— Tá bom.

Era minha imaginação, ou percebi uma ponta de sarcasmo?

— Você trouxe almoço?

— Não.

— Vou te mostrar as salas de chá — disse ela, acenando para eu segui-la.

— Você não vem comigo?

— Não. Vou almoçar em casa.

— Ah. É longe?

— A dez minutos daqui, andando.

Esperei que ela falasse mais, mas não falou. Caminhamos em silêncio pela Planície. Ophelia apontou para um prédio muito branco com vigas pretas do lado de fora.

— Ali está. Hodge vai encontrá-lo para os passeios da tarde à uma hora.

— Não vou ficar com você à tarde?

— Espero que não.

— Valeu.

A voz dela ficou mais suave.

— Só quis dizer que vou voltar para o estábulo. Outro guia deve cobrir o restante.

— Ah. Bem, obrigado.

— Só estava fazendo meu trabalho.

— Você deveria trabalhar mais como guia. Você é boa.

— Comparada a quem?

Eu ri.

— Tem razão.

Ela revirou os olhos.

— A gente se vê.

— Sim. Até mais.

— Ah, Elliott? Vermelho não é a sua cor.

— Quê?

Ela riu.

— O batom no seu rosto. Você deveria repensar.

Merda. Pego em flagrante.

— Fico te devendo uma.

Ela levantou uma sobrancelha.

— Eu não *quero* uma.

— Você entendeu. — Limpei meu rosto. — Se Hodge tivesse me visto...

— Ele não ia ficar muito satisfeito — terminou ela. — Não. Principalmente no seu primeiro dia. Duvido de que voltaria amanhã.

Engoli seco.

— Eu... obrigado.

Ela balançou a cabeça.

— Não me agradeça. Sério. Se é assim que se comporta, não vai durar nem uma semana aqui.

— Então por que se deu o trabalho de me avisar?

— Da próxima vez, não vou.

— Não vai haver uma próxima vez.

— Conheci garotas assim — falou ela, com desprezo. — Sempre tem uma próxima vez.

— Garotas assim? — repeti. — Você é mesmo uma mulher do século vinte e um?

O sorriso calmo dela me enfureceu.

— Não estava sendo sexista. Isso se aplica a garotos também... e você é um deles.

Resisti à vontade de gritar.

— Sou o *quê*?

— Preciso desenhar? Você se pegou com uma garota no *banheiro*. Muito elegante.

— Nós não nos "pegamos". Temos um encontro amanhã à noite.

— Ah, sim. Então está tudo bem...

— Você não sabe nada a meu respeito.

— Já vi o suficiente para não querer.

Fiquei olhando para a parte de trás da cabeça dela enquanto ela se afastava. Cada gota do meu sangue pulsava em minhas têmporas, e notei que minhas mãos estavam fechadas em punho dentro dos bolsos. Abrindo-as, enxuguei as palmas suadas na calça e fui para o salão de chá.

Peguei um sanduíche e um café e me sentei sozinho na varanda, a princípio irritado demais para comer. O sol estava forte, e suor começou a escorrer por baixo do meu chapéu. Tirei-o e fiquei olhando por cima do muro as pessoas que andavam pelo museu enquanto beliscava o meu sanduíche. Descobri que estava com mais fome do que imaginava. Depois de duas mordidas, meu apetite despertou e terminei o sanduíche. Quando me lembrei do café, ele já estava frio demais para beber. Ao entrar na fila para pegar outro, vi meu reflexo no espelho e me lembrei da forma como Kim tocou as sombras embaixo dos meus olhos. Foi o suficiente para eu mudar de ideia. Peguei um suco de laranja.

À distância, vi uma garota montada em um cavalo.

Ophelia.

O cabelo havia se soltado do coque e esvoaçava sobre os ombros. Ela saiu da sombra do estábulo e foi para o sol. A luz a iluminou, deixando seu cabelo dourado por apenas um segundo antes que ela sumisse de vista.

Tomei um longo gole de suco de laranja e me recostei, fechando os olhos. Ophelia podia ser uma vaca metida, mas me alertara e provavelmente me poupara a humilhação de ser demitido no primeiro dia. Por mais que eu odiasse admitir, isso contava um pouco.

Capítulo 8

Tudo Vermelho

Estacionei atrás do Rusty Bicycle dez minutos adiantado. Não era meu perfil, mas este era o encontro mais importante que eu tinha em um bom tempo. Eu me corrigi. O *único* encontro. O conselho de Adam era chegar atrasado. Sempre. Não muito, só alguns minutos. Apenas o suficiente para deixá-las nervosas. Mas não estava nesse estado de espírito, nem em posição para fazer joguinhos; nem mesmo contara a Adam que ia me encontrar com alguém. Também não contei para o papai que era um encontro, apenas disse que ia sair com uns amigos depois do trabalho. Ele pareceu satisfeito.

Fiquei olhando o relógio no painel se aproximar do sete e pensei nos últimos dois dias. Na tarde do dia anterior, fiquei com um guia que era professor aposentado e se chamava Len. Ele era legal, mas não tinha o mesmo controle sob o grupo que Ophelia demonstrara mais cedo. Da mesma forma, o guia de hoje, um historiador local, não mostrava a habilidade dela. Apenas narrava os fatos, sem se importar se alguém além dele mesmo estava realmente interessado. Com esses dois, consegui um pouco mais de informações para acrescentar às minhas anotações, mas não muitas.

Não falava com Ophelia desde a lição de moral que ela me dera. Só a vi de longe, limpando os estábulos. Ela não deu o menor sinal de ter me visto, mas, quando Hodge me chamou no escritório dele cinco minutos antes do fim do expediente, minha boca ficou seca. Entrei, convencido de que Ophelia mudara de ideia, e esperei que ele me demitisse. Ao invés disso, ele me perguntou se eu achava que estava pronto para começar a guiar grupos pelo setor vitoriano, sob supervisão, nos próximos dias. Quando meu coração desacelerou o suficiente para eu responder, concordei.

Cinco para as sete. Saí do carro. O sol estava baixo no céu e, depois de passar os últimos dois dias ao ar livre, já tinha ganhado um pouco de cor, que ajudara um pouco a camuflar as bolsas embaixo dos meus olhos. Aliado à melhor noite de sono que tive em anos, graças ao fato de ter passado o dia todo de pé e ficado longe do café, sentia-me muito bem. Esperava que Kim notasse a diferença.

Entrei e me sentei em um banco do bar, imaginando por que Kim sugerira este lugar em vez de outro mais animado. Talvez não houvesse outro lugar. Afinal, era uma aldeia tranquila. Ou talvez ela quisesse um pouco de privacidade...

— O que você vai querer?

Levantei o olhar. A garota atrás do bar me fitava, esperando.

— Ah. Nada por enquanto, obrigado. Estou esperando uma pessoa.

Ela cruzou o bar, indo servir outra pessoa. Sete e cinco, chamei-a e pedi uma cerveja pequena. Sete e dez, lembrei-me de tomar um gole e peguei meu celular. Sabia que não haveria mensagens — nós não tínhamos trocado números — mas eu precisava ocupar as minhas mãos.

Finalmente, às sete e meia, levantei-me e saí, a bebida praticamente intacta. Tinha levado um bolo.

Gargalhadas soavam no meu ouvido enquanto saía do pub, parando quando a porta fechou. O bom senso me dizia que não eram para mim, mas isso não ajudou a melhorar a sensação de náusea que subia pela minha garganta no caminho para o carro. Suor brotou na minha testa queimada de sol. Coloquei a chave na ignição e comecei a dirigir.

Antes de chegar na rua, dei um soco no volante. *Levei um bolo?* Eu já tinha tratado algumas garotas bem mal, mas nunca dei bolo em ninguém. *Troco*, disse uma vozinha dentro na minha cabeça. *Agora você sabe como é ser descartado. Tudo que vai, volta.*

Torcia para que aquilo não fosse verdade se eu não fosse mais aquela pessoa, mas quem podia dizer que eu realmente tinha mudado?

Garotas assim...

Garotos como você...

As palavras se repetiam na minha cabeça. Diminuí a velocidade na esquina, reconhecendo a rua. O museu era ali perto. Não podia voltar para casa ainda; papai estaria lá. Ele estava em turnos diurnos essa semana, e, se eu voltasse, ele me questionaria. Eu não poderia enfrentar.

Olhei pela rua, procurando um lugar para estacionar. Precisava andar um pouco, pensar e clarear as ideias. Havia uma trilha margeando um canal logo à frente, do outro lado da rua. O lugar perfeito para ficar sozinho. Estacionei, e minha mão já estava na maçaneta da porta quando, pelo espelho retrovisor, vi um grupo de pessoas saindo da trilha. Abaixei a mão, esperando que eles passassem.

Surpreso, reconheci a garota da frente: Ophelia. Ela era seguida por outra garota, com cabelo preto, curto e espetado, e dois rapazes. Os três estavam rindo, e o mais baixo estava com o braço em volta dos ombros da menina. O outro bebia a cerveja direto da lata. Aproximei-me do espelho. O rosto de Ophelia, como sempre, tinha tanta expressão quanto uma parede.

— Você nunca sorri? — murmurei. Cristo, era incrível ela sequer *ter* amigos.

Recostei-me enquanto eles se aproximavam do carro. Lembrando--me de que tinha aberto a janela mais cedo, comecei a fechá-la, planejando sair assim que eles passassem. Antes que a janela subisse completamente, escutei o barulho de uma lata de cerveja vazia sendo amassada e olhei a tempo de ver o cara jogando-a — em cima de Ophelia.

Bateu atrás da cabeça dela e caiu no chão, o som se misturando às gargalhadas deles. Franzi a testa, esperando Ophelia virar para trás e mandar que eles parassem, mas ela abaixou a cabeça, andando mais depressa.

Minha mão procurou a maçaneta da porta. Eles não estavam brincando. E não eram amigos dela. A garota chutou a lata, mirando em Ophelia. Errou, por pouco, e segundos depois já estava se preparando para tentar outra vez.

Antes de me dar conta, já tinha ligado o carro e os seguia pela rua, encostando no meio-fio pouco à frente de Ophelia. Abri a janela.

— Entre.

Ela ficou boquiaberta quando me viu, mas logo se recompôs. Olhou para trás por cima do ombro. Pelo espelho lateral, vi que o grupo estava apenas uns dois metros atrás.

— Entre — repeti. — Deixo você em outro lugar, longe deles.

Ela assentiu e, hesitante, deu a volta pela frente do carro em direção ao lado do carona. Debrucei-me para destrancar a porta, mas vi alguma coisa pelo retrovisor. Ophelia tinha conseguido chegar até o espelho esquerdo, mas parou. A garota de cabelo preto chegara antes e estava impedindo que entrasse. Tentei captar o olhar de Ophelia, mas estava fixo na garota. Pisei no acelerador, fazendo o carro se mover para a frente. Ophelia alcançou a porta e segurou a maçaneta, mas a garota a empurrou e bloqueou sua entrada com o corpo. Os dois caras assistiam da calçada, rindo. Tentei de novo. Desta vez, Ophelia alcançou a porta primeiro, abrindo-a, mas a garota empurrou-a para longe.

Pisei no freio com força e saí do carro.

— Qual é o seu problema?

A garota de cabelo preto cruzou os braços no teto do carro e apoiou o queixo ali.

— Meu problema é com ela, não com você. A não ser que queira que seja.

Virei-me. O garoto menor estava bem atrás de mim, olhando-me de cima a baixo. Ele era bem mais baixo do que eu e magro, mas musculoso. Alguns meses antes, eu teria acabado com ele sem nem suar. Com o amigo dele também. Mas agora... não tinha tanta certeza. Nenhum dos dois parecia do tipo que brigava limpo.

Virei-me para a garota de novo.

— Saia do meu carro.

Ela virou a cabeça.

— Você não falou *por favor.*

— Saia do meu carro ou eu mesmo tiro você.

A garota sorriu, mas se afastou.

— Isso não é jeito de se falar com uma dama, é? — O garoto mais baixo veio para a minha frente. O mais alto ficou onde estava, atrás. Eu me mantive firme, mas senti uma onda de adrenalina tomando conta. Senti cheiro de cerveja no que estava na minha frente. Ele, definitivamente, tomara algumas.

— Acho que não é a pessoa mais indicada para ensinar alguém como tratar uma garota — falei, baixando o olhar para fitá-lo. — Acabei de ver seu amigo jogando uma lata de cerveja nela. — Acenei com a cabeça na direção de Ophelia, mas mantive os olhos fixos nele.

O garoto deu de ombros.

— A piranha mereceu.

— Duvido. Ophelia, entre no carro.

O baixinho estalou os dedos para a garota de cabelo preto e disse:

— Não se mova. — E voltando-se na minha direção, completou: — Quem é você, o novo namorado dela?

— Não é da sua conta...

— Se for, é melhor tomar cuidado.

— Ou o quê?

— Vá embora. — A voz de Ophelia estava tensa. Olhei para ela, do outro lado do capô. — Vá. Você só está piorando as coisas.

Balancei a cabeça.

— Não vou deixá-la aqui com eles. De jeito nenhum.

— Ele quer você, Ophelia. — disse finalmente o garoto mais alto. Olhei para trás. Ele tinha nariz chato e a aparência de quem já perdera, em brigas, os poucos neurônios que tinham nascido com ele. Lançou um olhar lascivo para Ophelia que me deixou arrepiado.

— Cale a boca — ameacei.

O baixinho não reagiu.

— O último namorado dela desapareceu — disse ele. — Não foi, sua piranha?

— Pare de chamá-la assim.

O que está acontecendo aqui? Achei que fossem apenas uns idiotas, mas era óbvio que tinha mais alguma coisa por trás.

— O problema é que ninguém sabe por que ele foi embora — continuou o baixinho. — Nem para onde. Só ela.

— Vince, já disse. Não sei... — começou Ophelia.

— Sim, claro. Você está mentindo.

— E o que você tem a ver com isso? — perguntei a ele. — Por que você se importa com quem ela sai?

— Cara, estou pouco me ferrando para com quem ela sai. — Vince apontou um dedo calejado para Ophelia. — Mas o último namorado dela era meu irmão. E sei que ela sabe alguma coisa.

— Pelo amor de Deus! — gritou Ophelia, sua expressão passiva finalmente desaparecendo. — Não é a primeira vez que ele some, todo mundo sabe disso! Você só não consegue aceitar que Sean é um covarde que dá no pé ao menor sinal de problema...

— Então *teve* algum problema? — A garota de cabelo espetado se intrometeu. — Viu só! Você acabou de admitir.

— Não enche, Nina. Não foi o que eu quis dizer. Eu não era a única pessoa na vida dele. Quem sabe com o que ele estava envolvido?

— Certo. Tinha me esquecido — continuou Vince. — Os telefonemas misteriosos.

— Alguma coisa estava acontecendo com ele — disse Ophelia. — Alguma coisa que ele não queria que eu soubesse. Tentei convencê-lo a me contar, mas ele não contou.

— Conveniente. Ninguém mais notou que ele recebia esses telefonemas.

Ophelia levantou as mãos.

— Porque ninguém mais dava a mínima para o que ele fazia até ele desaparecer.

— Engraçado como você sumiu da face da Terra nas semanas seguintes, né? — disse Vince, olhando-a com desprezo.

— Você ia querer encarar alguém? — Ophelia cerrou os dentes. — Com a vila inteira apontando o dedo na sua cara? Acusando você de saber alguma coisa?

— Mas você *sabe* alguma coisa — disse Nina, dando um passo à frente. — E o negócio é o seguinte... falei de novo com a minha prima que trabalha no hospital, e ela mantém a história dela. Disse que se lembra de escutar como você e a sua tia chegaram ao hospital cobertas de sangue na noite em que Sean desapareceu...

Ophelia ficou branca.

— E eu já lhe disse que isso não aconteceu.

— De quem era o sangue? — perguntou Nina.

— Não *havia* sangue algum.

— Não minta. — Alguma coisa brilhou no rosto de Nina sob a luz fraca: um *piercing* na sobrancelha. — O que aconteceu, Ophelia? Vamos. Você não pode esconder para sempre.

— Não estou escondendo nada.

— Quer saber o que eu acho? — disse Nina. Seu rosto exibia um sorriso cruel.

— O quê? — perguntou Vince. Os olhos se estreitaram, indo de Nina para Ophelia.

— Aposto que ela e Sean brigaram...

Ophelia arregalou os olhos.

— Isso não é verdade.

— E Sean quis ir embora. Partir de novo. Ou talvez esse fosse o motivo da briga...

— Você não sabe do que está falando.

— Ele queria ir embora, e você, não. Aí ele disse que estava tudo acabado. E você pensou: "buá, buá, agora ninguém mais vai me amar" e decidiu fazer uma arte nos seus pulsos com uma faca.

Ophelia franziu os lábios.

— De onde tirou essa ideia?

— Prove, então. Tire as luvas — disse Nina.

— *O quê?*

Nina encarou Vince.

— Eu disse, não disse? Ela está usando luvas há meses, mesmo quando não está no trabalho. Está escondendo alguma coisa.

— Tire as luvas — repetiu Vince.

— Não. — A voz dela era baixa, mas desafiadora.

Franzi a testa, percebendo que Nina tinha razão. Estava uma noite agradável; por que Ophelia *estava* usando luvas se nem estava de casaco?

— Vamos — disse Vince. — Mostre o que tem por baixo dessas luvas.

— Eu disse — repetiu Nina. — Ela tem se cortado que nem uma esquisita, não tem? O que aconteceu... você acidentalmente cortou com muita força, ou queria fazer isso mesmo? — Ela abriu um sorriso. — Igual a sua...

O braço de Ophelia cortou o ar. Nina uivou, caindo em cima do capô do carro com a mão no rosto. Ophelia estava por cima dela, o punho ainda levantado.

— Não *ouse* falar dela.

Nina se ergueu do carro. A mão dela estava vermelha e molhada quando foi afastada do rosto.

— Sai piranha! Você cortou o meu rosto.

Já dava para imaginar o que tinha acontecido: o soco de Ophelia acertou o piercing de Nina.

— Louca — falou Nina baixinho, ainda mais enfurecida ao ver o próprio sangue.

Ela se jogou em cima de Ophelia, pegando-a pelos cabelos, tentando puxar a cabeça dela em direção ao joelho. Ophelia resistiu, tentando acertar golpes em Nina sem se importar com o que atingiria. Gritavam obscenidades uma para a outra.

Aproximei-me das garotas, mas Vince entrou na frente.

— Olhe, vamos separá-las antes que alguém se machuque — falei.

— Se um carro virar a esquina, elas serão atropeladas. — Ao falar isso, percebi que nenhum carro tinha passado por nós desde que toda a cena começou. Olhei para a estrada. Estava quieta, quase deserta. Não dava para ver o Rusty Bicycle, estava longe demais para correr até lá, e não havia nenhuma casa perto, apenas dois chalés a alguns metros de distância. Nenhum dos dois ficava de frente para esta rua. Seria pura sorte se alguém nos visse aqui.

Vince sorriu.

— Você não se importa? — perguntei. — Quem é esta garota, sua irmã? Sua namorada? Você não se importa se ela se machucar?

— Ela não vai se machucar.

Olhei para as garotas de novo. Era verdade. Cada movimento de Nina era de uma lutadora experiente — Ophelia estava apenas resistindo. Além do soco inicial que acertara, suas tentativas eram inúteis, como um gato se debatendo enquanto tenta fugir de um saco. Pior, podia ver que ela começava a ficar cansada. Nina sabia disso, e finalmente conseguiu dar uma joelhada em sua testa.

— Basta! — Empurrei Vince. Grande erro.

— Damian!

Braços fortes me agarraram por trás, e minha mão direita foi torcida e levada para as minhas costas. Um chute rápido me deixou de joelhos.

— Idiota — falei, contorcendo-me para me soltar de Damian. — Você sempre faz o que ele manda?

— Basicamente — disse Vince.

Não pude evitar. Dei uma gargalhada.

— O que é tão engraçado?

Que se dane. Ele já tinha decidido que queria acabar comigo, então não faria muita diferença o que eu dissesse.

— Você — respondi. — Você é engraçado. Um baixinho insignificante que provoca meninas e não sabe brigar de forma justa.

— Tomara que você consiga pegá-la depois disso — disse Vince.

— Se é que já não conseguiu. — Ele riu. — Ouvi falar que ela é boa.

— Vá se foder.

Ver o punho dele se aproximando não fez com que doesse menos. Atingiu-me no rosto, fazendo minha cabeça tombar para o lado. Meu rosto latejou, mas já tinha sentido dores piores.

— Quem te ensinou a bater assim? Sua mãe?

Damian soltou meu braço e agarrou meu cabelo. Vince me deu outro soco, do outro lado do rosto. Minha visão ficou embaçada, depois clareou. Percebi que ele estava apenas aquecendo.

— O que ela te disse?

Tossi.

— Nada.

— Tem certeza?

— Eu a conheci ontem, se você quer saber.

— E você espera que eu acredite nisso?

— É verdade. Estava passando aqui por acaso.

Vince se ajoelhou na minha frente.

— Sabe de uma coisa? Acredito em você. Mas você é um imbecil que fala demais e vou acabar com você de qualquer jeito.

Fiquei com a cabeça baixa, pensando, planejando, mas era difícil concentrar com as garotas gritando e xingando ali perto. Eu não conseguia ver o que estava acontecendo agora — elas tinham sumido da minha vista do outro lado do carro. Eu só tinha uma opção: lutar sujo.

Joguei meu corpo para trás, acertando Damian entre as pernas. Ele soltou um uivo estranho, animalesco e me soltou. Rolei para o lado oposto a Vince e comecei a me levantar, mas não rápido o suficiente. A bota dele atingiu o meu maxilar, jogando-me no chão de novo.

— Aonde você pensa que vai? — A respiração dele estava pesada agora. — Ainda não está na hora de ficar de pé.

Ele me deu um chute nas costas e levantou o pé. Fiquei esperando o pé descer, sentindo gosto de sangue. Ele pisou na minha mão, esmagando-a contra a grama. Gritei e me debati com o outro braço, agarrando a perna dele. Por um momento, ele perdeu o equilíbrio. Puxei a calça jeans dele, tentando fazê-lo cair. Parecia promissor... até que o idiota do Damian veio ajudá-lo.

Gritei quando o joelho dele acertou o meu peito, prendendo-me contra o chão. Ele se debruçou em cima de mim, e senti seu bafo no meu rosto. A pressão nos meus pulmões expulsava todo o ar, despertando todas as emoções que eu sentia durante a paralisia do sono.

Ele acertou um soco na minha cabeça. Pegou na têmpora. O céu rodava acima de mim com os últimos raios de sol. Em algum lugar ali perto, um som como um ronco ficava mais alto. O motor de um carro.

Por favor, pare, pensei.

Não parou. Ao invés disso, passou rápido, buzinando. Pareceu que minha cabeça ia explodir com o som. O rosto de Vince apareceu por cima de mim, de cabeça abaixada. Minha mão latejava onde ele pisara. Mesmo se eu pudesse usá-la, Damian prendia meus dois braços no chão.

— Aposto que agora está desejando nunca ter parado, não é? — disse Vince, sorrindo.

O peso de Damian tornava quase impossível respirar, mas a raiva dentro de mim veio à tona.

— É. Eu preferia não ter parado. Devia ter passado por cima de vocês.

Um soco na lateral da minha cabeça me fez olhar para o canal. Minha visão ficou vermelha. Tudo doía. Ouvi a voz de Nina, alta e estridente.

— Volte aqui, sua piranha! Não terminei com você ainda!

Alguém passou depressa, os pés batendo com força no chão. Virei mais a cabeça, tentando respirar. De repente, Damian se afastou, e pude inspirar uma golfada de ar. Com a visão manchada de vermelho, vi Ophelia correndo na direção da trilha do canal. De alguma forma, ela conseguira escapar. O cabelo tinha se soltado e balançava atrás dela como uma chama, a última coisa que vi antes de ela desaparecer.

Nina foi mancando na direção da trilha, mas Vince a chamou.

— Deixe. Você não vai encontrá-la. Muitos lugares para se esconder, e ela conhece todos. — Ele deu um tapinha no meu rosto que mais pareceu um golpe. — Parece que ela abandonou você, garotão. E não pense que ela vai voltar trazendo ajuda, o lugar mais perto é um museu ridículo e fica a mais de um quilômetro. Então, é melhor você se conformar.

Nina apareceu do lado dele, mordendo o lábio. A maquiagem dos olhos escorria pelo rosto, e o cabelo, espetado em todos os ângulos. Era claro na raiz. Esperava que uma boa parte dele tivesse ficado nas mãos de Ophelia.

— Vince, vamos — disse ela, baixinho. — Vamos embora.

— Cale a boca — disse Vince, examinando meu rosto como se fosse um médico. — Não dá mais para fazer muita coisa na cabeça. Não quero que desmaie ainda.

Essa avaliação, com o tom de voz calmo, me assustou mais do que as ameaças.

— Afaste-se, Damian — disse Vince, acenando para ele.

Damian tirou o peso do meu peito, soltando meus braços. Eles estavam tão pesados e sem vida quanto sacos de farinha. Observei, indefeso, enquanto ele se reposicionava sobre as minhas coxas. Antes mesmo que ele se acomodasse, Vince me deu um soco no estômago.

A dor se espalhou, começando no centro do meu corpo. Tossi, tentei respirar, cuspi, instintivamente querendo me encolher, mas as mãos de Vince seguravam os meus ombros.

— Quer que eu pare? — perguntou ele. — Implore.

Não conseguiria dizer nem uma palavra, mesmo se quisesse. O soco veio logo em seguida. No mesmo lugar, mas a dor não foi a mesma. Foi pior, mais intensa. A imagem de um ferimento surgiu na minha cabeça. Vasos de sangue delicados, inchados, rompidos. Era só no que eu conseguia pensar.

— Estou falando sério, Vince — insistiu Nina, com medo na voz.

— Aquele carro, a motorista estava no telefone. É melhor darmos o fora daqui.

— Ela provavelmente já estava no telefone — rosnou Vince.

Escutei um som agudo, como alguém desesperado tentando respirar, sofrendo um ataque de asma. O som se tornou sinônimo do ferimento vermelho arroxeado na minha mente. Eu sabia que, consciente, não aguentaria muito mais. Meu corpo não permitiria. A mancha vermelha na minha visão, a escuridão ameaçando tomar conta. Mais um soco e eu apagaria. E depois? Eles continuariam? Deixariam meu corpo ali? Jogariam no canal?

Vince também sabia disso. O lábio superior tremia de expectativa.

— Afaste-se dele.

A voz vinha da trilha do canal. Era baixa, vazia. Reconheci na mesma hora. Vince colocou um sorriso de desdém no rosto, depois se virou.

— Que comovente — sussurrou ele, depois parou. Começou a rir. — Você só pode estar brincando.

Houve o som grave de um clique.

— Parece que estou brincando? — A voz dela estava mais perto agora.

Escutei Damian respirar fundo e vi Nina colocar a mão no pescoço, mas Vince bloqueava a minha visão.

— Disse para se afastar dele. *Agora!*

Damian soltou as minhas pernas, a boca aberta de maneira estúpida. Lentamente, Vince se levantou, ainda sorrindo, e se aproximou de Nina.

Ophelia estava parada, de costas para o canal, a respiração pesada. A brisa levantava o cabelo em volta de sua cabeça como uma juba de leão. Seus olhos estavam calmos, o que só a fazia parecer ainda mais selvagem, como uma criatura calculando o melhor momento de dar o bote. Os braços esticados estavam firmes.

A arma que ela segurava estava apontada diretamente para Vince.

Capítulo 9

Mãos ao alto

Eu não entendia muito de armas, mas a que Ophelia segurava parecia antiga. *Muito* antiga. Não era preciso ser um gênio para saber de onde vinha, mas ela não conseguiria ter ido ao museu e voltado nesse tempo. Já devia ter essa arma escondida em algum lugar.

— Parece que trabalhar naquele museu pulguento compensou — disse Vince. — Uma pena que você vai ser demitida quando eles souberem que anda roubando.

— Isso não vai acontecer. — A voz de Ophelia era firme. — Primeiro, não roubei. Só peguei emprestado porque sabia que não ia demorar muito até você fazer alguma coisa desse tipo. Segundo, vou devolver a arma antes que alguém perceba que ela não está lá, e será a sua palavra contra a minha. Elliott, consegue se levantar?

— Só um minuto — consegui responder, tentando não dar a Vince a satisfação de me ver gemendo.

— Essa coisa ainda funciona? — perguntou Nina, zombando.

— Pode apostar que sim — disse Ophelia. — E antes que você pergunte, sim, sei usá-la. Sei mais de armas do que qualquer um de vocês.

Nina fitou Ophelia, furiosa.

— E agora? — falou Vince, devagar. — Mãos ao alto? Nosso dinheiro ou nossas vidas?

Damian riu como um idiota. Fiquei satisfeito em ver que o sorriso não chegou aos olhos. Nenhum deles queria baixar a crista, mas os três estavam incertos sobre até onde Ophelia estava disposta a ir.

Eu também.

— Não — disse Ophelia. — Nada de mãos ao alto. Quero que todos vocês vão se foder e nos deixem em paz. — Ela apontou a arma para Nina.

A garota estremeceu e pulou para trás de Vince.

— Não aponte isso para mim, sua vaca idiota!

Ophelia manteve a arma apontada para ela. Tive a impressão de que ela estava aproveitando o momento, e não podia culpá-la.

— Mas só pra você saber, Vince, essa arma em particular é uma pistola para duelos. Ela é de... vejamos. Por volta de 1830, georgiana, e matou pelo menos doze pessoas. Não, a que você está pensando é um mosquete, de um século antes e muito maior que essa. Da próxima vez que aparecer no museu, mostro pra você, se quiser.

O lábio inferior da Nina levantou em desprezo.

— Você é *tão* esquisita.

Ophelia sorriu.

— Prefiro "excêntrica", mas vindo de você, "esquisita" está bom.

Vince balançou a cabeça.

— Mesmo que você saiba usar essa coisa, não tem coragem. Se matar qualquer um de nós, será presa. — Ele deu um passo na direção dela, a mão estendida. — Abaixe isso.

Ophelia ficou exatamente onde estava. Nem piscou.

— Não seja ridículo, Vince. Quem falou em matar? — Ela abriu um sorriso. — Um joelho destroçado já seria o suficiente para te manter longe de problemas.

Vince parou de andar.

— Legítima defesa — disse Ophelia. — Pura e simples. Olhe o que você fez com ele; não está muito bonito, está? — Ela abaixou os braços, apontando a arma para as pernas de Vince. — Nunca levei um tiro, mas já ouvi falar de todas as complicações que uma bala no joelho pode trazer. No pior dos cenários, você poderia perder a parte inferior da perna.

— Você ainda teria de pagar por isso — disse Vince, parecendo preocupado.

— Você está certo. — Ophelia levantou a arma e coçou a cabeça com o cano antes de mirar de novo. A ação foi a mais louca até então. Vince ficou tenso. — Mas não se preocupe. Tenho certeza de que eu poderia pensar em alguma outra coisa. Vamos ver... imagine a minha surpresa quando encontrei isso escondido perto do canal uma noite. Imagine o meu terror quando você apareceu e tentou tirá-la de mim... e ela acidentalmente disparou. — Ela assentiu. — Isso. Podemos usar essa história, não?

— Você é louca — disse Vince. — É uma piranha mentirosa, sabia? Ela deu de ombros.

— Isso se chama contar histórias, e faz parte do meu trabalho. É por isso que sou boa no que faço. Mas obrigada pela novidade.

— E por que devemos acreditar em você quando diz que a arma funciona? — perguntou Nina.

— Vocês não precisam acreditar em nada que eu digo. Mas eu também não preciso dizer que já aguentei o suficiente de vocês nesses últimos meses. Vocês já sabem disso. — Ela apontou para Damian agora. — Todo mundo tem um limite, não é mesmo?

O lábio inferior de Damian tremeu.

— Podemos ir agora, Vince?

— Vamos. — Vince recuou, encarando Ophelia. — Não vou me esquecer disso. Da próxima vez que nos encontrarmos, não será para uma conversa agradável.

— Uma pena — disse Ophelia, estalando a língua. — Adoro uma boa conversa.

Vince fitou-a com raiva. Agarrou a mão de Nina e eles se viraram e correram para a trilha do canal, com Damian arrastando-se obedientemente atrás.

Ophelia deu um passo na direção deles, olhando para o canal.

— Isso mesmo — gritou ela. — Corram. — Ela continuou segurando a arma com firmeza até que eles desaparecessem de vista.

Cerrei os dentes e me sentei, sentindo uma onda de tontura.

— Cuidado. — Ophelia correu para o meu lado e abaixou-se. Passou o braço pelos meus ombros. A arma ainda estava na outra mão, repousada sobre o joelho. Eu queria me apoiar nela, mas ela era tão magra que eu achava que poderia quebrar. — Está tudo bem — sussurrou ela. — Eles já foram. Vamos tentar levantar você.

— Vou ficar bem em um minuto — menti. — Só preciso recuperar o fôlego. Aquele cretino me pegou mesmo. — Não conseguia tirar os olhos da arma. — Você podia abaixar essa coisa? Está me deixando nervoso.

— Desculpe. — Ela colocou a arma na grama. — Mas não precisa se preocupar. Estava blefando.

— Você está dizendo que... está descarregada?

— Sim. Ela nem funciona. Já funcionou, é uma réplica que fizeram para o museu.

Comecei a rir, depois fiz uma careta.

— Então nada daquilo era verdade? Sobre já ter matado doze pessoas e todo o resto?

— Tudo era verdade. Exceto pelo fato de a arma não disparar. Ah, e o que acontece quando se leva um tiro no joelho. Quer dizer, até onde eu sei, pode fazer perder a perna, mas não tenho certeza...

Uma mecha do cabelo dela foi levada pelo vento e bateu no meu rosto. Senti grudar em algo molhado entre os meus lábios. Gentilmente, ela estendeu a mão e soltou.

— Meu lábio está cortado? — perguntei.

Ela assentiu.

— Sorte que a sua cabeça não está.

Tentei me levantar de novo e gemi.

— Não tenho tanta certeza.

— Espere um minuto — disse ela. — Ele bateu muito em você. Deixe-me dar uma olhada.

Fiquei tenso quando a mão dela tocou a minha barriga para levantar a camisa. A pele queimava por causa dos socos de Vince. Lembrei-me das mãos de Kim no mesmo lugar ontem, cheias de desejo.

— Já está ficando roxo — disse ela.

O toque dela foi gentil e cuidadoso. Ela era a terceira estranha a me tocar ali em vinte e quatro horas. Puxei minha camisa para baixo e afastei a mão dela, engolindo em seco.

— Acho que estou bem. — Também sentia o outro braço dela nas minhas costas, e o calor das mãos enluvadas através do tecido da camisa. A mão dela estava tremendo. — Você foi muito convincente com a arma — falei. — Um tanto assustadora, na verdade.

Ela afastou a mão das minhas costas. Abriu um leve sorriso frio.

— É. Mas agora você já sabe por que eu tinha que ser. — Ela olhou para mim, os olhos cinza sérios. — Agora tem um inimigo. Se Vince o vir de novo...

— Eu sei.

— Você não devia ter parado. Eu teria ficado bem.

— Acho que não. E você também não tem certeza disso. Há quanto tempo escondeu essa arma?

Ela baixou o olhar.

— Há algumas semanas. Foi burrice, eu sei. Mas pensei que, se as coisas ficassem feias, poderia assustá-los e, talvez, eles desistissem. Não tenho mais esse trunfo.

Franzi a testa.

— Você acha que as coisas teriam chegado a esse ponto se eu não tivesse me envolvido?

— Talvez. — Ela não estava olhando nos meus olhos. — Com Nina, as coisas já caminhavam há algum tempo para o que aconteceu.

Estava faltando alguma coisa aqui, alguma coisa que ela não estava me dizendo.

— Mas você não teve medo de brigar com ela — falei. — Você bateu primeiro.

Ophelia pressionou os lábios de repente. Reprimi a pergunta seguinte, que percebi que ela já sabia qual era, e mudei o rumo da conversa.

— Você acha que Vince bateria em você?

Ela hesitou.

— Não. Ele já jogou coisas, mas acho que não chegaria a esse ponto.

— Então... — Lembrei-me dos momentos assim que saí do carro. Os comentários maldosos e a mentalidade criminosa que não gostei no mesmo instante. De repente, tudo se encaixou. — Damian.

— Ele sempre me deu arrepios.

— Posso entender por quê. Mas ele só faz o que mandam. É a marionete de Vince.

— Só quando estão juntos — disse ela, arrancando um pouco de grama com a mão e jogando para longe. — Mas não é tão burro quanto parece.

— Aconteceu alguma coisa com ele, não foi? Só você e ele?

A voz dela ficou séria.

— Sim.

Meu estômago ferido ardeu.

— Conta pra mim.

— Aqui, não.

Engoli.

— Certo. É melhor irmos... vou levá-la para casa.

Ophelia se levantou, passando a mão no suéter para tirar a grama. Segurava frouxamente a arma ao lado do corpo. Esforcei-me para levantar. Ficar de pé foi um pouco mais fácil. Parecia que nada estava quebrado.

— Tem certeza de que consegue dirigir? — perguntou ela.

— Estou bem — menti. Cada passo na direção do carro parecia cortar minhas vísceras como cacos de vidro. Cheguei à porta. Ainda estava aberta, as chaves ainda estavam na ignição. Olhei por cima do teto do carro enquanto Ophelia dava a volta até o lado do carona.

Na escuridão, luzes se refletiram em um lado do cabelo dela.

— Merda.

Nós dois olhamos para a estrada e vimos ao mesmo tempo. Um carro de polícia vinha na nossa direção, as sirenes desligadas.

— Entre no carro — falei. — Fique calma, eles nem devem ter vindo por nossa causa. Devem passar direto.

— E se não passarem? — sussurrou ela. — Ainda estou com a arma.

Senti como se tivesse levado outro soco no estômago.

— Livre-se dela — falei. — Logo.

— Onde? Eles vão ver.

O carro passou pelos chalés e começou a desacelerar.

— Eles vieram por nossa causa. Jogue fora, em qualquer lugar, no mato. Depois voltamos para pegar, mas faça *alguma coisa*.

Mas ela estava do lado errado do carro; todo o mato da trilha do canal estava do meu lado. Fechei os olhos. Se ela fosse pega com a arma... Mesmo sendo uma réplica, seria sério, disso eu tinha certeza.

— Desculpe por isso, Elliott.

Abri os olhos e vi Ophelia vindo na minha direção. Senti um nó no estômago. Por que ela estava se desculpando? Ela ia passar a pistola para mim? Pedir que eu assumisse toda a culpa?

Ela não fez nada disso. Fez a última coisa que eu poderia esperar.

Parou na minha frente, tão perto que nossos corpos se tocavam. Congelei quando a mão que segurava a arma passou pela minha cintura e parou nas minhas costas. Senti a arma, pesada e gelada. Ela colocou a outra mão na minha nuca. Levantou o rosto.

— Agora, me beije — sussurrou ela. — E seja convincente.

Perplexo, inclinei a cabeça e toquei os lábios dela com os meus, fechando os olhos.

Os lábios dela eram frios e macios e tinham um gosto doce, como se ela tivesse comido uma fruta. Meu lábio inchado latejou, mas nem dei atenção. Instintivamente, abracei-a, uma das mãos nas costas, a outra no cabelo. Atrás de mim, senti o braço dela se mexer e ouvi o som surdo da arma caindo na grama.

As luzes estavam mais perto agora, pintando minhas pálpebras com suas cores. Meu coração batia mais forte, e não apenas por causa da polícia que se aproximava.

Não é de verdade, falei para mim mesmo. *É só faz de conta.*

O que quer que fosse, terminou quando uma porta bateu. Ophelia deu um passo atrás, e nos afastamos. Uma segunda porta bateu, e dois policiais uniformizados vieram na nossa direção. Observei-os enquanto se aproximavam, sentindo-me tonto, quase bêbado com tudo que tinha acontecido.

Dois oficiais, um homem e uma mulher, vieram na nossa direção, endireitando seus chapéus. O homem parou na minha frente. Vi que olhou o número da placa do meu carro.

— Estamos atendendo a chamados reclamando de perturbação — disse ele. — Uma testemunha viu duas mulheres brigando e um confronto entre três homens. Podem nos falar alguma coisa a respeito?

Como se tivéssemos escolha. Nada provava mais culpa do que um lábio rasgado.

— Eu estava dirigindo e vi que ela estava sendo perseguida. Parei para confrontá-los, e as coisas saíram do controle.

O policial olhou para Ophelia.

— Foi isso o que aconteceu?

Olhei para ela, que estava com a mão na boca, como se com medo do que poderia sair dali, e fitando a policial que estava vagando pelos arbustos.

— Estou certo em supor que vocês dois são um casal? Parecem se conhecer bem.

Sarcástico idiota.

Forcei-me a olhar para o policial na minha frente.

— Mais ou menos. — Mentira número um.

O policial levantou o olhar.

— Mais ou menos?

— Segundo encontro — disse Ophelia, tentando sorrir. Ela observou quando ele fez uma anotação e olhou por cima do ombro. A policial tinha pegado um galho caído de uma árvore para esquadrinhar o mato. *Ah, Deus, o que ela viu?*

— Se estavam em um encontro, por que você estava dirigindo e ela, andando?

Merda. PENSE. Pense em alguma coisa...

— Nós íamos nos encontrar no pub — falei devagar. — Estava atrasado e, quando cheguei, ela já tinha ido embora.

— Achei que ele tivesse me dado um bolo — acrescentou Ophelia. — Aí saí.

— Vocês não têm celular?

— Claro. Tentei ligar para ela, mas não consegui. Então, resolvi dar uma volta de carro para procurar por ela. — *Engraçadinho*, acrescentei silenciosamente.

— Sinal ruim — murmurou Ophelia.

O Policial Engraçadinho ergueu o olhar.

— Claro. E qual foi o pub?

— Rusty Bicycle. — Resposta unânime. Ponto.

— Este carro é seu?

— É.

— Fale-me sobre o que aconteceu quando você a viu.

Limpei a garganta.

— Como falei, eu estava procurando por ela...

O grito da policial me interrompeu.

— Achei uma coisa aqui!

O policial olhou para trás. Ophelia mordeu o lábio quando a mulher tirou uma luva do bolso e apalpou o mato.

Não, não, não.

— Eu disse que a tinha visto jogar alguma coisa. — Ela se levantou, a arma pendurada entre os dedos.

— Chiclete — disse Ophelia. — Tirei o chiclete antes de beijá-lo. Nunca vi essa arma antes.

— Antes de você convenientemente beijá-lo. — A mulher balançou a cabeça. — Essas luvas que você está usando... elas me parecem peludas. Do tipo que ficaria toda lambuzada se você pegasse o chiclete com ela.

O queixo de Ophelia tremeu.

O policial suspirou.

— Vocês podem explicar o resto na delegacia. Estou prendendo os dois por suspeita de posse de arma perigosa.

Capítulo 10

Homem Invisível

Eu fitava as paredes da cela.

Preso? Não podia acreditar nisso. Que noite desastrosa. Tudo, desde o momento em que saí do pub, parecia surreal, como se estivesse em um sonho. Não pude deixar de notar a ironia nisso: me sentia em um sonho estando acordado, enquanto tinha experiências desagradavelmente reais quando deveria estar dormindo.

Através das grades de uma minúscula janela no alto, via um céu escuro e estrelado. Não fazia ideia de que horas eram, mas devia ser tarde. Parecia que eu estava aqui há horas, mas ainda não tinha sido interrogado. Desde que cheguei, dera meu nome e endereço, entregara tudo o que estava comigo — chaves, carteira, celular — e deixara minhas impressões digitais e uma amostra de sangue — para DNA, acredito. Depois de examinarem meus ferimentos e afirmarem não se tratar de nada sério, confiscaram as minhas roupas. A coisa que me deram para vestir só poderia ser descrita como macacão.

Levantei-me e fui até a frente de cela. Precisei de dois passos. Além das barras, um corredor se estendia até a mesa da frente. Contei quatro celas. De uma delas, escutava palavras incompreensíveis, de bêbado.

De outra, soluços abafados. Pareciam de mulher, mas eu sabia que não eram de Ophelia. Ela tinha sido colocada na cela ao lado da minha, mas fora levada para interrogatório antes que tivéssemos a chance de conversar — e acertar a nossa história.

Segurei as grades.

— Alô? — gritei. Segundos depois, um policial apareceu no final do corredor.

— O que você quer?

— Que horas são?

— Quase onze e meia... Só isso? — Ele se virou.

— Não. — O nó no meu estômago apertou. — Quero a minha ligação.

Ele resmungou.

— Espere aí. — Ele desapareceu pelo lugar de onde tinha vindo. Esperei por tanto tempo que achei que tivesse se esquecido. Finalmente, ele reapareceu e destrancou a cela. — Por aqui.

Eu o segui pelo corredor, olhando para as outras celas. Os murmúrios alcoolizados vinham de um homem velho, cheio de uísque, que cambaleava enquanto olhava para fora da cela. Mais à frente, a pessoa chorosa estava deitada na cama de tijolos, olhando para a parede. Eu não escutava mais os soluços, mas vi os ombros sacudindo embaixo da roupa suja. Ambos usavam suas próprias roupas, e não os macacões que eu e Ophelia recebemos. Não era um bom sinal.

Saímos do corredor e passamos pela mesa onde eu dei entrada. Uma curta caminhada e portas duplas nos levaram ao telefone.

— Você tem cinco minutos.

Peguei o telefone e disquei. Foi atendido no quinto toque.

— Adam, sou eu. — Fechei os olhos, sentindo-me estranhamente sem ar ao escutar a voz do meu irmão.

— Elliott? Não reconheci o número. De onde você está ligando? Perdeu seu celular?

— Não, eu... escute, eu estou em uma delegacia. Preciso falar rápido.

— Delegacia? O que houve? Você sofreu algum acidente?

— Não exatamente. — Pensei em contar para ele da briga, mas achei melhor não. Ele logo ficaria sabendo. — Estou bem. Eu... eu fui preso.

— *O quê?* Por quê?

— Suspeita de carregar arma perigosa. — Fiz uma careta. Isso soava péssimo.

— Cacete, Elliott. Em que você se meteu?

— Em nada, juro.

— Há quanto tempo você está aí?

— Umas três horas.

— Três *horas?* Por que não me ligou antes?

Engoli seco.

— Estava torcendo para não precisar ligar, para tudo se resolver e eu não precisar contar sobre isso pra você e pro papai. — Sem chance. — Não tenho muito tempo, mas não precisa se preocupar...

— Claro que estou preocupado, seu merda!

— Tudo bem, tudo bem! O que estou dizendo é que foi tudo um mal-entendido. Tudo vai se resolver. — Eu estava falando da boca para fora. — Ligue pro papai e diga que vou dormir na sua casa.

— Ele vai perguntar por que você mesmo não ligou. — disse Adam. — O que eu digo pra ele?

— Fala que a noite foi um fracasso. Que eu apareci no The Acorn e tomei um porre, e agora estou passando mal no seu banheiro.

Adam suspirou.

— Vou ligar. Depois vou para a delegacia.

— Você não pode. — Encostei a cabeça na parede, resistindo à vontade de bater com ela. — Não é a delegacia local. É a que fica perto do meu trabalho. Acho que vou passar a noite aqui. Não tem ninguém para me interrogar agora, só de manhã.

— Ótimo. Boa.

— Eu sei. Desculpe.

— Vou pedir para Amy me levar de manhã.

— Desculpe — repeti, encolhendo-me. O policial levantou um dedo.

— Meu tempo está acabando.

— Uma última coisa.

— Fala.

— Diga que isso não tem a ver com nenhuma garota.

Respondi com um longo e constrangedor silêncio.

— Idiota. Espero que ela valha a pena.

— Eu também. — Desliguei, sentindo-me pior do que antes.

O policial me conduziu para as celas de detenção. Havia um cheiro azedo no ar. Presumi que o bêbado tivesse vomitado. Ele estava jogado no colchão azul, roncando. A pessoa com roupa suja não tinha se mexido. Quando passei pela cela de Ophelia, ela estava sentada com os braços em volta dos joelhos. Não olhou para mim.

A porta se fechou depois que eu entrei, e fiquei escutando até os passos sumirem. Passei direto pelo vaso fedorento e me sentei na cama. Ainda podia sentir o cheiro de vômito e, por mais estranho que pareça, estava mais forte agora. Puxei a gola do macacão sobre o nariz e peguei o cobertor fino na ponta da cama. Encostei-me na parede, vendo Ophelia em minha mente, espelhada do outro lado.

A voz dela veio mais cedo do que eu esperava, um pouco abafada pela parede que nos separava.

— O que lhe perguntaram?

— Eles ainda não me interrogaram. — Abaixei a gola do macacão, tentando não sentir o cheiro enjoativo. — O que você disse?

— Nada. Foi por isso que fiquei tanto tempo lá. Eles ficavam me perguntando a mesma coisa, o tempo todo. — Houve um silêncio. — Obrigada. De verdade. Obrigada por parar. Você não precisava. Principalmente depois de eu ter sido tão babaca com você ontem.

— Precisava, sim. Qualquer um teria feito o mesmo. De qualquer forma, você não foi babaca. Só falou a verdade.

— Pelo menos, você é honesto. — A voz dela soou como se estivesse sorrindo. Depois, mais séria, ela acrescentou: — Sinto muito por ter estragado a sua noite.

— Você não estragou. — Escolhi as palavras seguintes com cuidado, sabendo das câmeras nas celas. — Levar um bolo foi só o começo.

O silêncio dela confirmou que tinha entendido que eu estava falando de Kim.

— Não foi a melhor forma de começar um encontro — disse ela finalmente.

— Não. — De alguma forma, consegui sorrir. — Certamente não estava apostando que ganharia um beijo esta noite.

— É. — A voz dela soou indiferente. — Eu estava falando sério, logo antes.

Logo antes? Logo antes do beijo? Lembrei-me de quando ela veio andando na minha direção, o cabelo iluminado pelas luzes do carro de polícia.

Desculpe por isso.

— Ok — sussurrei. Esperei que ela dissesse mais alguma coisa, mas não disse. Eu me cobri com o cobertor e deitei no colchão. Minha respiração formou uma fumaça no ar. Quando a cela ficara tão fria? Fechei os olhos, a única forma de bloquear o lugar horrível onde eu estava. Bem, não bloquear completamente. A sensação do cobertor e da roupa estranha me mantinha enraizado na realidade de onde eu estava. E o cheiro de vômito... enjoativo, doce e azedo, tomava-me em ondas. Enfiei o nariz embaixo da coberta, tentando imaginar que estava em outro lugar, *qualquer lugar,* menos aqui. E estava cansado, tão cansado, que não foi difícil. Logo minha cabeça estava viajando, viajando...

Meus olhos se abriram ao escutar um ruído. Por alguns momentos, fiquei perdido. As grades da cela fizeram com que eu me lembrasse de tudo. Minha boca estava seca, meus lábios, grudentos. Eu estava dormindo há quanto tempo?

Ouvi o ruído de novo, vindo de perto. Um gemido. O corredor fora da cela estava na penumbra. Consegui ver um movimento na cela em frente. Levantei-me e fui até as grades.

Uma pessoa estava deitada de lado no chão. Um homem, provavelmente da mesma idade de Adam. Levantei uma sobrancelha ao ver as roupas dele: calça boca de sino de veludo verde e uma camisa muito estampada — devia estar em uma festa à fantasia. Independentemente de onde estivesse antes, ele não parecia bem.

— Ei — falei. — Você está bem?

Ao som da minha voz, ele abriu os olhos, surpreendentemente brancos no rosto escuro. Eles viraram para trás. Foi quando notei as manchas na camisa dele. Alguma coisa pegajosa brilhava no chão. O cabelo afro arrastava ali.

— Quer que eu chame alguém?

Nenhuma resposta. O cara estava fora de si. Completamente bêbado.

— Ei! — Gritei para o corredor, na direção da mesa. Tudo estava escuro. Aguardei, esperando reclamações das outras celas. *Deixe-os gritar*, pensei. Quanto mais barulho eles fizessem, mais rápido alguém viria. Mas o corredor permaneceu quieto. — Tem alguém aí? Preciso de ajuda!

Por que ninguém estava vindo? Por que ninguém ao menos estava *respondendo*?

Olhei de volta para a cela. O corpo dele se contraía enquanto tinha ânsias de vômitos que não colocavam nada para fora. Uma fina linha de saliva pendia do lábio inferior dele até o chão. Ele teve mais ânsias. O movimento fez com que rolasse de barriga para cima. Isso não era bom. Isso *realmente* não era bom.

— Ei! — Estalei os dedos. — Você precisa ficar de lado, não pode ficar de barriga para cima. Está me escutando? — As pálpebras dele tremeram. Quanto esse cara bebeu? Talvez não fosse só bebida; sabe-se lá o que mais ele tomou?

Agarrei as grades enquanto ele continuava tendo as ânsias.

— Alguém está vindo? — berrei no corredor. — *Cretinos!* Não se importam com o que está acontecendo aqui?

Um som gorgolejante chamou minha atenção para a cela. Líquido borbulhava e espumava em volta dos lábios dele, escorrendo pelo queixo e pelas bochechas.

— Levante! — gritei. — Vire-se, pelo amor de Deus!

O cheiro me envolveu, azedo e ácido. Sufocando-me com o fedor assim como o sufocava. Estava mais forte, e não era apenas vômito, mas também merda e mijo. Desesperado, virei-me para a minha cela, procurando alguma coisa, qualquer coisa — água, talvez, que eu pudesse jogar nele em uma tentativa de reanimá-lo.

Foi quando me vi, imóvel, deitado na cama. Dormindo, a boca levemente aberta, a testa enrugada. E foi quando percebi por que ninguém estava respondendo aos meus gritos, e por que não haveria nada, nada mesmo, que pudesse reanimar o coitado da cela em frente.

Ele já estava morto.

Estava bem na minha frente o tempo todo, eu só não tinha compreendido o que estava vendo. O cabelo dele, as roupas. Até a cela era diferente: mais feia, mais básica. Ele morrera muito tempo atrás.

O peito do meu corpo subia e descia. Eu queria voltar para dentro dele. Queria tanto fazer isso parar, fazer essa visão desaparecer.

Não. Isso não era certo. Voltar para o meu corpo não a faria desaparecer. Aquilo — *ele* — ainda estaria ali. Eu apenas não o veria. Afastei-me de mim mesmo e voltei para a grade. Lembrei-me de como as segurei — ou *achei* que segurei. A lógica dizia algo diferente. Se meu corpo estava atrás de mim, então...

Estendi a mão na minha frente. Ela passou pelas grades. Não entre elas, mas *através* delas. Como se elas fossem nada... como se *eu* não fosse nada. Ou, pelo menos, nada físico. Fechei os olhos e dei um passo à frente. Abri-os.

Estava do lado de fora, no corredor. Ainda fora do meu corpo, que dormia na cama de alvenaria. Virei-me para o corpo patético e imóvel no chão.

— Sinto muito — falei. — Sinto muito por não ter podido ajudar.

A luz do corredor piscou. Na cela, as sombras se alongaram. O ar estalou com a estática.

Ninguém veio.

De alguma forma, eu sabia que as palavras não tinham sido ditas em voz alta, ainda assim eu as escutei tão claramente como se tivessem sido sussurradas no meu ouvido. Fiquei imóvel. O ar à minha volta escureceu, formando sombras inexplicáveis.

Ninguém se importou. Eles simplesmente... me abandonaram.

O ar estalou de novo, e a imagem à minha frente piscou, como se a antena estivesse com defeito.

— Eu me importo — falei. — Foi tarde demais, mas eu tentei, eu me importei.

O corpo estremeceu, ficou mais magro. Então, a voz soou de novo, desta vez, uma harmonia de sussurros sem palavras abriu caminho para uma respiração calma, que me envolveu como um manto, e depois escapou pelo corredor, levantando poeira e teias de aranha, serpenteando-as em redemoinhos turvos antes de permitir que elas se acomodassem em outro canto inexplorado.

Eu me peguei fitando uma cela vazia. O que quer, *quem* quer que ele fosse, tinha desaparecido. Estava sozinho e, pela primeira vez, percebi que não perdera o controle. Senti medo, mas não o mesmo terror que tomava conta de mim toda vez que isso acontecia em casa, com Tess Fielding. De alguma forma, só por escutar, fora capaz de ajudar. E, mais do que isso, tinha escapado de uma cela trancada.

Olhei para o meu corpo, o eu deitado na cama. Tecnicamente, eu não tinha fugido. Ainda estava lá, e continuaria até eles decidirem me soltar. Mas *este* eu, o do lado de fora, podia fazer coisas. Atravessar paredes, ir a qualquer lugar. Isso era poder. *Eu* tinha poder.

Segui para a cela da Ophelia. Ela estava sentada na mesma posição em que a vira mais cedo. Alguns arranhões no rosto e uma marca vermelha na testa eram os únicos sinais da briga com Nina. Ela parecia não ter se mexido, nem dormido. Os joelhos estavam recolhidos e as mãos descansavam em cima deles, os dedos espalhados. Ela os fitava, como se perdida em pensamentos. Com surpresa, percebi que esta era a primeira vez que eu a via sem luvas. Olhei através das grades, tentando ver o que tinha nas mãos que ela se esforçava tanto para esconder.

Havia alguma coisa nelas, manchas marrons avermelhadas. Não eram queimaduras, nem cicatrizes. Nenhuma razão para ela querer esconder. Alguns desenhos... tatuagens. Dei um passo à frente, atravessando as barras para ficar ao lado dela.

As mãos dela eram cobertas por espirais e pontos entrelaçados sobre a pele, como uma renda. Cobria os dedos e subia pelos pulsos como algo orgânico. Não eram tatuagens tradicionais, mas hena. Já tinha visto em uma namorada de Adam que viajara fazendo mochilão pela Índia, mas nela não teve o mesmo efeito — era apenas mais um ingrediente em um coquetel de maquiagem e perfume. Em Ophelia, era diferente. Não havia outras distrações. Nela funcionava, destacando-se em sua pele como uma ilustração em uma página, contando algum aspecto secreto de uma história que não estava escrita no texto. Dava-lhe vida.

Fiquei ali, fitando e sorvendo aquelas imagens em suas mãos, gravando-as na memória. A mão direita tinha o rosto de uma mulher, envolvido por um cabelo que fluía e descia em uma cascata pelos dedos de Ophelia. Ela usava uma coroa de estrelas e estava cercada de pequenos símbolos e formas. Na outra mão, havia um padrão de folhas, delicadamente cobrindo a pele. Fiquei ali, hipnotizado, tentando descobrir a história que era contada. O tempo todo Ophelia ficou imóvel, como se estivesse posando para uma fotografia, sem ter ideia de que não estava sozinha.

Eu poderia ter passado a noite inteira ali analisando as mãos dela, mas algo começara a acontecer. Minha visão embaçou e uma onda de tontura tomou conta de mim. Quase tinha me esquecido de que não estava realmente na cela com ela, não por inteiro. Nunca ficara tanto tempo assim fora do meu corpo, nunca me sentira tão estranho. Com um pânico crescente, virei-me e atravessei as barras. Foi ficando mais difícil controlar meus movimentos, como se eu fosse um filete de nada, mas, com muito esforço, fiz o caminho de volta até meu corpo. A cada passo para mais perto, a tontura diminuía. Acho que foram uns quinze minutos, vinte no máximo, distante. O que aconteceria se ficasse mais tempo?

Não esperaria para descobrir, não desta vez. Debrucei-me sobre meu rosto adormecido. Minha respiração estava mais lenta do que o normal. Estendi o braço. Uma sensação que sugava e arrastava, sem peso, tomou conta de mim quando as minhas duas metades se tocaram.

Estava de volta. Real, físico, e com uma dor de cabeça esmagadora. Mas isso não diminuiu a minha euforia. Eu superara o meu medo e, por alguns minutos, fora como uma mosca na parede. O homem invisível.

Talvez eu mesmo tenha sido um fantasma.

Capítulo 11

Musa

Abri meus olhos de novo ao escutar a cela sendo destrancada. Um policial que não reconheci estava parado na porta, entregando-me uma caixa de plástico.

— Bom dia, luz do dia.

Sentei-me, gemendo. Tudo doía. Minha cabeça, meu rosto — até as minhas costas por causa da cama dura como pedra. Levantei-me e peguei a caixa.

— O que é isso?

— Suas roupas. Você pode ir embora.

— Posso?

— Você parece surpreso.

— Eu fiquei surpreso em ser preso ontem à noite, pra começar.

Ele deu de ombros.

— Sua namorada admitiu que foi ela quem levou a arma. Você foi inocentado de qualquer envolvimento. Vista-se. Volto em alguns minutos para buscá-lo.

— Espere... e Ophelia? O que vai acontecer com ela?

Ele não respondeu.

Com dificuldade, tirei o macacão e vesti as minhas próprias roupas e sapatos. Quando o policial voltou, eu o segui para fora da cela. Ophelia não estava em lugar algum. As outras celas também estavam vazias.

Na mesa, o restante das minhas coisas — carteira, celular e chave do carro — foi devolvido. Enfiei tudo dentro dos bolsos com o que ainda me restava de dignidade e fui para a sala de espera.

Vi Adam na mesma hora, embora ele não tenha me visto. Estava sentado em uma cadeira plástica com a cabeça encostada na parede, dormindo. Fui na direção dele, abrindo a boca para falar. Antes que eu tivesse a chance, alguém me segurou pelo ombro por trás e me virou.

— *Você.*

— Que... Hodge?

Mal dava para reconhecer o homem moderado que me entrevistara. O rosto normalmente rosado parecia um presunto assado, e suas palavras saíam apressadas e confusas.

— Então era com *você* que ela estava ontem à noite? — Os olhos dele esquadrinharam meu rosto machucado, mas não houve sinal de pena, apenas desprezo. — Olhe o seu estado.

— Eu não... — Fitei-o, confuso. O que *ele* estava fazendo aqui?

— Não finja que não sabe do que estou falando. Você estava com a minha sobrinha ontem à noite. Você estava com Ophelia!

— Você é *tio* dela?

— Isso mesmo, sou tio e tutor legal dela. E não vou ficar parado e deixar que tipos como você coloquem a minha sobrinha em encrencas...

— Espere um minuto...

— Ela é uma boa menina, escutou? E vou lhe dar um aviso: não quero você cercando a Ophelia depois disso.

— *Cercando a Ophelia?* — Os pelos da minha nuca se arrepiaram. — Olhe, se o senhor perguntar para ela o que aconteceu, ela vai explicar.

— Elliott? O que está acontecendo?

Eu me virei. Adam estava de pé, esfregando os olhos.

— Quem é esse?

Expirei com força.

— Meu chefe.

— Não entendi — disse Adam. — O que o seu chefe está fazendo aqui?

— Correção — disse Hodge. — Ex-chefe. Não precisa se dar ao trabalho de aparecer de novo.

Fiquei boquiaberto.

— Você está me *demitindo?* Por quê?

— Por fazer com que a minha sobrinha fosse presa dois dias depois de conhecê-la — respondeu Hodge. — E só Deus sabe o que mais você planejou, embora eu possa até imaginar!

— O que quer dizer com isso?

— Você sabe. Vocês, rapazes... — ele fez um som de desprezo — ... são todos iguais.

— Ei. — O olhar de Adam estava furioso. — Você está falando com o meu irmão, e não estou gostando do seu tom.

Um policial robusto apareceu pela porta dupla.

— Algum problema?

Uma fração de segundo depois, Amy apareceu na entrada segurando dois copos de papel fumegantes.

— Não, nenhum problema. — Adam fitou Hodge. — Já estávamos indo embora.

— Mas Ophelia... — comecei.

— Mas nada. — A voz de Hodge estava mais calma agora. — Não a procure novamente.

— Vamos — falou Adam para mim. Ele pegou um dos copos da mão de Amy sem uma palavra, passou pelas portas duplas e seguiu na direção do estacionamento. Com os olhos arregalados, Amy o seguiu.

Eu parei. Hodge estava parado no meio da sala de espera, suando e encurvado, enxugando as mãos o tempo todo na calça. Uma veia saltava na testa dele, como um talo no rosto vermelho como tomate. Apesar da forma como ele falara comigo, não podia deixar de querer dizer que sentia muito pelo que estava acontecendo com Ophelia, mas eu sabia que qualquer desculpa seria vista como uma admissão de culpa. Saí sem mais nenhuma palavra.

Entrei no banco de trás do carro de Adam, tremendo. Era uma manhã gelada e ainda era cedo, oito e meia. Doze horas desde que eu fora preso. Meu estômago roncou quando o carro acelerou, e me dei conta de que não comera nada desde o almoço do dia anterior. Não era de se espantar que sentisse dor de cabeça.

— Estou faminto — falei.

— Tem uma lanchonete na rua, onde eu comprei café — falou Amy.

— Eles servem café da manhã. Não vi outro lugar.

Adam deu um gole barulhento no café e me passou o copo.

— Bem, o café deles é uma bosta, mas parece que não temos outra opção. Vai demorar uma hora para chegarmos em casa. — Ele virou para me encarar. — O café da manhã é por sua conta. E, enquanto comemos, pode me contar o que diabos aconteceu ontem à noite.

A comida era melhor do que o café. Enquanto comíamos um café da manhã inglês completo, expliquei os fatos que nos levaram à prisão, com exceção do beijo. Deixei essa parte de fora, embora não saiba por quê. Adam se recostou, limpando o queixo com um guardanapo de papel.

— Ela deve ter um parafuso solto — disse ele, segurando um arroto.

— E você também, por tê-la acobertado. Qualquer idiota sabe que não pode carregar uma arma e se livrar disso, sendo uma réplica ou não. Ainda assim, esse Vince parece um idiota. Adoraria ter visto a cara dele quando ela puxou a arma. — Ele sorriu. — Gostaria de conhecer essa Ophelia. Parece cheia de atitude.

Passei manteiga na minha última torrada e olhei para Amy. Ela encarava a xícara, sem reação.

— Duvido que eu a veja de novo. — Mordi a torrada e a deixei de lado, subitamente sem apetite.

— Você gosta dela. — Amy estava olhando para a comida que eu deixara, um sorrisinho nos lábios.

Peguei o pedaço de torrada e me forcei a dar mais uma mordida.

— Não gosto, não. Quer dizer, ela é legal, um pouco teimosa. E, como Adam disse, deve ser louca para fazer o que fez. Só parei porque era, você sabe... a coisa certa a se fazer.

O sorriso de Amy aumentou.

— Se você está dizendo.

— Estou. Ela nem é bonita. — Larguei a torrada, desta vez, de verdade. Meu rosto ficou quente quando me lembrei das mãos de Ophelia. Por que, de repente, eu estava me sentindo um traidor? — Não que ela seja feia. Ela é... interessante.

— Interessante é bom. — Amy deu um gole em seu café, os olhos fixos na mesa. — Aparência não é tudo. Às vezes, só é preciso uma faísca de alguma coisa para a pessoa crescer dentro de você sem você nem notar. Então, um dia, você olha para ela e se pergunta como não viu desde o começo aquela beleza.

Adam pigarreou.

— Certamente não foi isso o que aconteceu comigo. Amy desejou o meu corpo desde o primeiro momento... Ai! — Ele se encolheu quando ela bateu nele. — Sério, você deve gostar dela. Não teria mentido por ela se não gostasse.

— Não é assim. — Minha cabeça estava confusa. — Ela só precisava de ajuda, e eu não queria que ela se metesse em encrenca. Ela não merecia.

— Nem você. — A voz de Adam ficou séria. Ele largou a xícara no pires e se levantou, arranhando a cadeira no chão. — Você está melhor sem essa, principalmente com aquele tio esquisito. *"Ela é uma boa menina"!* — imitou ele. — O que foi aquilo? — Adam foi andando para a porta. Esperei Amy terminar a bebida e contei o dinheiro para deixar em cima da mesa.

— Ele disse que é o guardião legal dela — falei, quando voltamos para o carro.

— Sorte dela. — Adam olhou os dentes no espelho enquanto Amy ligava o carro. — Velho ridículo, falando dela como se tivesse 12 anos.

— Ele provavelmente está preocupado, ela acabara de admitir que cometeu um delito — lembrou Amy.

— O que vocês acham que vai acontecer?

Adam bocejou e se espreguiçou no banco da frente.

— Não acredito que vá cumprir pena sendo ré primária, mas ela será fichada.

Fiquei pensando. Ter ficha criminal era por si só uma pena: Hodge teria problemas para convencer as pessoas de que Ophelia era uma "boa menina" depois disso.

Amy dirigiu o curto caminho até onde meu carro fora deixado. Eu meio que esperava que ele tivesse sumido, ou tivesse sido depredado no caso de Vince ter voltado, mas estava lá, inteiro, com adesivos da polícia. Saí, e Adam abriu seu vidro.

— Obrigado por vir — agradeci.

Ele rosnou.

— Eu convidaria você para ir lá em casa, mas preciso seriamente dormir.

— Tudo bem. Papai estará trabalhando. Vou ter tempo de me ajeitar antes dele chegar.

— É melhor pensar em alguma coisa para explicar a sua cara também. Parece que um carro passou por cima de você. — Ele fez uma careta quando percebeu o que tinha falado. — Desculpe, você entendeu o que eu quis dizer.

Observei o carro deles se afastar e destranquei o meu, xingando. Minhas coisas estavam espalhadas pelo carro todo, os objetos do porta-luvas jogados no chão. Mapas, anticoagulante e todos os tipos de coisas que acumulamos dentro de um carro rolavam no meu pé. A polícia realmente revistara tudo. No banco de trás, até a minha jaqueta estava do lado avesso, com todos os bolsos para fora, mostrando nada além de chiclete, moedas e um papel amassado com algo que devia ser um número de telefone. Empurrei tudo para o lado. Poderia cuidar daquilo mais tarde.

O apartamento estava vazio e quieto quando cheguei, e o sol finalmente conseguira atravessar a nuvem e enchia os quartos com seus raios dourados. Tirei minhas roupas e fui direto para o chuveiro, deixando a porta do banheiro aberta. A ducha fumegante atingiu minha pele, afastando a noite fria e difícil na cela. Relaxei ali, curtindo o calor por alguns minutos até que a água de repente ficou gelada. Quando abri os olhos, redemoinhos marrons parecendo sangue seco desciam pelo ralo. Arrepiado, procurei cortes na minha cabeça, mas não encontrei nada. Rapidamente, fechei a torneira e saí. Em algum momento durante o banho, a porta se fechara silenciosamente.

Franzi a testa e a abri, depois me enxuguei e enrolei a toalha na cintura.

— Se é você, Tess, pode parar — falei para o ar úmido. — Nós moramos aqui agora, não você.

Não tive nenhuma resposta, não que eu realmente esperasse. Com o sol entrando, era difícil ficar assustado por muito tempo e, no momento, eu tinha outras preocupações.

Meus hematomas contrastavam com a toalha de algodão branca como tinta violeta na neve. Fiz a barba, avaliando o estrago no meu rosto. Meu lábio inferior estava cortado e havia mais machucados nas laterais do meu rosto. Exatamente o que eu não precisava.

Vesti roupas limpas e fui para a sala. Apesar da dor e dos hematomas, por algum motivo, havia muito tempo que eu não me sentia tão disposto. E não era só isso, algo mais tinha vindo à tona. Um desejo que não sentia havia muito tempo. Tempo demais.

Corri para o meu quarto, vasculhando no fundo do armário. Encontrei o que procurava bem atrás, embaixo de uma pilha de roupas caídas: uma pasta de couro preta. Tirei-a dali, depois peguei vários lápis de uma lata em cima da cômoda. Levei tudo para a sala, onde a luz era mais forte, e tirei uma folha de papel creme da pasta. Debruçando-me sobre ela, fechei os olhos e me lembrei da imagem que eu queria, então os abri e coloquei o lápis no papel.

Minutos se transformaram em horas. Fui mudando de lugar na sala conforme o sol se movia, parando só uma vez para me alongar e pegar um copo d'água. O telefone tocou, aguda e longamente. Não parei para atender; continuei perdido na estranha e pacífica, porém intensa, concentração que só desenhar me trazia.

Lentamente, a imagem tomou forma, como uma fruta madura.

Três horas depois, estava pronto. Coloquei o papel no sofá e dei um passo atrás para vê-lo. Era a primeira vez que eu desenhava — a primeira vez que tinha vontade de desenhar — desde o acidente. Estava longe de perfeito, mas havia uma centelha de vida nele que brilhava através da ferrugem trazida pela falta de prática. E estava bom.

O telefone tocou de novo. Deslizei o lápis para trás da minha orelha e fui para a cozinha, só então percebendo que a luz vermelha estava piscando. Uma nova mensagem. Atendi ao telefone.

— Alô?

— Elliott? Sou eu.

Segurei o telefone com mais força.

— Ophelia? O que houve... você está bem?

— Fui liberada com uma advertência. Tive sorte.

Relaxei um pouco.

— Dei de cara com seu tio quando estava indo embora.

— Ele me disse. É por isso que estou ligando.

Parei, percebendo a tensão na voz dela.

— Ele está aí, não está?

Nenhuma resposta. Presumi que fosse sim.

— Bem, pode dizer para ele que entendi o recado, em alto e bom som. Ele não precisava pedir para você repetir...

— O recado da secretária eletrônica?

Por que ela parecia tão decepcionada?

— Eu não escutei o recado na secretária eletrônica. Estava falando sobre o que ele falou na delegacia.

— Ah, Elliott, não. É por isso que estou ligando. Ele estava tentando falar com você para se desculpar...

— *Se desculpar?*

— Ele tentou ligar, mas achou que você o estava evitando. Por isso deixou um recado. Quando desligar, escute. Por favor?

Fechei os olhos.

— Claro.

Ela esperou um momento antes de falar. Achei que conseguia escutá-la respirando através do telefone.

— A gente se vê, Elliott.

— Tchau, Ophelia.

Desliguei o telefone e apertei "play". Uma voz familiar e alta encheu o ambiente.

— Aqui é Arthur Hodge para Elliott Drake. — Pausa. Ele limpou a garganta. *Bom*, pensei. *Ele está constrangido.* — Elliott, sinto muito não estar conseguindo falar com você visto que eu gostaria de discutir nosso, hum... pequeno mal-entendido.

Quase ri. *Mal-entendido?* Que piada. Ele nem tentara escutar, muito menos entender.

— Depois de escutar o que Ophelia tinha a dizer, agora percebo que estava completamente enganado, sobre tudo. Ela me contou o que você fez por ela, e sou muito grato. Nós dois somos, Una e eu...

Una? Claro. Una apresentara Ophelia como sua sobrinha, mas eu nunca a imaginaria com Hodge. Eles combinavam tanto quanto sorvete e molho de carne.

— ...e gostaríamos de convidá-lo para jantar hoje à noite, às oito horas, casa quinze em Friar's Row, na vila. É claro que entendemos se você não quiser, mas...

Desta vez, ri alto. Em uma questão de horas, deixara de ser digno de demissão para me tornar digno de ser convidado para jantar.

— Velho ridículo — murmurei, lembrando a conclusão de Adam.

— Você precisa aprender a controlar a sua raiva.

Hodge continuou, deixando um número de telefone e um código postal. Ele ainda estava falando quando a máquina o cortou no meio de uma frase. Escutei pela segunda vez, anotando o endereço e deletando a mensagem em seguida. Então, lentamente, voltei para o sofá e me joguei ali, fitando o desenho.

As mãos de Ophelia me chamavam para dentro da folha como uma bruxa. Cada símbolo em espiral, cada sinal curvado ganhando novo significado. Como um feitiço, talvez, que a trouxe de volta para mim.

Capítulo 12

Dons

A casa quinze de Friar's Row era um chalé com varanda muito perto do museu. Estacionei e saí do carro com um buquê de flores comprado apressadamente em um posto de gasolina. Elas já murchavam por causa do calor.

Passei por um portão de madeira e entrei em um jardim aromático. As paredes da casa eram muito brancas, e as pequenas janelas escuras escondidas embaixo do telhado coberto de palha pareciam olhos embaixo de uma franja. Um arco pesado com rosas de treliça envolvia a parte superior da porta. Elas ainda não tinham florescido, mas não faltava muito.

A porta abriu antes que eu tivesse tempo de bater. Ophelia estava descalça na porta. O cabelo estava preso com o nó que era sua marca registrada, e ela usava um vestido simples de algodão. Fez um gesto com a mão enluvada.

— Entre.

— Obrigado. — Entreguei as flores para ela e entrei.

— São para mim?

— São. — Olhei em volta, percebendo as vigas baixas e escuras. Tínhamos entrado diretamente na sala. — Bem, para todos vocês, como agradecimento pelo jantar.

Ela abaixou o nariz e cheirou-as. Esperei que ela falasse as palavras obrigatórias: "lindas" ou "adoráveis".

— Você não sabia que é falta de educação deixar o preço em um presente? — perguntou ela, tirando a etiqueta que eu não tinha visto.

Droga.

— Você não sabia que é falta de educação olhar? — respondi, desejando ter pagado com a nota inteira na minha carteira e não ter escolhido as mais baratas para poder usar o trocado.

Ela enrolou a etiqueta com os dedos.

— Venha. Eles estão doidos para começar.

— A comer? Mas Hodge falou para chegar às oito. Não estou atrasado, estou?

— Não. — Ela caminhou por cima do tapete, os pés descalços não emitindo nenhum som. — O jantar ainda vai levar alguns minutos. Quis dizer que eles estão doidos para começar com você.

Segui-a através de uma porta dupla que nos levou até outra sala. Prateleiras carregadas de livros cobriam todas as paredes, com exceção de uma, onde havia um piano. No meio da sala, havia uma mesa de jantar e cadeiras. Outra porta estava semiaberta nos fundos da sala e, através dela, vinham sons de louça e cheiro de comida assando.

— Começar *comigo*? — perguntei. Minha camisa recém-passada começou a grudar no pescoço. — Você faz parecer como se eu fosse a entrada.

— E meio que é — disse ela, em tom de desculpas. — Você está prestes a ser coberto de elogios.

Uma voz veio do outro lado da porta.

— Ophelia? Com quem você está falando?

Ophelia empurrou a porta e fez um sinal para eu entrar.

Una estava na frente do fogão, experimentando o molho. Ela levantou o olhar quando entrei na cozinha, batendo minha cabeça em uma frigideira que pendia do teto.

— Elliott, que felicidade vê-lo! — disse ela, estendendo a mão para parar a frigideira que balançava. — Ah, querido, você está bem? Não queremos que se machuque ainda mais. — Ela cacarejava como uma galinha com seus pintinhos.

— Estou bem — respondi, esfregando o que eu tinha certeza de que se tornaria outro hematoma. — Só preciso tomar mais cuidado com esses tetos baixos.

— Muito obrigada por vir. — Una deu uma mexida vigorosa no conteúdo da panela. — Estamos tão agradecidos por você ter cuidado da Ophelia da forma como cuidou.

— Elliott trouxe flores — disse Ophelia, esticando o buquê murcho na direção da tia.

— Ah, que *lindas* — disse Una, enterrando o nariz nas pétalas. — Deixe-as aqui que vou procurar um vaso, Ophelia. Acompanhe Elliott até o jardim.

Do lado de fora, Hodge estava sentado a uma mesa embaixo de um guarda-sol. Ele se levantou quando me viu, deixando na mesa um copo com gelo.

— Elliott! — Ele abriu os braços para mim. Sem saber o que fazer, apertei a mão dele e, pela segunda vez, fui recebido por mãos suadas.

— Que bom que você veio, ainda mais levando em consideração a... hum, situação.

— Ele quer dizer levando em consideração como ele foi grosso com você — disse Ophelia, sem olhar para o tio. — Quer beber alguma coisa?

— Qualquer coisa gelada que você tiver — respondi, desajeitadamente me sentando ao lado de Hodge.

— Vou tomar outro também — disse Hodge, oferecendo o copo vazio para ela, que o ignorou e desapareceu dentro da cozinha.

Hodge se virou para mim, o rosto rosado único.

— Eu gostaria de deixar o ar mais leve já, Elliott, para podermos aproveitar o resto da noite. Pela sua reação ontem, acredito que Ophelia não tenha lhe explicado que não apenas sou tio dela como ela também está sob a minha tutela, minha e de Una. — Ele abaixou o tom de voz.

— Una e eu não pudemos ter nossos próprios filhos, então Ophelia foi bem-vinda. Muito bem-vinda. Mas ela é do tipo muito reservada, como você deve ter notado. Não gosta muito de falar de si.

Eu me mexi na cadeira, meio desejando que Ophelia voltasse logo para colocar um fim nessa conversa, meio com medo dela voltar e descobrir que o assunto é ela. Parte de mim estava curiosa sobre o motivo de ela morar com os tios, mas não o suficiente para querer escutar dele. Eu queria escutar da própria Ophelia. Além disso, a ideia da limitação reprodutiva de Hodge era repugnante. Uma imagem dele suando em cima de Una invadiu a minha mente, e a expulsei.

— Enfim, espero que isso explique por que sou tão protetor em relação a ela. Quando recebi o telefonema dizendo o que tinha acontecido, fiquei louco. Ophelia nunca se meteu em confusão na vida, sempre garanti isso... — Ele parou, enxugando a testa. — E quando vi você, estava cansado e preocupado e devia ter escutado ao invés de sacar a arma. Desculpe o trocadilho. Espero que você entenda.

— Entendo, sim. De verdade, está tudo bem — falei. — Não se preocupe.

— Que bom — disse ele, animadamente. — Não costumo defender a violência, mas é a única linguagem que algumas pessoas entendem. Acho que ela não deve ter lhe contado quem eles são, contou?

Minha boca teve dificuldades em formar as palavras.

— Ela me disse que não os conhece. Estavam bêbados. As coisas saíram do controle.

Hodge deu de ombros.

— Foi o que ela me disse também. Mas não posso deixar de me perguntar se é só isso mesmo. Por que ela esconderia uma arma se já não tivesse acontecido alguma coisa antes?

Evitei o olhar dele.

— Ela não me disse nada.

Hodge passou o dedo pela armação de seus óculos.

— Eu agradeceria se você não comentasse com ninguém no museu sobre a advertência de Ophelia na polícia. Calthorpe é um lugar pequeno. As pessoas comentam.

Assenti.

— Não vou falar para ninguém.

— Que bom. — Ele piscou, como se desse um passe para entrar em um clube exclusivo.

A irritação começou a me cercar como um mosquito. Isso tudo — esta noite — não tinha a intenção de me agradecer. Era para me interrogar e comprar o meu silêncio. Lembrando-me de todo o discurso de Hodge e do recado na secretária eletrônica, percebi que em hora nenhuma ele me pediu desculpas. Nenhuma vez.

Ophelia voltou com dois copos com gelo e uma garrafa com um líquido âmbar. Fiquei feliz ao vê-la. Assim, pude deixar de olhar para Hodge. Ela completou o copo dele, depois serviu os outros dois, entregando um para mim e pegando um para si.

Levantei o copo, sentindo gosto de maçã agridoce.

— Isso é cidra?

— Nossa própria cidra do pomar do Vidas Passadas — disse Hodge, tomando metade do líquido do copo em um só gole. — Essa é das boas, não acha?

Era um pouco forte para mim, mas não parecia que Hodge estava disposto a discutir o assunto.

— Você já viu o pomar? — perguntou Hodge. — Ophelia vai lhe mostrar da próxima vez que estiver trabalhando. Amanhã, se você estiver pronto?

Olhei para Ophelia.

— Então... isso quer dizer que tenho meu emprego de volta?

— Claro que sim. — Ela lançou um olhar penetrante para Hodge enquanto ele bebia ruidosamente.

— Sim, sim. — Ele limpou suco do queixo. — Achei que tivesse deixado isso claro. Tudo o que eu disse ontem foi com a cabeça quente.

É claro que não esperávamos que você fosse hoje depois de tudo que aconteceu. Achei que fosse querer descansar. Mas seu emprego está garantido, Elliott.

Só agora que eu sei as sujeiras da sua sobrinha.

— Ele tem um gênio horrível — disse Ophelia. — A maior parte do que diz, ele se arrepende ou se esquece completamente depois que se acalma.

— E você tem a língua afiada demais, querida — disse Hodge. — Mas ninguém é perfeito, não é mesmo?

Una chegou com o jogo americano e com a louça. Arrumou a mesa e começou a trazer a comida.

— Então — disse Hodge, enchendo o prato com batatas. — Elliott, você acredita em fantasmas?

A minha mão congelou a caminho da cesta de pães. Ele não podia saber.

— Por que pergunta?

Ophelia espetou alguma coisa na tigela de salada.

— Ele pergunta para todo mundo.

— Na sua entrevista, você disse que poderia fazer hora extra se fosse necessário.

Relaxei, colocando um pedaço de pão no prato.

— Isso mesmo.

— Nesse caso, eu talvez tenha algo para você. Precisamos de funcionários para os eventos paranormais que teremos do final de junho até o final do outono. Noites de sexta-feira e sábado, das dez da noite às seis da manhã. Caminhadas fantasmagóricas, sessões espíritas e um investigador paranormal. Está quase certo que o programa *Haunted Britain* venha filmar também. O que acha?

— Ótimo — respondi, enquanto Una servia carne no meu prato e a afogava em molho. — Mas ainda não guiei nenhum passeio sozinho.

— Ah, eu sei. Os eventos serão só daqui a algumas semanas, mas pensei que você podia me acompanhar nas caminhadas fantasmagóricas semanais até lá. Assim você vai aprender todas as histórias e se familiarizar com o resto do museu.

Era uma oferta tentadora, melhor do que qualquer coisa que eu podia esperar. Mas agora que estava nas minhas mãos, hesitei. Primeiro, não precisava mais de provas. Segundo, por causa do primeiro, eu estava com medo.

— Acreditar em fantasmas é um requisito para os funcionários, então?

— Pelo meu tio, seria — disse Ophelia.

Hodge acenou com a mão.

— Digamos apenas que... ajuda. O mais importante nesses eventos é a experiência. A *atmosfera*. E, em todos os grupos, geralmente há um cético, alguém que só participa para ficar zombando e fechando a mente dos outros. Não temos como controlar isso. Mas, quanto aos funcionários, ajuda estar aberto para as possibilidades do paranormal ou, pelo menos, não desacreditar abertamente.

— Suponho que você acredite, então — falei.

— É mais uma obsessão do que uma crença — disse Ophelia.

— Não é uma obsessão — disse Hodge. — Não exagere. Eu diria que é um *interesse*. Um interesse saudável.

Ophelia lutava com uma batata em seu prato, claramente com dificuldade de manejar os talheres enquanto usava luvas. Fiquei me perguntando por que não as tirava nem para comer.

— Fantasmas são pessoas mortas. Como "saudável" e "morto" podem estar na mesma frase?

— É perfeitamente saudável imaginar o que acontece quando você morre — disse Hodge. — Todo mundo não imagina?

— Você vira fumaça ou comida de minhoca — disse Ophelia. — Fim de papo.

Fiquei com a sensação de que essa conversa era recorrente e de que a intenção do comentário de Ophelia era provocar o tio. Ela não parecera tão descrente sobre o assunto depois do que aconteceu na sala de aula do museu.

— Todos nós temos nossas fixações — disse Una. — Arthur tem seus fantasmas, eu tenho meus livros, e Ophelia tem os cavalos dela...

— É — interrompeu Hodge. — Malditos cavalos inúteis. Quando o verdadeiro talento dela está ali naquela sala, acumulando poeira. — Ele enfiou um pedaço de pão na boca e mastigou furiosamente.

— Ele está falando do piano — informou-me Una.

— Eles não são inúteis — disse Ophelia, abaixando o garfo. Observei, paralisado, enquanto ela começava a tirar as luvas.

— Você toca piano? — perguntei. A ideia das mãos delas, com aqueles desenhos, se movendo sobre as teclas do piano e produzindo música era hipnotizadora.

— Deixe as luvas — mandou Hodge. — Estamos acompanhados, lembra?

A luva parou no pulso de Ophelia, que a puxou de volta.

— Tudo bem.

Não consegui me conter.

— O que tem essas luvas? Nunca a vi sem elas. — *Não estando acordado...*

— Automutilação — disse Hodge, espetando um pedaço de carne.

— Auto*expressão* — disse Ophelia.

— Tatuagens — disse Una.

— Não é algo que eu queira ver enquanto ela estiver embaixo do meu teto — disse Hodge.

— É hena — disse Ophelia, a expressão indiferente tomando conta de seu rosto mais uma vez. — Vai sumir daqui a algumas semanas.

— Bom para você — disse Hodge. — Odiaria ver você usando luvas durante todo o verão. Pareceria ainda mais boba do que agora.

Ela encarou o prato.

— Não me importo com o que você diga. Não fiz as tatuagens para as pessoas verem. Fiz para mim, e elas ainda estão lá, mesmo que escondidas.

— Bem, escondê-las poupa os meus olhos de serem ofendidos. E, respondendo à sua pergunta, Elliott, ela toca piano como um prodígio; ou, pelo menos, tocava até começar a deixar a música de lado para se dedicar aos cavalos.

— O meu talento com o piano é totalmente dentro da média.

— Você poderia voltar a ser brilhante — disse Hodge. — Podia recuperar o tempo perdido.

Ophelia não disse nada. Não precisava. Eu me lembrei de escutar as mesmas palavras de Adam umas duas semanas atrás. *Você podia recuperar o tempo perdido.* Mas, como eu, Ophelia não queria. Alguma coisa acontecera para mudá-la — ou, talvez, ela nunca tenha querido. Eu compreendia as duas opções.

Hodge, porém, não compreendia. Ele tomou o silêncio dela como concordância.

— Você pode tocar alguma coisa para Elliott depois do jantar — disse ele, mais calmo agora.

Ela levantou as mãos e balançou os dedos.

— Não posso tocar piano de luvas. Você não pode ter as duas coisas.

— Parem, vocês dois — disse Una. — Honestamente.

Senti vontade de rir, não da situação, mas da expressão de Hodge. Era a de uma criança que tivera o sorvete roubado por um cachorro. Resolvi tentar mudar de assunto.

— Então, você já viu um fantasma? — perguntei a ele. — Ou aconteceu alguma coisa que o fizesse acreditar que eles existem?

Hodge virou sua cidra antes de responder.

— Minha mãe era médium — respondeu ele.

Ophelia disfarçou alguma coisa tossindo. Pareceu-me algo como "uma tremenda".

— Eu escutei.

O olhar indiferente de Ophelia foi substituído por um sorrisinho zombeteiro. Hodge continuou.

— O nome dela era Marjorie Hodge. Você talvez tenha escutado falar dela, era muito conhecida nessas bandas.

Tomei cuidado para parecer que estava pensando, em vez de apenas confirmar com a cabeça, mas Hodge mal fez uma pausa antes de continuar.

— Ela tinha um dom: via espíritos constantemente. Dizia que eles estavam em todos os lugares. Cresci escutando a minha mãe conversando com pessoas que não estavam ali. Era normal para nós, para mim e para o meu irmão. Ela nos protegia da maioria deles, mas deve ter sido difícil para ela. Olhando para trás, percebo que eles deviam persegui-la o tempo todo; o comportamento dela era muito peculiar.

Meu coração acelerou.

— Por que eles a perseguiam?

— Para dizer coisas ou pedir que fizesse coisas para eles. Dar recados para os vivos, esse tipo de coisa. E ela fazia, sempre que era possível, até a sua morte. Algumas pessoas não gostavam, mas muitos ficavam gratos. E ela nunca lucrou com isso. Nunca cobrou nem um centavo. Talvez crescer cercado por isso tenha me tornado sensitivo também, ou talvez seja alguma coisa de sangue... quem sabe? Mais tarde, muito mais tarde, quando eu já era adolescente, vi meu primeiro fantasma. Mexeu comigo, com certeza. Desde então, já vi alguns, mas nunca na escala do que minha mãe via. Porém, foi o suficiente para acreditar. — Ele franziu a testa. — E você? Não respondeu à minha pergunta. *Você* acredita em fantasmas?

Eu tentava decidir o que dizer a esse respeito desde que Hodge tocara no assunto, mas ainda não tinha certeza. Depois de passar tanto tempo tentando convencer meu pai de que fantasmas existiam, agora que eu tinha alguém disposto a escutar e acreditar, era cruel que, de alguma forma, eu não conseguisse contar tudo. Bem, talvez não cruel, mas definitivamente frustrante. Desejava que alguém me ouvisse e compreendesse, mas não um estranho. Olhei para Ophelia. Como sempre, o rosto dela me disse tanto quanto uma folha de papel em branco.

— Não tenho certeza de no que acredito — acabei falando. — Tive *algum tipo* de experiência. Algumas vezes. — Meia verdade do ano.

Hodge chegou mais perto. Percebi que Ophelia tirava uma linha da bainha do vestido, mas os olhos não estavam focados em suas mãos. Ela estava escutando.

— O acidente que mencionei na entrevista. — Deus, minha boca estava seca.

Ophelia parou de mexer no vestido e levantou o olhar.

— Eu não dei a devida importância na entrevista — falei. — Quando o carro me atropelou, nem entendi o que tinha acontecido a princípio.

— Você ficou inconsciente? — perguntou Una. — Em choque?

— Não. Eu estava consciente, mas não percebi que tinha sido atropelado. Eu... — Por que era tão difícil? — No início, eu não sabia que ninguém tinha se ferido. Até vi o carro fugindo. Então me virei e vi uma multidão em volta de alguém estendido no chão. Quando cheguei mais perto... era eu. Vi o meu corpo. Era como se a minha consciência, ou a minha *alma*, ou alguma outra coisa, tivesse saído de dentro dele. E eu sabia que precisava voltar.

— Uma experiência de quase morte — disse Hodge, os olhos ávidos fixos nos meus, como um cachorro esperando por um pedaço de carne. — O que aconteceu depois?

— Uma ambulância chegou. — Desviei o olhar e foquei em Ophelia. Ela estava imóvel, fitando-me. — Os paramédicos trabalharam em mim. E fui meio que... sugado de volta.

— A mente faz coisas estranhas — disse Ophelia. — Só porque você acha que estava fora do seu corpo, não significa que realmente estivesse. Pode ter sido alguma outra coisa, como um sonho ou uma alucinação para separar você da situação e da dor.

— De qualquer forma, é extraordinário — disse Una.

De certo modo, eu estava dividido entre duas coisas: a necessidade de que acreditassem em mim e a de guardar um pouco da verdade. Não me sentia pronto para deixá-los saber tudo, não completamente. E, embora soubesse que Ophelia não estava sendo indelicada, a vontade de convencê-la era mais forte do que a vontade de ficar quieto.

— Acontece desde então — falei de uma vez. — Quando estou dormindo. Às vezes acordo durante a noite. Às vezes é algum barulho que me perturba, ou apenas uma sensação. Eu me levanto e ando pelo apartamento. Tudo está exatamente no seu lugar. Aí volto para a cama e me vejo dormindo. Faz com que eu entre em pânico, e preciso voltar para o meu corpo ou...

— Ou você tem medo de não acordar — terminou Hodge.

— Isso. — Parei aí. Não estava preparado para contar o resto, não que eu precisasse. Hodge parecia convencido, e Ophelia e Una não estavam muito atrás. Havia mais alguma coisa, no entanto. Hodge parecia admirado, mas um pouco contrariado. Como se eu tivesse roubado a cena.

A conversa acabou ali, e fiquei beliscando a minha comida até que todos abaixassem seus talheres. Indo contra as insistências de Hodge, ajudei Una a empilhar os pratos e levar para a cozinha, tentando pensar em alguma coisa para dizer que fosse deixar o clima mais leve, sem sucesso. Levantei os olhos e vi Ophelia na porta. Os lábios delas formavam um sorrisinho.

— O quê? — perguntei.

— Fantasmas. — Ela revirou os olhos. — Ele nunca mais vai te deixar em paz.

— Ophelia, não seja boba — disse Una. — Por que não mostra para Elliott o resto do jardim e pede para Arthur vir me ajudar com o pudim?

Hodge não gostou de ser afastado da sua cidra, mas foi, resmungando, enquanto eu seguia Ophelia através das treliças de hera e entrava em uma parte mais selvagem do jardim. Abelhas zuniam no sol do fim da tarde e, conforme andávamos entre fileiras de plantas e flores, o ar esfriava e eu tinha a sensação de que ela estava esperando para dizer alguma coisa.

— Aquele dia, na sala da escola. Foi você, não foi? Eu disse que coisas às vezes acontecem dependendo de quem está no prédio.

— Pessoas que chegaram perto da morte. — Olhei para o jardim. — Isso.

— Por que não disse nada?

— Por um monte de razões.

— Por exemplo?

Ela me fitava diretamente.

— Não gosto de falar sobre o assunto. E não sabia se acreditaria em mim.

— Não sei se acredito que você realmente *morreu*. Mas acredito na experiência que disse que teve.

— Tecnicamente, eu morri. Os paramédicos que fizeram meu coração voltar a bater.

Ela não disse nada. Fiquei me perguntando qual seria a reação dela se eu contasse as outras experiências que tive desde então, mas não sabia como começar.

— Eles queriam garantir que eu agradecesse adequadamente pelo que você fez — disse ela, depois de um tempo. — Bem, eu falei que já agradeci, mas... de qualquer forma. — Ela parou de falar e se encostou em um galpão de madeira. — Então, obrigada.

— De nada. — Meus olhos se fixaram nos lábios dela. Na última vez que ficamos sozinhos, ela me beijou. Era esquisito pensar nisso agora. O beijo em si fora estranho, inesperado. Mas não ruim. No mínimo, mostrara como o beijo de Kim no dia anterior tinha sido tóxico, com o bafo de cigarro e o enjoativo gosto de batom.

— Então... cavalos? — falei, desviando o olhar. — É disso que você gosta?

— Eles são mais simples que as pessoas. — Ela ficou em silêncio por um momento. — Tem alguma coisa neles... sobre acreditar em algo maior do que você, com uma mente própria, e ganhar sua confiança. Eles não julgam, nem guardam rancor.

— Nem a música — comentei.

Ela soltou um som exasperado.

— Podemos amar música. Um dia, achei que amava. Mas ela nunca me amou. — Ela olhou para o chalé. — Eles ficam me pressionando para ir para a faculdade.

— Você não quer?

— O colégio foi ruim o suficiente.

Eu queria perguntar por que, mas o tom de voz dela se tornara gélido.

— Quanto tempo você pretende ficar no museu?

— Só enquanto eu precisar.

Franzi a testa quando um pensamento me ocorreu.

— Se Hodge se incomoda tanto com o fato de você ter trocado a música pelos cavalos, por que permite que você trabalhe com eles?

— Ele sabe que eu poderia facilmente arranjar um emprego em uma escola de montaria. — Ela abriu um leve sorriso. — E me quer ao alcance da vista. Além disso, já dei uma pesquisada, e o dinheiro e as horas para trabalhar nesses lugares não se comparam com o que ganho. Até que eu tenha idade suficiente para treinar para ser instrutora, estou presa.

Me quer ao alcance da vista.

Lembrei-me do ataque de Hodge na delegacia e das perguntas dele antes do jantar.

— Hodge me perguntou sobre a briga, se você os conhecia. Eu disse que não, mas ele acha que você está mentindo. — Fiz uma pausa. — Não sei como alguém poderia saber se você está mentindo. Durante a maior parte do tempo, é impossível saber até no que você está pensando.

— Preferi não contar para ele o motivo da briga.

— Você quer dizer seu ex-namorado? — Tentei me lembrar do nome dele. — Shane?

— Sean. — Ela desviou o olhar. — Hodge nunca o aceitou.

— Então ele simplesmente desapareceu? — perguntei.

— É. Um ano atrás. — Ela abriu um sorriso amargo. — Ele sempre dizia que fugiria deste lugar algum dia.

— Você não me contou o que houve com Damian.

Ela mordeu o lábio inferior e olhou para mim, como se estivesse avaliando alguma coisa.

— Eu o vi sozinho na trilha do canal algumas semanas atrás. Eles já vinham me perturbando há um tempo, Vince e Nina. Os dois nunca gostaram de mim, nem quando Sean ainda estava aqui. Diziam que eu era arrogante, que não combinava com eles. De qualquer forma, Damian se aproximou de mim, encurralou-me embaixo da ponte e disse que poderia fazê-los parar se eu... — Ela mordeu o lábio de novo. — Ele tentou me beijar. Eu o empurrei, e ele ficou furioso. Então, alguém gritou do outro lado do canal, um casal com um cachorro. Se não fosse por eles, não sei o que teria acontecido. Foi por isso que escondi a arma. Eu sabia que, se ele tinha tentado uma vez, poderia tentar outra, e eu queria estar preparada.

— Aquele babaca. Se eu o vir outra vez...

— Você não vai fazer nada — avisou ela. — Não se envolva mais do que já se envolveu. Talvez eles me deixem em paz agora, principalmente se eu falar que a polícia está envolvida.

— Você não disse para a polícia quem eles eram?

Ela desviou os olhos.

— Só pioraria as coisas, eles provavelmente receberiam apenas uma advertência e me perturbariam ainda mais. Pelo menos assim eu tenho algo para usar contra eles. Talvez a ameaça seja o suficiente.

— O que Nina ia dizer antes de você bater nela? — perguntei. — Ela estava falando de alguém, sua mãe?

Mas o rosto de Ophelia se fechou abruptamente.

— É melhor voltarmos antes que Una nos chame. — Antes que eu pudesse protestar, ela se virou e atravessou o jardim. Não tive a chance de falar com ela sozinho de novo.

Capítulo 13

Vizinhos

Pensei em Ophelia durante todo o caminho até a minha casa.

Havia tantas perguntas que eu queria fazer a ela. Como onde estavam seus pais e por que ela morava com os Hodge. O que os símbolos na mão significavam. A quem Nina estava se referindo antes de Ophelia dar um soco nela. Finalmente, pensei em Damian. Cerrei os dentes ao me lembrar dele.

Não fiquei na casa dos Hodge até muito tarde, mas, com o caminho de volta, cheguei em casa quase meia-noite. Papai estava na cama, e a sobra do molho à bolonhesa que eu preparara para ele endurecia em um prato na cozinha.

No banheiro, comecei a escovar os dentes quando notei que papai tinha deixado a água na banheira. Relapso. Lavei a boca, cuspi e estendi a mão para tirar a tampa, então parei.

A água estava limpa. Não havia resíduo de sabão, e o tapete do banheiro, que meu pai sempre conseguia encharcar, estava seco. Levantei a manga e coloquei a mão na água. Estava tão gelada que me deixou sem fôlego. Deixei-a esvaziando e apaguei a luz do banheiro, indo escutar pelo lado de fora da porta do papai. Ouvi-o respirando, lenta e profundamente. Ele deve ter enchido a banheira e depois decidido que estava cansado demais para entrar.

No meu quarto, acendi o abajur e fitei o desenho das mãos de Ophelia, encostado na cômoda onde eu o colocara. Tirei a roupa e deitei na cama. Tinha conseguido resistir quando Una me ofereceu café e minhas pálpebras agora estavam pesadas. Finalmente, apaguei o abajur.

Pareceu começar no momento em que peguei no sono, como naquelas vezes em que o despertador toca no segundo no qual você encosta a cabeça no travesseiro. Sonhei que era pequeno de novo, dividindo uma cama beliche com Adam, e, na minha mente, vi o quarto como era na época. Nós havíamos brigado para ver quem ficaria na cama de cima e eu ganhei, como sempre, fazendo cara feia. Durante a noite, acordei com a sensação de algo molhando o meu rosto e sentindo cheiro de gesso molhado. A senhora que morava no apartamento de cima, Violet Mardle, deixara a banheira enchendo e se esquecera. Depois disso, passamos a chamá-la de dona Bagunça, porque vivia aprontando dessas. Adam, claro, achou a coisa toda hilária e disse que era bem feito por eu ter chorado para conseguir a cama de cima.

Senti gotas de água no rosto e me mexi. *De novo, não.*

— Adam — murmurei. — Vá chamar a mamãe. Diga a ela que a dona Bagunça deixou a torneira aberta de novo. Adam?

Nenhuma resposta, só mais gotas. Meus olhos se abriram, grudentos. Alguém estava na porta.

— Adam? — chamei de novo, tentando me sentar. Meu corpo estava pesado, cansado demais para se mexer.

— Não, sou eu, querido.

Medo tomou conta de mim. Não era a voz de Adam. Era a voz de uma senhora.

— Só apareci para ver como estão as coisas. — A pessoa se aproximou e, de repente, fiquei alerta. Adam não estava aqui. Adam estava na casa dele, com Amy, e eu estava aqui com papai.

O rosto enrugado da sra. Mardle se agigantou sobre mim. Um grito ficou preso na minha garganta. Ela soltou um muxoxo de impaciência, uma das mãos segurando a suéter em volta do pescoço, a outra me cobrindo com o lençol. As unhas dela penetraram pelo tecido fino, cravando nas minhas costelas.

— Não seja bobo — disse ela, de forma reprovadora. — Você é um garoto grande, agora. Não precisa ter medo.

— O... o que a senhora está fazendo aqui? — consegui perguntar. Minha voz saiu arrastada, quase como se eu estivesse bêbado. — A senhora mora no apartamento de cima, sra. Mardle...

— Ah, não mais — disse ela, contente. — Voltei para o andar de cima para Herb. Só queria lhe pedir desculpas por causa da banheira aquela vez. Não quis assustar você.

Eu sabia que estava paralisado, mas, como um sonho recorrente, não conseguia me lembrar de como sair dele. Podia sentir o cheiro dela, um perfume de senhora, de lavanda. Ela se afastou da cama e, quando estava chegando ao corredor, falou:

— E não tenha medo *dela* também.

— *De quem*? — Minha voz soou como um sussurro no quarto escuro.

— Pobre moça — murmurou a sra. Mardle. — Uma pena.

Estava tão concentrado na porta que quase não percebi o movimento no quarto comigo. O choque me arrancou da paralisia e minha cabeça se mexeu.

Tess estava ao lado da cama, nua e tremendo, olhando para mim através de um emaranhado de cabelo molhado. Seus braços se estenderam na direção do meu rosto, os pulsos cortados expostos como um sacrifício. Gotas geladas atingiram a minha pele.

— Saia! — gritei, debatendo-me para me livrar do lençol. — SAIA! — Desenrolando-me do lençol, fiquei encolhido no canto da cama. — Me deixe em paz!

Lentamente, a aparição abaixou os braços e se virou. Estava desaparecendo, eu podia ver o desenho das mãos de Ophelia através dela. Quando chegou à porta, não havia mais nada para ver.

Gritei de novo quando papai entrou no quarto, o rosto sombrio.

— Elliott, estou aqui. — Ele correu para a cama. — Vamos, levante. Não tem ninguém aqui.

— Tinha dois deles aqui! — gritei, recusando-me a sair do lugar. A parede gelada estava pressionada contra minhas costas. Eu não ousava me mexer. Precisava ver tudo ao mesmo tempo. — DOIS. Não suporto mais isso!

— Não tem ninguém aqui — repetiu papai. Ele voltou e acendeu a luz. — Viu? Foi só um sonho.

— *Não me diga que foi um maldito sonho!* Não foi só a Tess desta vez, foi a sra. Mardle do apartamento de cima... A banheira dela estava vazando...

Papai esfregou os olhos.

— Elliott, levante, me escute. A banheira da sra. Mardle só vazou uma vez, anos atrás. Você estava sonhando. — Ele se aproximou de mim novamente e estendeu a mão. — Venha. Venha para a sala. — Ignorei a mão dele, mas me levantei, sem muita certeza de que meus joelhos suportariam o peso.

Assim que saí da cama me senti melhor. Papai me trouxe água e se sentou ao meu lado. Encostei o copo na testa ardente por alguns segundos, depois bebi. Dei um pulo quando senti algo nos meus tornozelos, derramando um pouco de água. Olhei para baixo e vi o gato fugindo apressadamente do banho de gotas.

Papai tirou o copo da minha mão e o colocou em cima da mesa.

— Eu estava sonhando sobre aquela vez que ela inundou o banheiro. Senti o cheiro do gesso no teto e a água pingando. Falei para Adam levantar e chamar a mamãe. Foi quando abri os olhos e a vi. A sra. Mardle. Ela me pediu desculpas por ter me assustado e por ter inundado o nosso quarto daquela vez...

Inclinei-me para ver as horas no relógio do corredor. Três e quinze.

— Então ela foi embora e Tess estava lá, no quarto comigo.

Papai suspirou, os cotovelos apoiados nos joelhos, as mãos na cabeça.

— Você sabe como isso funciona. O sono REM é interrompido, você acorda quando ainda está alucinando...

— Eu sei. Eu *sei* de tudo isso. Mas parece tão... vívido.

— Pelo menos ver a sra. Mardle prova que foi um sonho. — argumentou meu pai. — Ela está sã e salva lá em cima. Meio maluquinha ultimamente, mas está bem.

Pensei uma coisa terrível.

— E se ela não estiver?

Papai balançou a cabeça.

— Não comece. Eu a vi hoje, quando cheguei em casa. Estava tirando o lixo. Ela está *bem* — repetiu ele.

Recostei-me no sofá, mais calmo. Papai levantou e saiu da sala. Escutei-o mexendo em algumas coisas na cozinha e, alguns minutos depois, ele voltou, colocando duas canecas fumegantes na mesa de centro e sumindo novamente. Na segunda vez, voltou com cobertores.

— Pai — comecei. — Sou muito velho para isso...

Ele me mandou ficar quieto e colocou o cobertor em volta dos meus ombros. Então, pegou a própria caneca e a colocou perto da poltrona, enrolando o cobertor nas pernas.

— Você nunca será velho demais. — Ele piscou. — De qualquer forma, não vou contar para ninguém.

— Só não conte para Adam. — Peguei a minha caneca. Era leite quente com mel e noz moscada, exatamente como minha mãe fazia pra mim e para Adam quando éramos pequenos. Dei um longo gole, suprimindo as lágrimas. Nem sabia que ainda tínhamos noz moscada. Devia estar enterrada no fundo de algum armário, esquecida desde a última vez que mamãe usou. O gosto e o cheiro eram reconfortantes, da mesma forma que a mamãe era quando estava aqui.

Eu me acomodei no sofá, olhando para o papai. Seus olhos estavam fechados, mas, de vez em quando, ele me espiava.

— Durma — murmurava ele. — Estou aqui. Não vou a lugar nenhum.

Fechei os olhos e me permiti adormecer, o gosto do mel ainda nos meus lábios. Fez com que eu pensasse em Ophelia.

Acordei com torcicolo pouco depois das oito. Olhei para a poltrona. O cobertor estava embolado, mas não havia sinal dele. Bocejei, rolando do sofá e indo para o corredor. A luz do sol enchia o apartamento e já me sentia estúpido e infantil por ter 17 anos e ainda precisar do meu pai quando tinha um pesadelo.

A porta da frente estava semiaberta. Do lado de fora, escutei vozes baixas e passos silenciosos. Fui até ela e abri. Papai estava parado sobre o capacho, olhando para o andar de cima. Nossa vizinha, a sra. Wilkes, que morava em frente, estava na mesma posição que ele, ainda de camisola.

Debrucei-me para fora da porta. Homens uniformizados estavam carregando uma maca vazia para o andar de cima. Paramédicos. A postura deles era triste, sem pressa. Virei-me para papai, que se recusou a me olhar nos olhos.

— É ela, não é? — sussurrei. — A sra. Mardle.

Papai levou a mão à boca, tragando com força um cigarro. A cinza tremeu um pouco antes de cair.

— Ela morreu dormindo essa madrugada.

Não fiquei para assistir enquanto tiravam o corpo dela. O torpor durou exatamente o número de passos que precisei para ir da escada ao meu quarto.

— Elliott? — chamou meu pai.

Bati a porta.

Capítulo 14

Descobertas

Quarta-feira. Dia da caminhada fantasmagórica. Também o dia que Hodge decidiu que eu deveria fazer o meu primeiro passeio como guia no setor vitoriano, com outro guia acompanhando para ajudar, se fosse necessário. Parte de mim, cansada de andar atrás dos outros guias e escutar as mesmas histórias, ansiava por algo novo. Outra parte hesitava só de pensar em falar para um grupo de estranhos.

A caminhada fantasmagórica significava chegar mais tarde. Eu não receberia hora extra porque a atividade era classificada como treinamento, mas Hodge providenciou cama e café da manhã para me poupar da viagem de volta tarde da noite. Até esta manhã, porém, vinha pensando em desculpas para voltar para casa e não ficar. A ideia de passar a noite em um lugar depois de saber sobre seus fantasmas não parecia mais atraente. Duas coisas me fizeram mudar de ideia.

Dormi até tarde e acordei sozinho no apartamento. Papai ainda estava no turno da manhã, o que era bom para mim. A morte da sra. Mardle não ajudara muito a convencê-lo. Após um momento inicial de silêncio, ele passou a insistir que a minha visão tinha sido uma combinação de sonho e coincidência. Desisti de tentar descobrir se era a mim que ele tentava convencer ou a si mesmo. De qualquer forma, não paramos mais de nos desentender desde a morte dela.

Quando finalmente me levantei e fui para o chuveiro, uma banheira cheia me esperava. Coloquei a mão na água. Estava limpa e gelada como um rio. Esvaziei-a, enxugando logo a minha mão. Cinco dias tinham se passado desde a última vez em que Tess aparecera ao lado da minha cama. Cinco dias desde que eu tinha chegado em casa e encontrado a banheira cheia. Não perguntei ao meu pai sobre o assunto. Não parecera relevante. Mas, agora que tinha acontecido de novo, eu sabia que não devia ter sido ele. Nós simplesmente não tínhamos dinheiro para gastar assim. Perguntei-me se era um aviso de que Tess estava planejando aparecer outra vez. O meu sono fora mais tranquilo nas duas últimas noites. Se ela *estava* planejando outra visita, uma noite fora de casa seria uma boa coisa.

Tomei banho rápido, rangendo os dentes por causa da constante mudança na temperatura da água. Não ficava quente por mais de cinco segundos. Saí, batendo os dentes. A minha pele estava tão arrepiada do frio que parecia frango cru. Enxuguei-me. Um frango cru com icterícia: os hematomas da briga de semana passada tinham ficado amarelos. A única melhora é que eu ganhara um pouco de peso. A comida de Una, combinada com ar fresco e trabalho, abriu meu apetite de novo. Acordei faminto todos os dias — exceto na manhã em que a sra. Mardle morreu.

Eu me vesti, comi cereal e torrada, e não passei um minuto a mais do que o necessário em casa, saindo logo após o meio-dia. Ainda tinha uma hora para gastar antes de precisar ir para Calthorpe, então decidi fazer o que eu deveria ter feito no final de semana em vez de ficar na casa de Adam sem fazer nada. Fui para a biblioteca e reservei um horário em um dos computadores.

Durante os quinze minutos que precisei esperar, pesquisei nas prateleiras de livros de saúde e encontrei um exemplar sobre distúrbios do sono. Além dos assuntos mais comuns como sonambulismo e insônia, um pequeno capítulo falava sobre paralisia do sono. Não me trouxe nenhuma novidade, nada que os outros livros já não tivessem dito, dando apenas detalhes sobre seu vínculo com o sono REM e teorias de como o estágio da paralisia aciona um alarme de "ameaça" no cérebro, efetivamente invocando os medos do sonhador. Havia uma rápida menção a referências culturais. Meus olhos se fixaram na palavra "tormento" escrita embaixo da figura de uma mulher demoníaca agachada em cima do peito de um homem dormindo. Pensei em Tess e estremeci. Não havia nenhum conselho para quem sofria daquilo. Também não falava nada sobre experiências extracorpóreas. Coloquei-o de volta na prateleira. O computador estava vago.

Sentei-me, abri o navegador e digitei *Delegacia Calthorpe morte*. Apareceu no final da segunda página.

Dos arquivos de CALTHORPE POST, Sexta-feira, 21 de maio de 1971.
MORTE DE PRESO EM DELEGACIA

Um homem morreu enquanto estava preso na Delegacia de Calthorpe. O rapaz de 21 anos, não identificado, foi encontrado inconsciente em uma cela nas primeiras horas da manhã de domingo. Tentativas de ressuscitá-lo foram em vão e ele foi declarado morto no local. Não se sabe há quanto tempo o homem estava preso nem o motivo da sua prisão.

— Palhaçada — falei, furioso. — Ele morreu antes de qualquer pessoa entrar na cela.

A garota do computador ao lado afastou um pouco a cadeira de mim. Nem me importei em pedir desculpas.

Cliquei em um link do mesmo jornal, com a data de alguns meses depois.

MORTE ACIDENTAL EM DELEGACIA

A mãe de luto pelo filho que morreu em uma cela da delegacia falou da raiva em relação ao veredito de morte acidental. Oneta Williams, 45, criticou a investigação sobre a morte de seu filho, dizendo que estão "acobertando" o crime. O filho dela, Eric, 21, sufocou até morrer no próprio vômito enquanto estava preso no mês passado. Ele foi preso por estar alcoolizado e por causar desordem depois de sair da festa de aniversário de 21 anos de um amigo.

A sra. Williams, viúva, disse: "Foi negligência. Ele foi preso porque não estava em um bom estado. Por que, então, foi deixado para morrer sozinho? Os policias de plantão não cumpriram seu papel. A culpa é deles."

A Delegacia de Calthorpe não quis se pronunciar.

A mãe de Eric Williams estava certa. O filho dela morreu por negligência. Eu vira a cena, ou pelo menos um eco dela. E escutara também.

Ninguém veio. Ninguém se importou.

E tem sido assim para Eric há mais de quarenta anos, até que alguém tentou ajudar. Até que *eu* me importei com o que aconteceu com ele. Ninguém, além da mãe dele, deu a mínima.

Fiz outra busca com o nome de Eric Williams, mas não encontrei nada. Uma última busca com o nome da mãe me trouxe um obituário. Ela morreu em um asilo oito anos atrás. Assim como o filho, estava sozinha. Fechei a página e fui embora.

Durante a viagem para Calthorpe, lembrei-me da noite na cela. Tive medo, mas foi diferente daquele ao qual estou acostumado a sentir durante as experiências extracorpóreas. Quando as comparei a episódios normais, encontrei diversas razões. Primeiro, diferentemente das vezes em que testemunhei Tess na banheira, a delegacia não era meu território pessoal. O medo que eu senti lá não era de uma pessoa estranha e morta, que não deveria estar na minha casa, mas de, nos momentos antes de perceber que era tarde demais, não conseguir *salvar* um estranho que precisava de ajuda. E, depois de me comunicar com Eric Williams e libertá-lo — ou o que quer que tenha acontecido —, o fato de não ter me sentido ameaçado foi o que me deu confiança para explorar as outras celas sozinho.

A sensação de poder que experimentei foi apagada pelo meu último episódio de paralisia, mas agora eu estava começando a ver qual era o verdadeiro problema. Sempre que estou em casa, as experiências instantaneamente me deixam vulnerável. Meu subconsciente sabe que ninguém além de mim, papai e Adam deveria estar no apartamento. Então, a aparição de uma estranha nua e sangrando — e da senhora meio senil do andar de cima — acionou uma única resposta: medo. Tess, ou o que restava dela, não compreendia que a casa dela agora era em outro lugar. Até que aprendesse a controlar meu medo, eu não conseguiria ajudá-la — e nem a mim mesmo.

Entrei no Velho Celeiro trinta minutos antes da hora marcada para o meu passeio começar. O lugar estava cheio de funcionários almoçando e conversando. Cumprimentei com um aceno de cabeça um ou dois rostos familiares e subi para colocar as minhas coisas no armário e trocar de roupa. Depois de devolver a roupa de trabalhador para ser lavada no início da semana, escolhi um terno de 1905. Tinha um colete com um número irritante de botões. Era mais elegante do que eu gostaria, mas foi a roupa mais simples que consegui encontrar e uma das poucas que não vinha com algum chapéu estúpido.

Meu celular vibrou no momento em que ia guardá-lo no armário. Era uma mensagem de Adam.

BATALHA DE BANDAS NESTA SEXTA-FEIRA NO ACORN. VEM?

Digitei *talvez* e mandei. A resposta chegou quase instantaneamente.

TRAGA OPHELIA. MAS SEM ARMAS ;)

Joguei o telefone dentro do armário sem responder. De jeito nenhum eu convidaria Ophelia para sair. Ela podia achar que eu queria um encontro, e fiquei com a impressão de que ela não me via dessa forma. Fechei o armário, lembrando a mim mesmo que ela também não era o meu tipo. Mal a tinha visto desde o jantar na casa de Hodge. Segunda e terça-feira, eu a tinha visto limpando as mesas das salas de chá. A julgar pela quantidade de barulho que ela fazia ao limpar, não estava feliz em estar ali, e supus que devia estar substituindo alguém.

Quando desci, Hodge estava na cozinha tomando chá na caneca de cavalo de Ophelia. Fiquei com a terrível sensação de que ele iria anunciar que me acompanharia no meu primeiro passeio como guia. O nó no meu estômago aumentou.

— Elliott — disse ele —, você está muito altivo nesse terno, preciso dizer.

— Obrigado. — Forcei um sorriso.

— Nervoso? — perguntou ele, ainda me olhando de cima a baixo.

— Um pouco. — Lembrei-me do garoto que dera trabalho para Ophelia no meu primeiro dia. *Por favor, que não seja uma escola*, pensei.

— Não precisa ficar. — Ele colocou a caneca em cima da pia e deu um tapinha nas minhas costas. — Arranjei dois grupos bons para você. Bem fáceis, para começar.

— Eles estão em coma? — perguntei. Ficariam, depois de me escutar repetir todas aquelas histórias monótonas.

Hodge riu e me acompanhou para fora.

— Temos um ônibus vindo de uma casa de repouso. Vamos dividi-los em grupos menores, como sempre, e alternar. Eles vão se interessar por tudo o que você disser e não farão perguntas idiotas.

Sorri de novo, sentindo-me cada vez mais nervoso. A última vez que falara em público tinha sido no discurso do último ano de colégio. Recebia um prêmio por minha contribuição ao time de futebol do colégio. Na época, nem me preocupei com o que dizer, porque não importava. Podia ter subido no palco e cantado *Brilha, Brilha Estrelinha* e a escola toda teria aplaudido — e cantado junto, provavelmente. Agora, eu seria vaiado para fora do palco.

Segui Hodge para o lado de fora. Estava mais fresco e nublado. Fiquei feliz por estar usando o terno duro e quente.

— É você quem vai me acompanhar? — perguntei.

Hodge fechou a cara. Por um momento, fiquei preocupado de ter soado esperançoso de não ser ele a me acompanhar, mas então percebi que ele nem tinha escutado. Segui seu olhar até o estábulo e vi Ophelia, com um vestido lavanda, debruçada sobre a porta para fazer carinho no nariz de um cavalo.

— Dê-me forças. — Hodge cerrou os dentes. Ele marchou até o estábulo como um pequeno e gordo ogro, e deve ter anunciado sua presença antes de alcançá-la, visto que Ophelia se virou abruptamente e puxou a mão como se tivesse sido mordida. O movimento foi quase... *de culpa*. Tentei não ficar olhando enquanto eles discutiam e Hodge se afastava. Ela veio na minha direção, os lábios apertados e as saias farfalhando como sussurros furiosos.

Imaginei se ele teria dado uma bronca nela por estar perto dos cavalos enquanto usava fantasia, mas a expressão dela sugeria algo mais sério. Quando chegou perto de mim, seus lábios não estavam mais franzidos e seu rosto já se tornara uma máscara de novo.

— Então, vou ficar com você esta tarde — informou ela, endireitando as luvas. — Sorte minha.

— Obrigado — respondi, irritado. — Digo o mesmo. — Olhei por cima do ombro. Hodge tinha sumido. — Olhe, seu tio já foi embora. Se você vai ficar sendo grossa comigo o tempo todo, prefiro ficar sozinho. Já estou nervoso o suficiente.

Ela fechou os olhos e expirou devagar.

— Desculpe. — O tom chateado foi embora. — Esqueci. É seu primeiro passeio como guia, não é?

Assenti.

— E se der um branco e eu me esquecer de tudo?

Ela deu de ombros.

— Acontece. Às vezes eu me esqueço de coisas, mas o público não sabe disso. De qualquer forma, se você tiver um branco, estarei lá para preencher as lacunas. Se ajudar, descreva os prédios e cômodos olhando para eles no sentido horário. Você verá coisas que acionarão as informações seguintes.

Eu me acalmei um pouco.

— OK.

— Pronto?

— Não muito...

Ela me ignorou.

— Vamos.

A tarde não foi perfeita, mas foi melhor do que eu esperava. Depois de me atrapalhar um pouco no primeiro passeio, encontrei meu ritmo e até comecei a curtir. O público nem percebeu uma ou duas pausas acidentais, na verdade até usaram os intervalos como uma brecha para conversarem. Ophelia só precisou me ajudar uma vez, já perto do final. A sugestão dela de usar o sentido horário fez com que eu não me perdesse.

— Você foi bem — disse ela, depois que levamos o último grupo para a sala de chá.

Senti meu rosto ficar quente. Fazia muito tempo que alguém não me elogiava por alguma coisa.

— Mandei mal no começo — comentei.

— Foi bem — repetiu ela. — Acredite em mim, já vi muitos guias. Hodge vai achá-lo ainda mais maravilhoso do que já acha. — Ela fez uma careta ao mencioná-lo.

— Não tão bom quanto você, que só tem 17 anos e é a melhor daqui. Ela balançou a cabeça.

— Não sou a melhor. Hodge é. E já tiveram outros muito melhores do que eu. Apenas observei e aprendi o que fazer e o que não fazer.

— Há quanto tempo você faz essas coisas para ele?

— Comecei a acompanhá-lo pelos passeios quando tinha 12 anos. Só comecei a fazer sozinha no ano passado, é preciso ter 16 anos para ser guia de um grupo.

Hesitei.

— Há quanto tempo você mora com seus tios?

Ophelia olhou para um ponto além de mim, na direção do estábulo.

— Desde os 9 anos.

Resisti à vontade de pressionar mais. Era óbvio que ela queria voltar para os cavalos, e todos que tinham terminado o expediente às seis estavam entrando ou saindo do Velho Celeiro. Lembrei-me do convite de Adam para sexta-feira, pensei em convidá-la, depois me acovardei.

— O quê? — disse ela. — Parecia que você queria falar alguma coisa.

— Esqueci — menti. — Depois lembro.

Ela sorriu, mas pude ver que não se importou muito.

— Preciso ir.

— Para os cavalos, certo?

Ela soltou uma gargalhada baixa, amarga.

— Bem que eu gostaria.

E pela gargalhada, eu entendi.

— Ele não está deixando você cuidar dos cavalos, não é? Por causa da arma. É por isso que você tem trabalhado nas salas de chá e nos passeios.

Os olhos cinza dela buscaram os meus e, por um momento, a tristeza dela transpareceu.

— É o que ele sempre faz quando quer me atingir, me afasta do que eu mais gosto.

— Por quanto tempo?

Ela baixou o olhar. Percebi que os cílios dela eram claros e finos, quase inexistentes. Eu conhecia muitas garotas com olhos bonitos, os de Ophelia não eram exatamente bonitos. Mas eram impressionantes e os cílios tão claros apenas enfatizavam mais o cinza.

— Não sei. — Os olhos dela me fitaram de novo. Perguntei-me se eles estavam fechados quando nos beijamos. Os meus estavam. — Faz parte do castigo me manter em suspense. Às vezes é uma semana. Às vezes mais. Uma vez foi o mês todo, além de tocar piano toda noite. Tive vontade de cortar os dedos fora.

Nós dois nos viramos ao escutar o som de patas de cavalo se aproximando pelas pedras. Uma garota de rosto magro parou a charrete na frente do estábulo e começou a tirar os arreios de um cavalo branco antes de levá-lo para sua baia. Era o mesmo que Hodge pegara Ophelia acariciando mais cedo. Depois de fechar a porta do estábulo, a garota entrou no Velho Celeiro. Ophelia observou, claramente com ciúmes, até ela sair, assoviando enquanto se dirigia para a saída. Quando a garota saiu do nosso campo de visão, Ophelia digitou a senha na porta do Velho Celeiro. Entrei atrás dela.

— Esse é seu cavalo preferido?

— Amo todos eles — respondeu ela, baixinho. — Mas, sim. Pippi é a minha preferida. Eu estava presente quando ela nasceu. Até mesmo escolhi o nome.

— Pippi?

— Como no livro — explicou ela. — *Pippi Meialonga*. Ela tem uma pata cinza, achei que parecia uma meia.

— Certo. — Não fazia ideia do que ela estava falando, o que deve ter transparecido.

— Esqueça — disse ela, começando a sorrir. — Era minha história preferida.

Os dentes dela eram retos e muito brancos, mas o lábio inferior era um pouco mais baixo de um lado do que do outro, o que compensava a perfeição dos dentes.

— Você deveria sorrir mais — falei, percebendo no último momento que soou um pouco piegas. — Combina com você.

Logo o sorriso se apagou. Ela balançou a cabeça, indo para as escadas.

— Sorrio quando tenho motivos. Aproveite sua caminhada fantasmagórica, Elliott. Até mais.

— Até mais — repeti.

Ela sumiu no andar de cima. Fui para a cozinha e preparei uma caneca de chá. Ainda estava bebendo quando escutei a porta do armário dela batendo, e, no minuto seguinte, ela foi embora, deixando-me sozinho no prédio. Fui até a janela e fiquei olhando para fora, observando-a seguir para a saída do museu.

Eu tinha uma hora de descanso antes de precisar ajudar Hodge a arrumar o que ele precisava para a caminhada fantasmagórica. Ontem ele me deu uma ficha para uma refeição grátis, mas eu ainda não estava com fome. Subi até o meu armário a fim de verificar o meu celular, depois mexi nas minhas coisas. No começo da semana, tive a ideia de trazer um caderno de desenho para o trabalho, com a intenção de usá-lo durante os intervalos. Até agora, consegui fazer alguns esboços rápidos; os clientes da sala de chá, o poço e dois dos edifícios tortos, mas agora eu estava pronto para algo mais detalhado. Sabia exatamente o que ia desenhar.

Troquei de roupa e pendurei a fantasia cuidadosamente no meu armário para mais tarde. Então, enfiei o caderno de desenho embaixo do braço, alguns lápis no bolso de trás da calça e saí.

Eram quatro estábulos. Pippi ficava na ponta, mais perto do pasto. Não tinha nenhuma experiência com cavalos e não fazia a menor ideia de como chamar sua atenção, visto que, quando cheguei na porta, não havia nem sinal da sua cabeça. Em vez disso, seu enorme traseiro estava virado para mim, seu rabo não parava de balançar e levantava o cheiro da palha úmida. Juntei os lábios para assoviar, depois mudei de ideia, sorrindo. Peguei um lápis, abri o caderno e comecei a desenhar.

Durante vinte minutos, desenhei. O sol estava se pondo, iluminando a poeira no ar. Atrás de mim, pessoas passavam, algumas parando e olhando por cima do meu ombro. Eu nem percebia, escutava apenas os cavalos bufando e fungando enquanto Pippi, lentamente, virava-se no estábulo. Desenhei-a em todas as posições que ficou, pelo tempo que permanecia parada. Quando ela mudava, eu também mudava. Logo a página se tornou uma miscelânea de vinhetas: alguns esboços do corpo inteiro, outras apenas um casco ou a perna com meia, ou um pedaço da crina. Quando não havia mais espaço, virei para uma página limpa, com a intenção de continuar, mas a égua levantou a cabeça. Ela olhou bem para mim e lentamente veio andando em direção à porta do estábulo, a cabeça abaixada como se me questionasse sobre o motivo de eu estar ali.

Estalei a língua baixinho para ela, que relinchou em resposta, esticando o pescoço por cima da porta. Cauteloso, estendi a mão e toquei o seu nariz, do mesmo jeito que vira Ophelia fazer mais cedo. A pele era macia e coberta por uma fina camada de pelos aveludados. Ar quente saía de suas narinas, mas ela permaneceu imóvel, os olhos castanhos questionadores.

— Fique aí — falei para ela. — Não se mova.

E ela não se moveu, por quinze minutos inteiros. De vez em quando piscava, mas se manteve na mesma posição, apenas fitando o pasto enquanto eu me apressava em capturar a imagem dela no papel. Quando finalmente se recolheu no estábulo, ela já estava na folha, salvo alguns pequenos detalhes que preenchi de memória sem o menor problema. Quando terminei, afastei-me. Então, voltei para o Velho Celeiro e subi as escadas, pensativo.

No meu armário, peguei um lápis com a ponta mais afiada, mordi a ponta dele e, finalmente, escrevi no canto da página das vinhetas: *Não tão bom quanto a de verdade, mas o melhor que pude fazer. Elliott.*

Não escrevi nada na folha do desenho mais detalhado, e, cuidadosamente, arranquei as duas páginas do caderno, enfiando por baixo da porta do armário de Ophelia.

Perguntei-me se isso a faria sorrir.

Capítulo 15

Fantasmas

Estava deitado na cama estreita e frágil, sentindo-me desconfortavelmente saciado. Comera muito e tarde demais, esperando até a caminhada fantasmagórica terminar para ir ao hotel-restaurante e usar a ficha que Hodge me dera.

Luz entrava no quarto, vinda de uma luminária externa. A veneziana entrelaçada da janela refletia no quarto, dividindo-o em uma grade sombreada, e uma fenda larga se destacava por baixo da porta. O corredor era inclinado. Eu esperava que fosse estável. Embora estivesse ali há mais de cinco séculos, a ideia não me tranquilizava. Podia ter durado esse tempo todo, mas não duraria para sempre. Nada durava.

Estava no terceiro andar, bem longe das suítes confortáveis dos hóspedes pagantes. O quarto era básico, com apenas uma cama de estrutura de ferro, uma cômoda com gavetas e espelho, e uma mesa e uma cadeira. Não havia chuveiro, apenas um banheiro compartilhado no final do corredor.

O meu estômago era como uma pedra me puxando para baixo. Levantei da cama, gemendo, puxei a cadeira até a janela e me ajoelhei sobre ela, apoiando os cotovelos no peitoril. A praça tinha uma aparência esquisita à noite, como uma maquete ou uma casa de bonecas iluminada pelos postes antigos das ruas. No meio, um poço. O relógio acima marcava dez e quarenta e cinco. Sem alternativa, tinha ido para cama cedo demais. Depois que Hodge foi para casa, não havia mais ninguém com quem conversar.

Tive vontade de rir quando ele apareceu no nosso ponto de encontro para o passeio no início da noite. A fantasia dele não teria ficado deslocada em Henrique VIII. Era de um veludo vermelho intenso bordado com fios dourados e ornado com babados de renda. Uma peruca de cachos se equilibrava no alto da cabeça, fazendo seu rosto parecer ainda mais redondo. Ele já estava suando.

Uma hora antes, tínhamos nos encontrado para arrumar tudo para a caminhada, o que basicamente significava ficar sentado na bilheteria imprimindo recibos para os visitantes que tinham feito a reserva pelo telefone, além de preparar e dobrar mapas da caminhada fantasmagórica. Hodge me entregou uma pilha de programas para vender durante o passeio e me disse para ficar com um.

Mais de vinte pessoas apareceram para o passeio. Rapidamente, foram divididas em dois grupos. O primeiro ficou com onze pessoas, além de mim e Hodge. O segundo grupo, com o restante dos visitantes, seria conduzido por uma guia chamada Lyn, que eu não conhecia. Ela era aposentada e fazia apenas um passeio por semana para aumentar um pouco a renda.

O grupo de Lyn saiu primeiro. Hodge explicou que eles começariam dez minutos antes do nosso grupo. Ele ficava à vontade ao falar com os visitantes, perguntando se tinham vindo de longe e se já haviam tido alguma experiência fantasmagórica. Eu escutava enquanto vendia um programa ou outro, tentando adivinhar quais visitantes levariam a noite a sério e quais deles só estavam ali para se divertir. Havia um casal jovem, provavelmente da mesma idade de Adam e Amy. Ela parecia nervosa, puxando o crucifixo pendurado no pescoço. Observei a expressão do namorado dela e a reconheci. Ele estava sendo paciente, mas não estava aqui para se divertir. Estava aqui para aumentar suas chances de ir para a cama com ela.

Quatro pessoas do grupo, duas mulheres e dois homens, eram da Irlanda e estavam hospedados no hotel. Eles pareciam familiares, e pensei tê-los visto na sala de chá durante a semana. Pareciam joviais, mas pude perceber que os dois homens tinham sido arrastados do pub para o passeio e, provavelmente, seriam os céticos da noite, como Hodge previra.

O grupo terminava com duas irmãs — a mais velha, segundo a mais nova, era médium —, um casal alemão de meia-idade fazendo um *tour* pelos lugares mal-assombrados da Inglaterra e uma escritora fazendo pesquisa para seu próximo livro.

Finalmente, às oito e quinze, Hodge pigarreou para chamar a atenção.

— Bem-vindos à caminhada fantasmagórica do Vidas Passadas, um dos melhores passeios paranormais do país. Esta noite, compartilharei com vocês algumas das melhores histórias do museu: as de fantasmas.

A expectativa do grupo aumentou. Vi a jovem agarrar o braço do namorado. A escritora abriu o bloco, caneta em punho.

— Cada cidade e cada município deste país tem seus fantasmas, ou, pelo menos, histórias de fantasmas — continuou Hodge. — O museu aqui em Calthorpe é casa de umas das construções mais antigas do país. E, com esse tipo de vivência, nascem muitos casos para serem contados. O passeio desta noite começa na parte elisabetana do museu: Cornmarket Street. Sigam-me.

Fiquei por último no grupo para garantir que ninguém ficaria para trás. A calma introdução de Hodge funcionara bem. Todos o seguiam como uma ninhada de cachorrinhos ansiosos. Até eu estava curioso para conhecer as partes mais antigas do museu. Dera uma volta por ali durante a semana, quando não aguentava mais ver Goose Walk, mas não aprendi muita coisa. Hodge nos levou para uma rua larga e irregular com apenas dois prédios, ambos largos e altos, depois do poço. Passamos pelo primeiro, uma pesada casa de madeira, e fomos diretamente para o segundo. Luz amarela e vozes saíam pelas janelas.

— Este — disse Hodge — é o Swan Hotel. Originalmente se tratava de duas casas, uma delas chamada Swan, ambas construídas em ou por volta de 1562. Mais tarde, em meados do século XVII, elas foram combinadas para se tornar uma hospedaria. — Ele se aproximou de duas enormes portas de madeira em forma de arco e abriu uma delas, entrando em um pátio. — Aqui era onde as carruagens paravam e os cavalos recebiam alimento e água para a noite. — Neste ponto, Hodge fez uma pausa, abaixando o volume da voz. — Mas alguns hóspedes, e residentes, se recusavam a ir embora.

Alguém — acho que um dos homens arrastados do pub — prendeu o riso.

Hodge passou por uma porta lateral, guiando todos para dentro de uma taberna com teto baixo. O grupo se apertou para passar entre as filas de mesas, algumas ocupadas por pessoas bebendo, e parou perto do bar.

— Dizem que existem três entidades assombrando este prédio — continuou Hodge. — A primeira é conhecida como a nossa dama de cinza.

O grupo fez silêncio.

— Ela chegou aqui certa noite durante uma tempestade. A hospedaria estava cheia, mas não a ponto de impedir os habitantes de notarem a linda jovem de capa cinza sentada perto da lareira. Vendo que ela estava sozinha, muitos homens a abordaram, presumindo erroneamente que ela era uma mulher de pouca moral, digamos. O diário da esposa do proprietário da época apontava que a jovem dama parecia perturbada e tentava esconder o fato de que obviamente estava grávida.

"Assim que a dama se aqueceu e se secou o suficiente, recolheu-se em um quarto alugado no andar de cima." Hodge atravessou uma porta estreita na lateral do bar. "Tomem cuidado com essas escadas." Avisou ele, sobre o ombro. "Tem muitos degraus!"

No alto, Hodge levantou sua lanterna. O corredor mal iluminado tinha várias portas de madeira escura. Um cheiro de mofo pairava no ar. Comecei a me sentir confinado, com tantas pessoas em um local pequeno.

— Não existe nenhum registro oficial que informe o quarto no qual ela ficou — disse Hodge, de forma sinistra. — Mas o que aconteceu depois, e o que tem acontecido desde então, não deixa dúvidas de que foi este. Um tempo depois que a dama se recolheu, um viajante do quarto ao lado desceu para reclamar com o dono sobre um barulho. Suas batidas na porta e pedidos de silêncio foram ignorados. Ele descreveu o som de alguém andando incansavelmente de um lado para o outro no quarto, chorando e falando consigo mesmo. Ao mesmo tempo, outro hóspede disse ter visto uma jovem aflita na janela do primeiro andar. Preocupado, o proprietário subiu e bateu na porta... — Hodge bateu de leve. — Mas, naquele momento, ele escutou gritos vindos da rua. Alarmado, resolveu entrar, encontrando o quarto vazio.

Hodge abriu a porta. O grupo entrou no quarto sombrio, cercando a cama com quatro dosséis. Ao lado, uma vela queimava em uma mesa baixa, e a janela em frente estava aberta. Supus que algum funcionário tivesse acendido a vela e aberto a janela antes de nós chegarmos, mas o efeito da chama bruxuleante no quarto desocupado era assustador.

— A janela estava aberta — disse Hodge, aproximando-se das cortinas. — Ele correu até ela e olhou para fora. Uma visão terrível o esperava. A jovem dama estendida na rua. Ela se jogara pela janela para se matar.

Os turistas alemães se aproximaram da janela, apontando e sussurrando. Quando se afastaram, o casal mais jovem tomou o lugar deles. A garota esfregava os braços nus e se aninhava no namorado.

— Nunca ninguém descobriu quem era a dama de cinza — disse Hodge. Ele começou a andar vagarosamente pelo quarto, de um lado para o outro. — Mas ela já foi vista diversas vezes, tanto por funcionários quanto por hóspedes. Às vezes, é vista com as roupas molhadas, olhando para o fogo no andar de baixo. De vez em quando, alguém na rua vê um rosto aflito na janela. E, outras vezes, ela não é vista, mas os hóspedes dos quartos em volta reclamam de serem acordados por barulhos de tábuas do chão estalando e choro... — Ele fez uma pausa, tornando audível apenas o som rítmico de seus passos. — Como alguém aflito, andando de um lado para o outro a noite inteira.

Hodge parou de andar e se abaixou para apagar a vela. A fumaça subiu pelo ar. O quarto estava tão silencioso que seria possível escutar uma mosca voando.

Bravo, Hodge, pensei. *Eles estão comendo na sua mão.*

Sem aviso, a janela bateu. Todos, com exceção de Hodge, pularam, e houve mais de um suspiro assustado. Observei, assim como todo mundo, enquanto a janela abria e fechava como uma asa quebrada.

— Isso foi... *ela*? — perguntou a escritora, agarrando-se ao caderno.

— Provavelmente só o vento — respondendo Hodge, segurando o trinco. — Mas é melhor seguirmos o nosso caminho. Não queremos incomodar nossa mais antiga hóspede. — Ele guiou todos para o corredor e depois para outro quarto mais à frente. — Agora, neste mesmo andar e mais de um século depois da nossa dama de cinza, outra história aconteceu. Infelizmente, não podemos entrar no quarto porque é um dos que foi alugado, entretanto, foi aqui que a esposa de um antigo dono morreu após um longo período de doença...

— Estou me sentindo fraca. — A médium agarrou o braço da irmã.

— Ah, pobre mulher. Morreu com tanto sofrimento...

— Mas o quarto não é realmente assombrado por ela — cortou Hodge.

A mulher ficou quieta na mesma hora. *Desmascarada.*

— A história conta que o marido dela, sr. Joseph Leonard, cuidou da esposa até sua morte. Toda manhã, logo depois das seis, ele a sacudia gentilmente para acordá-la, a fim de ver se ela não tinha falecido durante o sono. — Hodge fixou o olhar na "médium". — Na verdade, é o espírito de Joseph que assombra esse quarto. Pessoas que dormem aqui às vezes contam que foram acordados por uma sacudidela neles ou na cama logo depois das seis.

— Mas este é o quarto que *nós* reservamos — disse a garota, passando os braços em volta de si mesma. Ela olhou para o namorado. — Devemos pedir para mudar?

— Pode apostar que vou pedir.

Pude perceber que ele ficou irritado; sabia que, se ficasse naquele quarto, o fantasma seria a melhor chance que ele teria de sentir a cama balançar.

— Não precisam se preocupar. — Hodge sorriu, acenando para que todos descessem as escadas. — Ele não é assustador. Pelo contrário, na verdade: é nosso espírito residente mais simpático.

— Poupa energia, até — disse um dos irlandeses. — Vocês não vão precisar de despertador. — Alguns risos quebraram a tensão.

No térreo, Hodge nos reuniu na taberna.

— Nossa última história antes de prosseguirmos é de uma garotinha que assombra esta área. Ela diz se chamar Annie, mas não podemos acreditar totalmente porque era conhecida por ser mentirosa e ladra. Achamos que Annie tinha 8 anos quando morreu, mas não se sabe como. Ela usava a taberna para conseguir o sustento da família, batendo as carteiras dos clientes. Ela se faz presente puxando a roupa das pessoas ou mesmo pegando seus objetos de valor.

Várias mãos imediatamente apalparam seus bolsos.

Hodge continuou.

— Antes de irmos embora, gostaria de lembrar que o ingresso de vocês dá direito a um drinque grátis no Swan depois que o passeio terminar. Espero que se juntem a nós.

Vendi outro programa para a escritora enquanto atravessávamos a rua em direção ao prédio de madeira. Já estava quase escuro agora e a casa se agigantava como um penhasco, cada andar formando um ziguezague maior do que o anterior. Ao longe, vi o grupo de Lyn saindo e voltando na direção da Planície.

Hodge parou na porta e colocou sua lanterna no degrau.

— Calthorpe House é uma das construções de madeira mais antigas do país. Construída em 1610, era a casa de um rico pastor, William Calthorpe. A casa mantém grande parte de sua estrutura original e, por razões de segurança, não posso mostrar-lhes os andares de cima. Antes de entrarmos, devo avisá-los que esta parte do museu é a que concentra o mais alto nível de atividade paranormal. — Hodge pegou sua lanterna, o movimento da luz iluminando o brilho em sua testa.

— E por que isso? — perguntou a mulher alemã, pegando uma câmera.

Hodge passou a língua pelos lábios.

— Porque coisas terríveis aconteceram aqui. — Ele subiu os degraus e abriu a porta da frente.

Fui o último a entrar no prédio sombrio. O lugar frio cheirava a mofo. A lanterna de Hodge brilhava como um farol, levando-nos para uma sala larga. Ele acendeu várias velas e fez um gesto para que nos sentássemos. Uma mesa longa ficava no centro, com bancos de madeira dos dois lados. Um a um, sentamo-nos, mas Hodge permaneceu de pé na frente de uma lareira embutida.

— William Calthorpe e sua esposa eram queridos e respeitados — começou ele. — Eles tinham duas filhas que se casaram logo com bons dotes, e um filho que herdou a casa. Depois de receber esta herança, Simon Calthorpe se casou com uma moça de nome Alice, de um lugar próximo chamado Bury. Dizia-se que tinha cabelo preto e era muito bonita, mas também muito cruel, e rapidamente os criados da casa tomaram antipatia por ela. Como Simon estava sempre cuidando dos negócios, ela ficava livre para fazer o que bem entendesse.

"Este cômodo que estamos agora era uma cozinha. E, além das cozinheiras e dos servos fazendo suas tarefas diárias, era comum ver os filhos dos escravos também trabalhando. Crianças de 6 anos eram obrigadas a buscar e carregar água, acender fogueiras e esse tipo de coisas, em troca de comida e um lugar para dormir. Mas a comida era escassa e os alojamentos, pobres." Ele entrou na lareira enegrecida e apontou para uma alcova na lateral. "Os meninos precisavam acender os fornos de pão de manhã bem cedo. À noite, eles dormiam" ele apontou para duas prateleiras altas nos dois lados da lareira "em cima desses fornos, e, para alguns, isso era melhor do que as ruas. Pelo menos era quentinho. Mas, para outros, dormir sobre o fogo se apagando era um desastre anunciado. Um pé no lugar errado ou uma virada durante o sono poderia fazer com que caíssem diretamente sobre as brasas. Em determinadas épocas do ano, um menino, com queimaduras terríveis, pode ser visto neste cômodo. E, às vezes, o espeto para assar carne sobre o fogo roda, aparentemente sozinho."

Imaginei o cheiro de carne queimada e fiquei feliz por não ter comido ainda. Hodge saiu de dentro da lareira. Os raios da lanterna brincavam com a peruca dele e, por um momento, os cachos brilhosos me pareceram tripas de uma pessoa. Forcei-me a desviar o olhar. Era fácil se assustar em um lugar como esse.

— Atrás da casa e do jardim, temos um pomar — disse Hodge, atravessando o cômodo até a porta. Os bancos se arrastaram no chão quando todos se levantaram. Fiquei satisfeito de voltar para fora. Uma leve garoa tinha começado a cair, trazendo cheiro de terra molhada até meu nariz. Seguimos por um jardim florido até o portão no fundo. Dali, árvores ancestrais se espalhavam até onde meus olhos alcançavam.

"Na época da colheita, os servos eram colocados para trabalhar no pomar. Como já mencionei, estavam sempre famintos. Os espíritos de dois desses, que acreditamos serem irmãos órfãos, estão presentes aqui. A história é particularmente terrível.

"Um dia, o irmão mais jovem, Samuel, de uns 7 anos, roubou um pedaço de pão da cozinha. A cozinheira notou na mesma hora e entregou o menino a Alice, ainda segurando o pão inteiro. Em um de seus acessos de raiva, ela mandou que ele fosse enforcado na árvore mais alta."

Hodge pegou a lanterna e iluminou o pomar. A luz atingiu um galho robusto.

— É claro que execuções assim eram contra a lei. Mas Alice tinha poder e sabia usá-lo. Sob suas ordens, o menininho foi arrastado até a árvore, chutando e gritando, por um cocheiro, que o segurou enquanto o jardineiro fazia o laço. A esta altura, todos os escravos estavam em volta. Alguns atiçando, ansiosos para ganhar a simpatia de Alice. Outros, como a cozinheira, assistiam com lágrimas nos olhos, mas impotentes para fazer qualquer coisa se quisessem manter sua posição na casa.

O galho da árvore estalou de leve. Bile subiu pela minha garganta inesperadamente.

— Na hora que o laço estava sendo colocado em volta do pescoço de Samuel, seu irmão mais velho, Sebastian, entrou correndo no pomar, voltando de um serviço. Ele chegou a ver Samuel ser levantado do chão com um único puxão. Na mesma hora, voou em cima do cocheiro, derrubando-o no chão e fazendo o menininho cair de volta na terra. O clima ficou ainda mais pesado. O cocheiro ficou furioso por ser desafiado. Insistiu que Sebastian deveria levar a culpa pelo delito do irmão menor porque não conseguira ensiná-lo a não roubar. De repente, os papéis foram trocados. O laço foi tirado do pescoço de Samuel e colocado no de Sebastian. E como era menos questionável o garoto mais velho morrer, ninguém fez nada a não ser assistir enquanto Sebastian era enforcado até a morte. A lenda diz que, então, Alice Calthorpe calmamente disse para o menininho comer o pão, visto que foi pago com a vida do irmão.

Hodge fez uma pausa e mudou de posição. Naquele momento de silêncio, escutei a mulher irlandesa fungando. Quando levantei o olhar, vi que estava chorando.

— Isso é *verdade*? — perguntou alguém. — Isso realmente aconteceu aqui?

Hodge apagou a lanterna e a guardou. Pegou um pedaço de papel do bolso e limpou a garganta.

— Vou ler para vocês a confissão da cozinheira, Martha Willis, em seu leito de morte. "*Não posso me encontrar com o Senhor com o fardo do que fizemos com aquele pobre garoto. Ele descansa há nove anos em um túmulo não identificado. O irmão, coitado, nunca mais falou uma palavra depois de assistir ao assassinato. Perdoe-me, meu Deus, por minha participação nisso, já que fui eu quem o entregou aos lobos. Mas não queria que ele morresse! Apenas que fosse castigado. Senhor, tenha misericórdia da minha alma."*

Hodge dobrou o papel de novo ao som de sussurros chocados do grupo.

— Os fantasmas dos três costumam ser vistos com frequência pela casa e pelos arredores. O menino que ficou mudo depois da morte do irmão aparece sentado embaixo da árvore, segurando o pão que não consegue comer. A cozinheira, Martha Willis, aperta as mãos e chora na cozinha. E o garoto, Sebastian, enforcado pelo crime que não cometeu, é visto vagando pelo jardim ou pendurado na árvore.

— Quando foi a última vez em que foram vistos? — perguntou a falsa médium, esticando o pescoço para observar melhor o pomar. — *Você* já os viu?

— Já avistei todos eles — respondeu Hodge. — Com mais frequência quando estou sozinho, mas no ano passado, Sebastian foi testemunhado por mim e um grupo inteiro.

— E como podemos verificar isso exatamente? — perguntou um dos homens, de braços cruzados.

Hodge levantou as mãos abertas em um gesto de submissão.

— Aqueles que não estavam abalados demais deixaram comentários no livro de visitantes dando seu testemunho. Ficarei feliz em mostrar a vocês.

O homem continuou de braços cruzados, mas parecia menos confiante agora.

— Se algum dia Alice Calthorpe se arrependeu do que fez, não demonstrou — disse Hodge. — O medo por ela se espalhou por toda a vila. A última parte da história nos leva de volta ao interior da casa.

Repassei as palavras de Hodge na cabeça enquanto o grupo se afastava do pomar. Não havia dúvidas de que ele tinha o dom de contar histórias: o público ficava extasiado cada vez que ele falava. Não era de se admirar que Ophelia fosse tão boa em seus passeios. Aprendera com o melhor.

Nós nos reunimos em uma sala grande parecida com a cozinha, onde também havia uma enorme lareira e uma longa mesa, ambos maiores, porém. Mais uma vez, Hodge tomou seu lugar perto da lareira.

— Em 1645, Simon Calthorpe morreu após uma rápida enfermidade. Nada sinistro nisso, vocês devem estar pensando, mas, na Inglaterra dessa época, ouviam-se muitas histórias de bruxaria. Quando uma de suas criadas ficou doente, e após uma péssima colheita de maçãs, Alice Calthorpe se convenceu de que sua casa era alvo de alguma bruxa. — Ele apontou para uma cristaleira na parede. — Temos evidências de que alguém nesta casa tomou medidas para protegê-la de bruxaria. Vários objetos foram encontrados em orifícios embaixo das escadas, nas chaminés e outras áreas escondidas. Aqui temos uma cebola cravada com alfinetes, um único pé de sapato que pertenceu à Alice Calthorpe e uma faca de ferro. Historiadores comprovaram que todos estes objetos eram comumente usados para afastar o mal. Mas Alice não ficou satisfeita. Ela começou a acusar mulheres da vila de amaldiçoá-la e chegou a lançar feitiços contra as pessoas de quem suspeitava. Ela perseguia mulheres na rua e cravava as pegadas que elas deixavam com facas. Aparentemente, isso forçaria a bruxa a confessar quem era.

"Esse comportamento foi piorando até ela começar a usar um método conhecido na época como 'agulhamento de bruxas', que consistia em usar uma agulha ou alfinete para fazer uma marca do diabo em uma mulher. Essas marcas costumavam ser algo como uma verruga ou cicatriz. Se elas não sangrassem, era sinal de culpa. Alice começou a espetar mulheres na rua inesperadamente com uma agulha adornada. Até hoje, hóspedes reclamam de uma presença fria na casa, seguida por uma sensação parecida com a de ser espetado por uma agulha."

Uma brisa entrou no cômodo no momento perfeito, passando pelos nossos tornozelos. Alguns dos visitantes pareceram genuinamente perturbados. Eu não podia culpá-los. Desde a história sobre os dois meninos no pomar, eu queria sair da Calthorpe House. Talvez a vibração viesse de saber o que tinha acontecido lá, mas definitivamente o lugar tinha uma atmosfera pesada. Podia senti-la esperando, desejando que nós acreditássemos.

As botas de Hodge estalaram no assoalho quando ele se encaminhou para a porta. Eu permiti que todos saíssem na minha frente e não resisti a deixar meus olhos percorrerem o espaço uma última vez antes de sair. Por razões que não conseguia explicar, eu não conseguia sair dessa casa — dessa parte toda do museu — rápido o suficiente.

Quando fechei a porta, percebi que mal podia esperar para a caminhada fantasmagórica terminar logo.

Capítulo 16

Exploração

Afastei-me da janela acima do Swan, piscando para expulsar a história de Alice Calthorpe da minha cabeça. A noite continuara no mesmo rumo pelo restante do museu e, embora as outras histórias não fossem tão detalhadas ou tão apavorantes quanto as de Cornmarket Street, ainda assim grudaram em mim como sujeira embaixo da unha. A maior parte do setor georgiano, explicou Hodge, na verdade datava da era elisabetana, mas fora reconstruída após um terrível incêndio. Havia umas duas histórias terríveis de enforcamento e uma do assassinato de um homem por seu empregado, além da história de um fantasma benigno que vagava pela pequena capela enquanto lia, aparentemente flutuando a dez centímetros do chão. Segundo Hodge, a equipe do museu analisou esse caso durante anos até descobrir que o piso tinha sido reconstruído em um nível mais baixo do que o original.

Em Goose Walk, eu me permiti relaxar um pouco. Conhecer o lugar e suas histórias ajudava, mas, como percebi tarde demais, abaixar a guarda foi uma coisa estúpida a se fazer. Apesar de ter tomado o cuidado de ficar bem no fundo da sala do colégio quando Hodge pegou os instrumentos de castigo, o fedor de urina e ressentimento se espalhou tão repentinamente que causou tosse em todo o grupo. O rapaz que fora voluntário no canto jogou o chapéu de burro no chão e passou correndo por mim em direção à porta, respirando fundo várias vezes ao chegar à rua. A namorada logo se juntou a ele e, pela expressão em seus rostos, duvidei que fossem passar a noite ali. Dei um minuto para ele se recompor e fui checar se estava bem. Secretamente, fiquei satisfeito por ter uma desculpa para sair daquele lugar infeliz. Eu nunca deveria ter entrado.

O resto do grupo saiu com reações variadas: alguns abalados, outros triunfantes por terem tido alguma experiência. Quando o passeio chegou ao fim, Hodge os lembrou de que eles tinham direito a uma bebida grátis no Swan. Com exceção do casal, que foi embora como eu suspeitara, todos aceitaram.

No caminho para a taberna, meu olhar cruzou com o de Hodge. Ele sorriu e me deu um tapinha nas costas.

— Então, o que achou? — perguntou ele, chegando mais perto. — Não poderia ter sido melhor, não é?

Abri um sorriso fraco. Será que era o único que não achava divertido mexer em coisas que deveriam ser deixadas em paz? Ninguém mais estava perturbado por ter pagado para escutar histórias sobre morte e assassinato e sofrimento? Esquadrinhei cada rosto, encontrando pouca compaixão. Não. A maioria deles saboreou cada palavra.

Percebi que não tinha respondido à pergunta de Hodge. Não importava. Ele estava celebrando o próprio sucesso, até aceitando um drinque oferecido pelos irlandeses, que já tinham tomado a sua bebida grátis e agora estavam pagando por mais, exatamente como planejado.

— Aposto com você que pelo menos metade desse grupo vai voltar para os eventos paranormais no mês que vem — murmurou Hodge. — O que você acha?

Assenti vagamente. Era outra pergunta vazia. Hodge estava apenas afirmando o que tinha ficado óbvio pelas reações quando nós entregamos os folhetos para eles a caminho do Swan. Eles arrancaram todos de nossas mãos e compraram todos os programas. Fiquei com Hodge um pouco, mas logo os visitantes se aproximaram dele com mais perguntas — e mais drinques —, e acabei indo para o restaurante, já tentando pensar em uma forma de dizer a ele que não queria participar de outra caminhada fantasmagórica.

Passei a mão pela barriga, pensando se deveria dar uma caminhada para ajudar na digestão, mas eu não conseguiria enfrentar uma volta pelo museu no escuro depois das histórias que escutara. Um tempo depois, com relutância, peguei meu caderno de desenho. Desenhei a vista da janela e, usando o espelho, um rápido autorretrato. Meu coração não estava em nenhum dos dois. Mesmo assim, eles ajudaram e, uma hora depois, mais confortável, apaguei a luz e deitei na cama estranha.

Deitei-me de lado, escutando os passos abafados pelo corredor embaixo de mim enquanto os hóspedes encontravam seus quartos e, mais abaixo ainda, as vozes desordeiras dos que continuavam bebendo. O prédio estalava e gemia com eles. Era melhor do que o silêncio. Minhas pálpebras se fecharam. Em algum momento, devo ter me sentido tão bem que virei de barriga para cima.

Achei que tinha sido o relógio na Planície que me acordara, seu tique-taque distante penetrando o silêncio. Mas, ao olhar pela janela, percebi que não me lembrava de ter levantado da cama e, antes de me virar, já sabia.

Ali estava eu, deitado de barriga para cima, dormindo com a boca levemente aberta. Tinha afastado as cobertas e estava com o peito nu, usando apenas a calça do pijama. Olhando para baixo, vi que o meu eu exterior tinha a mesma aparência. Aproximei-me do corpo, vendo meu peito levantar e abaixar lentamente. É a coisa mais estranha do mundo observar a si mesmo, não no espelho ou em um vídeo caseiro, mas realmente se *ver* como outra pessoa o vê. Lutei contra o pânico, lutei contra a artificialidade daquilo. Estava aqui, do lado de fora, e tinha uma escolha.

No quarto pouco iluminado, meu último hematoma foi engolido pelas sombras. Levantei a mão — minha mão fantasma, na falta de uma descrição melhor — até o rosto do meu corpo adormecido. Eu tinha uma escolha, lembrei-me. Voltar para dentro agora ou fazer o que fizera na delegacia. Afastando a mão, olhei em volta do quarto. Nenhuma sombra nos cantos, nenhuma garota sangrando nem homem sufocando. Nada para me ameaçar. Mas o que eu encontraria lá embaixo, caso ousasse ir tão longe?

Fui até a porta, tentando não pensar em como eu estava me movendo. Nas vezes em que percebi que estava fora do meu corpo no último minuto, sempre *presumi* que estava andando. Mas como eu podia estar se *isto,* o que quer que meu eu exterior fosse, não tinha um corpo? Parecia que eu andava, a sensação era essa, de que respirava, suava e todas as coisas que normalmente aconteciam. Mas, quando cheguei na porta, enfrentei uma decisão. Deveria tentar abri-la ou simplesmente *atravessá-la*?

Decidi que precisava parar de pensar como uma pessoa restrita ao físico. O que aconteceu nas celas me mostrara que não havia restrições. Pressionei-me contra a porta. Primeiro, ela se mostrou sólida e resistente. Fechei os olhos, lembrando-me de que meu corpo físico estava atrás de mim, e empurrei de novo. Senti o ar mais pesado, mas consegui passar. Quando abri os olhos, estava do outro lado.

Exultante, tive outra ideia: se eu podia atravessar portas, será que podia atravessar andares? Olhei para o carpete empoeirado. Não era como se eu realmente estivesse de pé sobre ele...

Ao pensar nisso, comecei a afundar. Devagar a princípio, depois mais rapidamente. Joelho, cintura, ombro afundando pelo chão. A sensação não era diferente de estar em um elevador. Forcei-me a manter os olhos abertos, depois desejei não ter feito isso. O carpete, cheio de sujeira; as farpas das tábuas do assoalho, a cavidade embaixo coberta por teias de aranha e, finalmente, o gesso.

Emergi no corredor de baixo, onde os hóspedes pagantes ficavam. Alarmado, não consegui fixar meu pé no chão e comecei a afundar mais uma vez. *De novo, não.* Forcei a concentração. *Estou de pé, sou real, estou de pé...*

E como era mais fácil me lembrar de como era ser físico do que o contrário, funcionou. Consegui voltar ao nível do chão e me firmar. Levei um momento para me acalmar. As escadas ficavam à direita. Poderia subir a qualquer momento que quisesse. Ou podia explorar algumas das supostas assombrações daqui, ou até mesmo do andar de baixo, na taberna.

Enquanto analisava as minhas opções, o silêncio se tornou *não* silencioso. Camas rangiam. Corpos suspiravam e roncavam atrás das portas fechadas. Um zunido débil vinha de baixo — provavelmente uma geladeira ou algo parecido.

Eu me sentia lúcido. Poderoso. Assustado, mas excitado. Reunindo toda a minha coragem, virei e me dirigi para a porta sem número no final do corredor inclinado. O quarto onde não era permitido que hóspedes ficassem.

O quarto da dama de cinza.

Parando do lado de fora, tentei escutar o estalo do assoalho, o andar de alguém aflito, a janela batendo. Nada. Preparando-me, *atravessei* a porta.

As cortinas estavam abertas e o quarto recebia a luz que vinha do lado de fora. A vela estava apagada ao lado da cama arrumada e lisa. A janela, trancada. Tudo estava quieto, tranquilo. Apenas um quarto vazio.

A tensão dentro de mim diminuiu. O quarto parecia *não* assombrado. Mas, pensando bem, nem Tess vinha toda noite. Ou melhor, eu não a *via* toda noite. Isso não queria dizer que ela não estava lá.

Depois de dar mais uma olhada no quarto, ficou claro que não havia nada para ver. Saí.

No corredor, tentei lembrar qual quarto era assombrado por Joseph Leonard. Por meio de tentativa e erro, acabei localizando-o; entrei e descobri que estava tão vazio quanto o da dama de cinza. Então escutei o relógio da Planície bater uma hora e percebi que era muito cedo: Hodge disse que os hóspedes diziam ser despertados por volta das seis. Duvidava que fosse conseguir ficar fora do meu corpo por tanto tempo, mas se fosse o caso, era aqui que planejava estar.

Desci. As persianas do bar da taberna estavam abaixadas. Arrisquei-me a entrar. Copos sujos estavam empilhados em um canto e bancos se equilibravam de cabeça para baixo sobre as mesas. Atrás do bar, as geladeiras rugiam como se reclamassem por precisar trabalhar a noite toda.

Alguma coisa brilhou no chão. Parei para pegar uma moeda. Não a reconheci. Devia ser alguma antiguidade usada por um dos guias, ou talvez algum visitante estrangeiro a deixara cair. Fui colocá-la em cima do bar, mas ela deslizou dos meus dedos e caiu no chão.

No exato momento em que ela atingiu o chão, as geladeiras ficaram em silêncio. Agora havia apenas o som da moeda rolando, rodando em sentido anti-horário, seus círculos rapidamente diminuindo. Abaixei-me de novo, tentando pegá-la quando estava prestes a parar e tombar...

Então puxei meus dedos com um grito abafado quando uma pequena bota de couro com cadarços saiu das sombras e pisou na moeda.

Caindo para trás, bati contra o bar, minha mão pressionada contra o assoalho pegajoso. Meu olhar aterrorizado foi subindo a partir da bota, chegando a um tornozelo com meia e à bainha rasgada de uma saia. Uma das mãos segurava um xale esfarrapado por cima dos ombros e da cabeça, deixando o rosto oculto. A outra abaixou até o chão e, como um risinho feliz e infantil que ecoou nos meus ouvidos, escondeu a moeda.

Quando pisquei de novo, ela tinha se movido estranhamente rápido, saltitando pela taberna. Era como assistir a um filme em um rolo antigo, instável. Tão rápido quanto ela desaparecia de um lugar, reaparecia em outro, dançando sobre as tábuas.

A garotinha que roubava carteiras.

E onde quer que ela pisasse, a taberna se transformava, se tornando algo esquecido. As cadeiras de cabeça para baixo desapareceram e, no seu lugar, outras mesas, outras cadeiras, todas muito, muito mais antigas. E Deus, o *cheiro!* Pútrido e podre. Carne velha, suor vencido. Cerveja e vômito e corpos sujos. A essência da pobreza.

Esforcei-me para ficar de pé, querendo sair deste lugar. Voltar para o meu corpo, onde eu não precisasse mais ver isso nem sentir esse cheiro. E amanhã, que se dane o emprego, que se danem os fantasmas. Eu não podia fazer isso. Por que *deveria* fazer isso? Por que era *minha* responsabilidade?

Por que ninguém mais pode?, disse uma vozinha irritante. *Quem mais você conhece com essa... habilidade?* E então, de forma mais egoísta: *Se você não consegue controlar, como espera fazer parar?*

E foi aquela vozinha egoísta que escolhi escutar. Agachado, hesitante, assisti enquanto ela flutuava pelo salão, sussurrando para si mesma ou talvez para alguém que só ela conseguia ver.

— Olá — resmunguei, esperando que ela me escutasse. Dizendo para mim mesmo que tudo ficaria bem. Para não ser um covarde. Ela era apenas uma criança. Outro pensamento surgiu na minha cabeça: o que se diz para uma coisa que talvez nem saiba que está morta?

Tentei de novo.

— Você quer ajuda? — Minha voz soou toda errada. Ecoando. Como se soubesse que não pertencia àquele lugar.

A valsa continuou. Ela não me via, não me escutava. Então:

— Annie — chamei, fazendo uma última tentativa.

A dança parou. A cabeça inclinou, travessa. Ela se virou, estalou, desapareceu. Então reapareceu, o rosto a centímetros do meu.

Gritei, caindo de joelhos.

Dois olhos brilhantes ardiam em um rosto imundo. Eles eram espertos, observando-me como um pássaro observa um besouro.

— Dinheiro — falou ela, estendendo a mão. A travessura não estava mais ali. Os olhos agora estavam astutos, mais velhos do que seus anos de vida.

Fiz um gesto de impotência.

— Não tenho...

— Ah! — Ela se afastou rapidamente, indo para outro canto da taberna. Chamas apareceram em uma lareira vazia atrás dela e sumiram no instante seguinte, quando ela flutuou para longe.

A serragem se ergueu do chão e as cortinas se agitaram enquanto a voz dela balbuciava o tempo todo. Eu me encolhi enquanto ela flutuava pelo lugar, girando e rodando, de forma cada vez mais rápida e alucinada até que, quando achei que não conseguiria mais acompanhá-la, escutei os pequenos saltos estalarem na minha frente, e um último sussurro na minha cara se despedindo:

— AH!

O silêncio que se seguiu foi quebrado pelo meu grito de espanto quando as geladeiras voltaram a funcionar. Abalado, eu me levantei e me afastei da agora vazia taberna, contando as portas até o meu quarto, forçando-me através da barreira de madeira. Eu só queria voltar para o meu corpo e sumir do Vidas Passadas assim que o dia amanhecesse.

Entrei no quarto e paralisei. De alguma forma, eu tinha calculado errado. Será que entrara no quarto errado? Não, era o meu, com certeza. Minha carteira estava ali, meu caderno de desenho, meus lápis... mas a cama estava vazia.

Meu corpo tinha sumido.

Capítulo 17

Eu e Eu Mesmo

Não entre em pânico. Não perca a cabeça. É um sonho. Tem que ser um sonho...

Então, por que eu não acordava?

Os lençóis estavam enrolados na forma de um lábio. Fitei-os como se pudessem falar, como se fossem capazes de me dar uma resposta. Devo ter saído da cama. Era a única explicação — mas, então, onde estava? Será que imaginei ou sonhei toda a experiência extracorpórea? Nunca tinha acontecido desse jeito antes. Com um grito, joguei-me contra a porta. Não me importei se ia me machucar, não me importei se acordaria alguém, apenas queria sentir alguma coisa sólida.

Atravessei a porta como se ela fosse tão substancial quanto uma folha de jornal molhada. Aterrorizado, voltei, desejando ver meu corpo acordado. Nada tinha mudado. A cama ainda estava vazia e eu ainda estava fora do meu corpo. Desesperado, abaixei, olhando embaixo da cama. Será que caí e rolei?

Nada.

Se eu pudesse vomitar, teria vomitado. Se eu pudesse chorar, estaria soluçando. Uma náusea oca cresceu dentro de mim, transformando-se em tontura. O que estava acontecendo comigo? Eu tinha enlouquecido? Ou estava pagando o preço por ficar vagando fora do meu corpo e desafiando as leis da natureza? O pensamento me atingiu como uma pá batendo em um caixão. O que acontecia quando um corpo ficava abandonado pelo período de tempo que fiquei afastado? Perguntei-me se meu coração ainda estaria batendo, se meus pulmões ainda respiravam.

Nunca tinha acreditado em Deus, mas estava disposto a tentar qualquer coisa agora.

Por favor, Deus. POR FAVOR, não permita que eu esteja morto. Não permita que seja tarde demais. Juro que nunca mais vou ficar vagando assim de novo.

Se Deus estava lá, Ele ou Ela não estava escutando. Estava sozinho. Totalmente sozinho no vazio entre dormir e despertar — a não ser que eu pudesse contar com o espírito da menina na taberna. O pensamento me deixou aterrorizado.

Uma porta se fechou no andar de baixo. Quem poderia estar andando pelo hotel a esta hora? A não ser que...

Pelo que eu sabia, fui sonâmbulo. Mas até hoje nunca tinha vagado por tanto tempo e para tão longe do meu corpo. Será que tinha levantado e ido procurar o resto de mim? Fui para a porta, percebendo pela primeira vez desde que voltara para o quarto que a chave não estava na fechadura. Segundos depois, vi que estava no chão, apoiada no rodapé. Alguém, sem ser eu, passara pela porta.

Fui para o corredor. Uma olhada rápida em volta não trouxe nenhuma resposta: todos os outros quartos estavam vazios ou ocupados por outros funcionários. Desci. O prédio todo parecia suspenso, prendendo a respiração comigo. Procurei no corredor dos hóspedes e no térreo, meu medo de rever Annie suprimido por outros, mais intensos.

Começava a me sentir estranho, como uma ampulheta perdendo sua areia.

Você está entrando em pânico. Só isso.

Desejava poder acreditar nisso. Mas a sensação se intensificava cada vez mais. Eu me sentia... deslocado. Como uma peça de quebra-cabeça forçada a entrar no buraco errado.

O movimento veio do canto do meu olho, pegando-me desprevenido. Encolhi-me. Não reconheci imediatamente — era alguma coisa pequena, mas familiar.

Alguma coisa... *humana.*

Pela janela da taberna, um corpo seminu movia-se, descalço pelas pedras, afastando-se do Swan.

Eu.

Corri para fora da taberna, através da recepção. Pelo saguão de entrada até a porta dupla que me separava da rua. Saltei através dela, o mundo de sombras se tornava turvo à minha volta.

Do lado de fora, ao ar livre, nuvens baixas cobriam o céu. As pedras cintilavam molhadas, cobertas por uma garoa que aumentava. À frente, meu corpo passou a se mover mais devagar. Teria sentido a proximidade com a sua outra parte? Ou estava prestes a acordar na chuva?

Nunca considerara a hipótese do que poderia acontecer se acordasse enquanto parte de mim estivesse separada do meu corpo. Até agora, não achava isso possível. Mas ver meu corpo andando fez com que eu percebesse o pouco controle que tenho. Achei que fosse tão esperto, tão invencível. Achei errado. E agora, de alguma forma, eu precisava desatar os pontos do meu erro e voltar para o meu corpo. Mas como entrar em uma coisa que se move sozinha? Como se pula para dentro de um trem em movimento?

Aproximei-me furtivamente. Sem conhecer outra forma de fazer isso. Pelo pouco que eu sabia, era preciso tratar os sonâmbulos com muito cuidado, sem acordá-los ou assustá-los. Fiquei satisfeito em partir desse pressuposto. Se a parte lógica, pensante de mim estava do lado fora, então certamente o que restava eram os instintos mais primários.

Então meu corpo levantou os braços para a chuva, o rosto para o céu, virando devagar. Regozijando-se na chuva de uma forma que era qualquer coisa, *menos* primária.

Era pensado, extasiado... e, quando seu olhar se nivelou ao meu, *consciente.*

Aqueles olhos estavam em foco, acordados.

E não eram completamente meus.

Senti que estava deslizando, agarrando-me na areia da ampulheta conforme a realidade escorregava cada vez mais para longe por entre os meus dedos. Isso era pior do que Tess, pior do que ver meu corpo na rua depois do acidente.

Porque não era eu ali.

O que quer que fosse, podia me ver.

— Quem...? — gaguejei. — *O que* é você?

O outro eu — *aquilo* — não respondeu imediatamente. Ao invés disso, jogou a cabeça para trás, fechou os olhos e abriu a boca para que as gotas de chuva entrassem. Quando a boca se fechou, estava sorrindo.

— Vivo — respondeu.

Vivo. Uma pequena palavra. A palavra mais assustadora que eu já escutara. A voz, *minha* voz, era diferente. Rouca e lenta. Como se estivesse sendo usada por alguma coisa que se esquecera de como se fala.

— Há quanto tempo você está morto? — sussurrei, tão baixinho que achei que a frase tivesse se perdido na chuva. — Quem é... quem *era* você?

— Muito tempo. Parece uma eternidade. — Confusão substituiu o sorriso. — Mas eu já fui... como você. Um garoto.

Não era *aquilo*, então. Era *ele.*

— Por que você roubou o meu corpo? — perguntei.

— Não roubei. — Os olhos brilharam escuros, mais escuros do que os meus eram, um tom mais próximo do cinza ou do verde do que do azul. — Eu vi você, vagando. E vi seu corpo... deitado lá. Ainda respirando, mas não dormindo. Apenas *vazio.* Vago. — Os olhos encontraram os meus, curiosos. — Como?

— Sofri um acidente. Quase morri... eu *morri*, por alguns minutos. Desde então, eu... parte de mim... pode sair do meu corpo enquanto durmo.

O outro eu olhou lentamente em volta, para o museu deserto.

— Aí você saiu para explorar.

Engoli seco.

— Isso.

— Um dia será a sua vez, o seu tempo. — Ele balançou a cabeça. — E você não saberá o que fazer com tanto tempo.

— Então... você não... quer dizer, você vai devolver o meu corpo? — perguntei.

Ele soltou um riso baixo e amargo.

— Eu só... peguei você *emprestado*. Só queria sentir e lembrar. Não quero seu corpo, nem sua vida. Quero a minha vida. Não era a minha hora. — Ele parou. — Mas eu também não devia estar *aqui*. — Ele pareceu pálido agora. Suor brotou em cima do lábio superior. — Preciso ir.

Observei, desamparado, enquanto ele ficava de joelhos, depois deitava de lado. As pálpebras tremeram, as pupilas dilatadas como as de alguém sendo anestesiado. Então, os olhos se fecharam. Ele respirou e estremeceu. O rosto — meu rosto — se contraiu com um tipo de espasmo. Um sopro sombrio evaporou do meu corpo, formando um redemoinho no ar. Esperei que tomasse algum tipo de forma, mas assim que saiu, senti um peso em volta de mim, como a gravidade me pressionando para dentro. Então algo me esmagando e arrastando. Se alguma vez eu relutei em voltar para o meu corpo, essa ideia agora me parecia absurda. Desta vez, não houve resistência. Eu não podia mais ficar longe, assim como uma abelha não pode ficar longe do mel.

Estava de volta dentro do meu corpo, com a respiração ofegante, arfada, que sacudia meu corpo, mas agradecido. Rolei para ficar de frente e me levantei, tremendo. As calças finas do meu pijama estavam ensopadas, agarradas à minha pele. Sentia-me estranho e enjoado, como se tivesse tomado um remédio que não deveria. Corri para o Swan, a chuva deixando meus pés dormentes no piso árduo, sabendo que certamente teria hematomas no dia seguinte.

Cheguei à porta, empurrando com mais força do que pretendia. Não se mexeu.

Ótimo.

Pela primeira vez desde que saíra correndo, parei para pensar na forma como eu saíra. Passei *através* da porta. E, embora o que quer que tenha ocupado meu corpo houvesse aberto a porta, ela se fechara depois. Estava trancado do lado de fora, seminu, sem maneira de voltar para dentro. Além disso, não tinha nenhum pertence comigo que pudesse me ajudar: meu celular estava no quarto lá em cima, assim como as minhas chaves. Não podia nem dormir no carro.

Vaguei por ali, procurando alguma forma de entrar; uma janela aberta ou uma porta lateral destrancada. Não achei nada, e a chuva não dava o menor sinal de querer estiar. Através da tempestade, olhei para o relógio em cima do poço. Duas e meia. Fiquei fora do meu corpo por quase uma hora. Todas as outras vezes, foi uma questão de minutos.

No mínimo, eu precisava de um lugar para me abrigar. Mesmo sem a chuva, já estaria frio. Se pelo menos houvesse um lugar onde eu pudesse esperar com um cobertor ou algumas roupas...

Roupas. O Velho Celeiro...

Corri para lá, minhas mãos estendidas mesmo antes de alcançar a porta. Digitei a senha, já imaginando como eu ficaria feliz em vestir a mais ridícula das fantasias contanto que fosse quentinha. E lá também haveria chá e talvez até chocolate quente...

A porta não se moveu. Quando ia digitar a senha pela segunda vez, vi por quê. Havia outra fechadura embaixo do teclado que pedia uma chave que eu não tinha. Soquei a porta, xingando com todos os palavrões que conhecia. Meu cabelo grudava no rosto, água escorrendo dele como filetes de gelo. Puxei-o para trás, pensando. Devia haver alguém trabalhando no portão de entrada do museu; com hóspedes e funcionários lá dentro, era necessário ter acesso em caso de alguma emergência. Mas como eu explicaria estar do lado de fora, seminu, essa hora? A única explicação plausível era ser sonâmbulo, mas eu não fazia ideia se podia confiar em qualquer pessoa. Já tinha sido apontado e encarado demais nos últimos meses. Não precisava disso de novo, não aqui, mas, ao mesmo tempo, sabia que não podia ficar do lado de fora, exposto ao clima, por causa do meu orgulho. Corri na direção da saída, resignado.

Um dos cavalos relinchou no estábulo ali perto. Tive uma nova ideia. Os estábulos seriam um lugar seco e quente. Se eu conseguisse me esconder em um deles até de manhã, havia uma chance de conseguir entrar no Velho Celeiro quando os faxineiros o abrissem. Aí, eu poderia entrar sem ser visto, pegar uma roupa e esperar até o hotel abrir. Ninguém saberia o que aconteceu e eu seria poupado da humilhação.

Segui na direção dos estábulos, rezando para não estarem trancados. Não conseguia pensar em uma razão para estarem — não eram cavalos de corrida nem nada parecido. Pelo menos desta vez minha sorte ajudou: o que mantinha cada porta de estábulo fechada eram dois ferrolhos externos, um na parte de cima e um na de baixo. Manuseei o ferrolho inferior da primeira porta. Abriu facilmente, libertando um bafo morno com cheiro de palha e cavalo.

Apertando-me ali dentro, puxei a parte de baixo da porta e procurei um ferrolho interno. Após trancá-lo, fiquei de pé, sentindo-me mais quente no mesmo instante, e comecei a dar a volta. Podia ouvir os cavalos respirando e roncando, mas estava escuro demais para enxergar qualquer coisa. Estendi a mão para a frente, tateando cegamente, tentando encontrar algum canto sem muitas correntes de ar. Encontrei alguma coisa quente e musculosa.

Um relincho fez com que eu congelasse no lugar. Então, uma onda de dor irradiou pelo meu joelho, seguida de mais uma. Fiquei perplexo demais até para gritar. O maldito cavalo tinha me dado um coice. Duas vezes, no mesmo lugar. Com dificuldade, consegui ir até a porta mancando, gemendo baixinho. De jeito nenhum ficaria aqui com essa coisa. Abri o ferrolho e saí.

Ainda não estava pronto para desistir. Aquele estábulo estava *quente*. Cerrei os dentes e manquei até o último: o da Pippi. Ela estava calma mais cedo quando a desenhei — talvez tivesse um temperamento melhor. Talvez conseguisse convencê-la a dividir o espaço comigo.

Escutei o farfalhar da palha quando entrei, preparando-me para outro coice. Ela relinchou baixinho, como se me cumprimentasse.

Estalei a língua para ela, tentando tranquilizá-la.

— Ei — sussurrei, — sou eu. Estive aqui mais cedo. — Estendi a mão e encontrei o flanco dela. Ela era quente, sólida. Dei um tapinha firme. — Desenhei você, lembra? Para Ophelia.

Por favor, não me dê um coice. Nem me morda.

Continuei fazendo carinho nela, falando o tempo todo. Ela parecia inquieta, batendo com a pata no chão. Lentamente, cheguei para a frente até que a minha mão estivesse na crina dela, alisando-a. A palha embaixo do meu pé estalou — graças a Deus, estava seca —, mas eu podia sentir o frio subindo pelo chão de pedra. Quando meus olhos se adaptaram, consegui distinguir formas e sombras. Havia dois objetos pendurados na parede.

Fui até eles, ainda murmurando para Pippi. Um dos itens era uma saca de pano. O outro, uma grossa roupa para cavalo. Peguei as duas coisas e pendurei no braço, meus pés avançando pela palha com cuidado. Com a sorte que estava esta noite, temia pisar em alguma coisa horrível, mas consegui chegar até o canto impune. Tirei a calça do pijama e a espremi, depois a pendurei em um gancho perto de mim. Com certeza não estaria seca até amanhecer, mas era melhor do que ficar vestido com ela. Enxuguei-me com a saca de pano o melhor que pude, mas o tecido era duro e arranhava. Com a perna boa, chutei uma pilha de palha para o canto antes de me enrolar na roupa para cavalo e me encolher.

Pippi mudou de posição, mastigando alguma coisa. Cada vez que ela mastigava, parecia que meu joelho latejava. Eu não conseguia parar de tremer, não apenas pelo frio, mas por tudo o que tinha acontecido. A princípio nem consegui me obrigar a fechar os olhos, com medo do que mais poderia estar à espreita, invisível.

Alguma coisa, *alguém*, tinha entrado no meu corpo. Tinha verdadeiramente o ocupado e usado. Ganhara vida de novo, através de mim, por aqueles poucos minutos.

Sobressaltado, percebi que não sabia ao certo quanto tempo tinha durado. Supusera que fora apenas pelos poucos momentos que testemunhei e pouco antes, mas como podia ter certeza? Fiquei afastado do meu corpo por muito mais tempo que isso.

Eu já fui como você. Um garoto...

Não perguntei seu nome. Sequer sabia como tinha morrido.

Não era a minha hora.

Fiquei com medo demais para fazer qualquer coisa além de me perguntar como conseguiria meu corpo de volta. Agora, olhando para trás, percebi que não sabia praticamente nada sobre o fantasma. Não fiz perguntas o suficiente.

E aquelas que fiz não foram as certas.

Fiquei deitado ali, mais quente e um pouco mais seco, permitindo-me cochilar sem cair em sono profundo. *Só algumas horas. Você só precisa aguentar até começarem a abrir o museu, e aí corre para lá...*

Não havia nada mais difícil do que tentar ficar acordado quando seu corpo precisa descansar. Estava finalmente retendo um pouco do calor, minha respiração era confortante assim como o cheiro terroso da égua, e não consegui mais: apaguei.

Não foi um sono tranquilo. Sonhei com crianças perdidas, servos enforcados e uma mulher de cabelo preto me perseguindo com uma agulha.

Alguma coisa espetou a sola do meu pé.

— Vá embora! — gritei. — Não tenho nenhuma marca do diabo!

Mais uma empurrada. Acordei totalmente desta vez, ficando cego com a claridade que entrava pela porta aberta do estábulo. No centro da luz, a silhueta de uma pessoa.

— Que diabos você está fazendo aqui?

Capítulo 18

Exposto

A voz era baixa. A pessoa se debruçou e mais uma vez senti a espetada no pé.

— Ei! — Sentei-me, segurando ao meu redor e com uma das mãos a roupa do cavalo, numa tentativa de preservar a pouca dignidade que ainda me restava. Protegi os olhos da claridade com a outra mão. Preferia não ter feito isso. Ophelia estava de pé na minha frente, brandindo um forcado.

— *Elliott?*

— Você está espetando o meu *pé* com isso? — perguntei furiosamente.

— Vou espetar isso em outro lugar em um minuto... e não vai ser no outro pé. Levante-se.

Fiquei de pé apressadamente. Meu corpo todo doía. *Essa situação não tem como piorar.*

— Ele machucou você, querida? — murmurou ela, olhando para a égua.

— *Se eu a machuquei?* Claro que não. Por que você acha que eu faria isso?

Ophelia levantou a cabeça.

— Vamos ver. São sete e meia da manhã e você está encolhido no estábulo. É óbvio que passou a noite toda aqui... ah, claro! Você não está apenas seminu, mas usando roupa de cavalo!

Pela primeira vez, olhei para mim mesmo. Depois olhei da minha calça de pijama pendurada para a égua. Finalmente, virei para Ophelia.

— Posso explicar.

Os olhos dela se estreitaram.

— Pode? Você tem exatamente trinta segundos. Dependendo do que escutar, vou chamar Hodge e mandar você embora daqui. Ou, então, vou eu mesma meter a porrada em você e, só depois, chamar Hodge e a polícia e mandar você embora daqui.

— Ah, vamos lá, já vi você lutar...

Ela levantou os braços.

— Vinte e seis segundos.

— Tudo bem, tudo bem! Olhe, se lembra do que contei naquela noite? Sobre minhas experiências extracorpóreas?

Ela franziu a testa.

— Lembro. E daí?

— Tive uma ontem à noite. E... — Vasculhei minha mente, procurando alguma coisa que pudesse falar que fosse remotamente plausível, algo que, eu acreditava, não incluía a verdade. No final, a única coisa que me veio à mente foi a minha primeira suposição, quando descobri que meu corpo tinha desaparecido. — Em algum ponto, saí andando, como um sonâmbulo. Não sei como... nunca tinha acontecido antes.

O olhar dela suavizou.

— E você simplesmente acordou *aqui*?

— Eu... não. — Eu queria que ela se virasse. Seu olhar me dissolvia como sal faria com uma lesma. Além disso, era difícil manter a roupa de cavalo cobrindo tudo. Meu Deus, isso era humilhante.

— Acordei na Planície, encharcado de chuva e vestindo apenas o que usava quando fui para cama. Não consegui entrar no Swan, tinha me trancado do lado de fora. — Apontei para a calça do meu pijama. — Aí pensei que se poderia esperar até o Velho Celeiro abrir, entrar escondido e quem sabe pegar algumas roupas, ninguém veria.

— Por que você não pediu ajuda? Tem telefones por todo o museu.

— Queria me poupar o constrangimento de alguém me encontrar. — Fiz uma cara feia, esfregando a têmpora. Podia sentir uma dor de cabeça se aproximando. — Ainda mais *você*.

Os lábios de Ophelia estremeceram. Achei que estivesse prestes a me xingar, mas então ela soltou uma gargalhada. Largou o forcado e cobriu a boca com as mãos, sacudindo silenciosamente.

— O quê? — perguntei, pouco impressionado.

— Desculpe... desculpe — ela conseguiu dizer, através de outro acesso de riso. — É que você está... tão... tão *ridículo!*

— Ah, que bom que você está achando graça — falei, ofendido. — Estou me sentindo péssimo, mas, da próxima vez que eu ficar trancado do lado de fora, seminu, congelando e logo depois de levar um coice de um cavalo, pode deixar que vou avisá-la para animar o seu dia.

Ela parou de rir e enxugou os olhos.

— Espere aí, a Pippi deu um coice em você?

— Não, a Pippi não. Mas aquele cavalo maldito na outra ponta. Entrei lá primeiro e ele me deu dois coices no joelho.

— Você deve tê-lo assustado — disse Ophelia. — Ele é novo, ainda nervoso. Tadinho do Jasper.

— Tadinho do *Jasper*! — exclamei. — E eu não sou tadinho?

Ela pegou a calça do meu pijama no gancho e jogou para mim.

— Vista isso e vamos para o celeiro.

— Você poderia olhar para o outro lado? — pedi.

— Eu já ia fazer isso! — Ela se virou, mas consegui ver um sorrisinho em seus lábios antes disso. — E fique de cueca.

Fiz uma cara feia. O tecido molhado grudou na minha pele quando vesti a calça, e estremeci. O pior de tudo era que não deixava muito para a imaginação. Decidi continuar enrolado na roupa de cavalo por enquanto.

— Estou pronto. O Velho Celeiro já está aberto?

— Eu estava lá, o zelador chega às sete. — Ela deu um tapa no traseiro da égua. — Vamos.

Dei a volta em Pippi, mancando, e saí. Ophelia segurou a porta e depois passou por mim.

— Por que você está aqui tão cedo? — perguntei, quando alcançamos a porta. Assim que acabei de falar, entendi: ela estava com calças e botas de montaria. — Ah, entendi. Você estava planejando dar uma galopada em segredo antes de Hodge chegar. E se ele aparecer e te pegar no flagra?

Ela deu de ombros, abrindo a porta.

— Já vou ter acabado quando ele chegar. Preciso espairecer de alguma maneira. — Ela olhou sorrateiramente para mim. — Imagino que você não vá falar para ninguém que me viu aqui.

— Muito engraçado.

Assim que entramos, Ophelia se dirigiu para a cozinha, pegou a chaleira e encheu-a na torneira.

— Quer tomar um banho? Tem uma toalha limpa no meu armário. Vamos, vou pegar para você.

Assenti.

— Obrigado.

O banho não compensou a noite infernal, mas ajudou. Depois, vesti outra roupa de trabalhador da era vitoriana que aparecera na arara e desci mancando. Ophelia me ofereceu uma caneca.

— Preparei um chá para você. Vamos dar uma olhada no seu joelho.

Sentei-me em um sofá gasto, tentando não dobrar muito o joelho. Ophelia se ajoelhou na minha frente. Apontei.

— Este aqui.

Gentilmente, ela puxou a perna da minha calça para cima. Desejei não estar tão magro. Os dedos enluvados pressionaram o local.

— Isso dói.

— Desculpe. — Ela apertou de novo. — Você levou um coice, o que esperava?

Cerrei os dentes.

— Você já levou um coice?

Ela nem levantou o olhar.

— Várias vezes. Já fui pisada também. O segredo é fazer com que eles percebam sua presença; coloque a mão neles e converse enquanto estiver por perto. Não os surpreenda.

— Percebi isso.

A mão dela estava quente no meu joelho. Senti-me melhor só por ela estar ali, imaginando a hena por baixo das luvas lançando algum feitiço antigo de cura.

— Acho que não foi nada sério, mas você vai ficar com um senhor hematoma. Já está começando a aparecer.

Olhei para baixo. A pele estava arroxeada.

— Tive mais hematomas na última semana do que na vida inteira — reclamei.

Ophelia colocou a calça no lugar.

— Fique de olho. E pergunte a Hodge se pode fazer outra coisa hoje. É melhor descansar.

— Não posso dizer a ele que levei um coice.

— Diga que torceu o pé nas pedras.

Refleti. Era uma boa ideia. Esperei Ophelia se levantar, mas ela permaneceu no mesmo lugar, agachada na minha frente.

— Aqueles desenhos no meu armário — disse ela. — Foi realmente você quem desenhou?

Meu coração deu um pulo engraçado. Tinha me esquecido completamente de que deixei os desenhos para ela.

— Quando você os encontrou?

— Esta manhã, pouco antes de encontrar você. — Ela ficou quieta, puxando uma linha da almofada. Fiquei com a impressão de que ela não queria olhar para mim, como se estivesse escondendo alguma coisa.

— Você não gostou? — De repente, senti uma dor mais aguda no joelho. Até aquele momento, não tinha percebido o quanto queria, precisava, que ela gostasse deles.

— Eu amei. — O fio se soltou. Respirei aliviado. — Os desenhos são ela. São simplesmente... *Pippi*. Você a captou de forma exata. Estão perfeitos.

— Fico feliz que tenha gostado. — Minha voz saiu muito rouca.

— E não é que eles sejam apenas bons. Quando os encontrei hoje de manhã... — Ela parou, balançando a cabeça. — Quero dizer, eles são bons. Mais do que bons. — Finalmente, os olhos dela encontraram os meus. Fiquei chocado ao ver que estavam brilhando. — Porém, o que mais amei foi que você os fez para *mim*. — Ela piscou rapidamente e se levantou. — Obrigada.

— De nada.

Ela levou nossas canecas para a pia.

— Acho que tenho agradecido a você demais ultimamente.

— E ameaçado acabar comigo também.

— Cala a boca. — Ela estava de costas para mim, mas pude perceber que ela estava sorrindo. — De qualquer forma, só o ameacei uma vez.

— Foi o suficiente. — Levantei-me, sentindo-me corajoso. — O que você vai fazer na hora do almoço?

— Comer.

— Ha-ha. Onde?

— Não sei. No salão de chá. Ou talvez eu vá até o pomar. Por quê? Quer ir comigo?

— Estou aqui desde ontem de tarde. Estou meio enjoado do lugar. Estava pensando em talvez ir de carro até outro lugar, fugir por uma horinha. Que tal?

Ela se virou e me fitou por um longo momento antes de responder.

— Encontro você aqui à uma hora.

Não aconteceu assim.

Encontrei Hodge pouco antes das nove e meia, farejando os estábulos como um cão de caça desconfiado. Ele me viu mancando na direção dele e se apressou, o rosto redondo assumindo uma expressão que, inicialmente, pensei que fosse preocupação.

— Elliott, o que houve?

Não era preocupação, percebi. Era irritação.

— Meu tornozelo. Acho que devo ter torcido ontem à noite.

Ele deu um muxoxo e suspirou.

— Bem, acontece. Quando você acha que vai conseguir voltar ao trabalho? Depois do final de semana?

— Eu não estava pedindo para ir para casa. — Um tom de irritação ficou claro na minha própria voz. — Só pensei se você não poderia arranjar outra coisa para eu fazer hoje.

— Ah. — Ele soou envergonhado. — Claro. Vamos arranjar alguma coisa... Venha comigo.

Fui mancando atrás dele, sentindo-me mal pelo tom de voz que usei. Nesse tipo de trabalho, Hodge devia estar acostumado a escutar muitas desculpas. Mesmo assim, resolvi não comentar nada sobre os eventos paranormais quando ele levantou o assunto.

— E ontem à noite, hein? — Ele bateu as mãos e esfregou uma na outra. — Aposto que você mal pode esperar para a caminhada de semana que vem!

Evitei a pergunta.

— Fiquei imaginando se vai aparecer mais alguma suposta médium.

Ele bufou.

— Ela era terrível, não? Não sei de onde esses charlatões surgem. Faz com que aqueles de nós que realmente têm um dom sejam mal vistos.

Esbarramos em Ophelia, literalmente, atravessando os arcos perto da entrada do museu. Ela vinha andando apressada e deu um encontrão em Hodge e em mim. O cabelo dela estava solto e úmido, e senti um aroma de laranja quando uma mecha passou pelo meu nariz.

— Desculpe o atraso.

— Só um minuto — mandou Hodge.

Ophelia parou.

— O quê?

— Você não estava no seu quarto quando fui chamá-la para o café da manhã.

Ela o fitou diretamente nos olhos.

— Acordei cedo e resolvi dar uma caminhada.

— Espero que não tenha sido por perto dos estábulos.

— Claro que não. — A voz dela foi fria. — Estou banida, lembra?

— Lembro. Só queria me certificar de que você também se lembrava.

Ela revirou os olhos, depois se virou e seguiu seu caminho. Hodge me levou para um escritório adjacente e apontou uma mesa para mim.

— Infelizmente, não é um trabalho muito animador, mas, com a minha assistente de férias, tudo está acumulando. Essas faturas precisam ser arquivadas. — Ele colocou uma pilha de papéis na minha frente. — Depois disso, a correspondência precisa ser aberta, carimbada e separada no escaninho certo. Se você conseguir fazer isso tudo, ficaria muito agradecido se ainda verificasse os comentários dos visitantes — ele apontou para um livro de capa de couro preto — pra ver se algum adolescente escreveu alguma obscenidade, como eles gostam tanto de fazer. — Ele mostrou um pote de corretor líquido. — Qualquer coisa, é só gritar.

Passei uma hora tediosa arquivando antes de começar a ver a correspondência. Muitas pessoas entravam e saíam dos outros escritórios em volta. Fiquei feliz por isso. Estar sozinho tornava mais fácil ficar remoendo o que acontecera ontem à noite.

Eu tinha sido possuído? Parecia uma palavra forte demais. Tudo o que sabia sobre possessão, a maior parte através de filmes ruins, sugeria que qualquer força que ocupasse o corpo o fazia ao mesmo tempo em que seu dono. Pensar dessa forma mudava a perspectiva; se havia duas forças em um mesmo corpo, então nenhum dos dois o possuía completamente.

Eu nem estava *no* meu corpo. Tinha sido um espectador sem nenhum controle, até a coisa, o fantasma, devolvê-lo. Até aquele momento, o espírito me possuiu completamente. Recostei na cadeira, fitando a parede. "Possessão" não parecia mais uma palavra forte demais. Era a palavra *perfeita*.

Dei um pulo ao escutar um grito vindo do escritório de Hodge e gemi. Tinha batido com o joelho na mesa.

— Ophelia, pelo amor de Deus! — gritou Hodge. — Você precisa entrar correndo desse jeito?

Eu não podia vê-la, mas escutei a voz de Ophelia pela porta.

— É Pippi — disse ela, sem se desculpar. — Estou preocupada.

— Por quê?

— Ela está estranha. Acho que tem alguma coisa errada.

Hodge soltou um som exasperado.

— Como você pode saber que ela está estranha se não deveria nem chegar perto dela?

— Mas eu posso *vê-la* — disse Ophelia, na defensiva. — Ela está inquieta, e eu a vi batendo com a pata no chão. Preciso passar alguns minutos com ela... pode ser cólica.

— Você diria qualquer coisa para chegar perto da maldita égua, não é?

— Acha que estou mentindo? Não estou! Deixe-me vê-la.

— Ophelia, não tenho tempo para isso. Lydia está trabalhando nos estábulos hoje. Avise-a, ela saberá o que fazer. Agora, volte para o trabalho.

— Já avisei. Ela disse que vai verificar depois do almoço, a não ser que eu possa ir antes...

— Depois do almoço está bom. — A voz de Hodge foi seca.

— Você não está entendendo. Lydia não conhece os cavalos tão bem quanto eu. E outro dia eu a vi colocando a comida deles toda de uma vez, ao invés de em porções menores e espaçadas como deveria...

— Pelo amor de Deus, garota! Pare de contar historinhas.

— Não são historinhas. — Ela falou, os dentes cerrados. — Uma mudança desse tipo na dieta de um cavalo pode deixá-lo doente.

Houve um som alto e Ophelia prendeu a respiração. Supus que Hodge tivesse dado um soco na mesa. Nenhum dos dois voltou a falar. No momento seguinte, a porta bateu. Ophelia tinha ido embora.

Tentei escutar movimentos vindos do escritório de Hodge. Os únicos sons eram da respiração dele: arfadas curtas e furiosas.

Peguei a carta seguinte na pilha. Era um envelope branco e simples endereçado a Hodge. No silêncio quase absoluto, o som da faca abrindo o envelope foi ensurdecedor. Tirei o papel de dentro e joguei o envelope fora. Minha outra mão passou pela folha, procurando um espaço onde eu pudesse carimbar a data.

Sem querer, meus olhos leram uma frase no texto datilografado:

Eu _vou_ expor você.

O que era aquilo? Olhei na direção do escritório de Hodge, meu coração acelerado. Incapaz de resistir, comecei a ler.

Arthur,

Como você não retorna minhas ligações nem responde aos meus e-mails, e me proibiu de entrar no Vidas Passadas, parece que uma abordagem à moda antiga se faz necessária para chamar sua atenção.

Esta é a sua última chance. Lembre-se de que eu não tenho nada a perder, mas você tem tudo: sua família, seu emprego, sua boa reputação. Uma palavra minha e tudo estará arruinado. Se você valoriza essas coisas, sabe o que precisa fazer.

Vou fazer uma reserva com nome falso para a caminhada fantasmagórica da noite de 5 de junho. Você vai permitir a minha entrada e não fará nenhum estardalhaço. Depois, eu e você teremos uma longa conversa atrasada sobre o que futuro reserva.

Não me ignore desta vez, ou _vou_ expor você.

S.D.

Um passo pesado na sala ao lado fez com que eu enfiasse a carta embaixo da mesa. A cabeça de Hodge apareceu à porta.

— Hora do intervalo — falou rispidamente.

Minha mão tremia embaixo da mesa. Tossi para abafar qualquer estalo do papel. Temia segurar com muita força e amassar, ao mesmo tempo que temia não usar força o suficiente. Uma imagem da folha escorregando da minha mão e voando até os pés de Hodge passou pela minha mente.

— Acho que vou ficar aqui — falei, forçando um sorriso. — Quando eu chegar lá, já vai estar na hora de voltar.

— Justo. Quer que eu traga alguma coisa?

Engoli seco.

— Café seria bom.

Mantive as mãos no mesmo lugar até escutar a porta se fechar. Então levantei a carta e li de novo. Em que Hodge poderia estar envolvido? O que poderia ter feito que, se fosse exposto, poderia arruiná-lo?

A resposta óbvia era um caso romântico. Coloquei a folha de papel em cima da mesa. Quem estaria desesperada o suficiente para ter um caso com Hodge? Assim que pensei, soube que estava sendo cruel, mas eu não podia entender por que alguém — além de Una, que estava com ele há anos — olharia para ele dessa forma. Ele era feio como um sapo atropelado e tinha um temperamento tão ruim quanto a aparência. Sua única qualidade verdadeira era o carisma ao contar uma história, quando a atenção era toda dele.

Independentemente do que fosse, não era da minha conta, e meu emprego no Vidas Passadas provavelmente chegaria ao fim muito cedo se Hodge sonhasse que eu lera a carta. Minha única opção era fingir que isso não tinha acontecido.

Peguei o envelope em que ela viera e o examinei. Não havia como reparar ou disfarçar o corte que eu fiz. Virei. O nome e o endereço tinham sido datilografados diretamente no envelope. Não havia selo. Fora entregue em mãos.

Procurei no escritório e acabei encontrando um envelope branco parecido com o que eu tinha aberto. Até agora, tudo bem. Meu próximo problema seria datilografar o endereço ali. O computador na mesa estava desligado. Hodge não me dera permissão para usá-lo, mas eu provavelmente poderia me safar dizendo que estava pesquisando alguma coisa se ele voltasse e me pegasse no flagra. Liguei e esperei carregar.

Não contei que precisaria de uma senha. Xinguei e desliguei. Maldito Hodge com sua maldita carta. Eu deveria jogá-la fora. Provavelmente teria feito isso se não tivesse avistado um rolo de etiquetas na prateleira. De repente, tive uma última ideia. Peguei o envelope, um lápis, uma régua e cola. Contornei de leve com o lápis em volta do nome e do endereço, tomando cuidado para fazer os cantos arredondados. Depois cortei o quadrado e o colei no envelope novo. Funcionou perfeitamente. Para qualquer pessoa que olhasse, parecia uma etiqueta impressa.

Fechei o envelope e coloquei-o embaixo da pilha. O que sobrou do antigo enfiei no bolso. Respirei aliviado, finalmente relaxando. Só precisava me lembrar de deixar os outros envelopes fechados para fazer parecer que eu não vira todas as cartas. O livro de visitantes precisaria ficar para depois também.

Olhei para ele, lembrando-me de que Hodge o mencionara na caminhada fantasmagórica da noite anterior. Aparentemente, o espírito de Sebastian se manifestara há um ano e fora visto por um grupo inteiro.

Peguei o livro e voltei as páginas até chegar em maio do ano anterior. Não havia muitos comentários, mas ali, entre os costumeiros elogios e xingamentos apagados com corretor líquido, havia um dilúvio de comentários dramáticos referentes ao dia 17, quarta-feira.

Assustador. Uma noite da qual nunca me esquecerei.

Devia vir com um alerta de risco à saúde! NÃO é indicado para pessoas cardíacas.

Um privilégio ter testemunhado esse fenômeno sobrenatural — mas vou passar semanas sem dormir!

Acho que preciso de acompanhamento psiquiátrico agora.

E daí em diante. A maioria deixou nome, mas alguns incluíam cidade. Espremido entre eles, na mesma data, um comentário curto que devia ter apenas uma palavra tinha sido apagado. Estranhamente, no espaço adjacente, o nome e o endereço estavam intactos. *Lesley Travis, O Santuário, Weeping Cross.*

Perguntei-me por que alguém colocaria o nome em um comentário ofensivo. A maioria das observações apagadas era anônima, com exceção daquelas assinadas por nomes vulgares e obviamente inventados. Talvez as observações de Lesley Travis tivessem sido censuradas porque eram ofensivas de alguma outra forma. Será que ela ousou criticar?

Escutei Hodge voltando e fechei o livro enquanto ele entrava com uma caneca de café fumegante. Depois que ele saiu, tomei o café devagar e continuei trabalhando com o restante da correspondência que ainda não tinha sido aberta. Quando faltava cinco para uma, comecei a colocar as que eu já tinha aberto nos escaninhos certos no corredor. Tinha acabado de pegar a última pilha quando a garota de rosto magro que vi nos estábulos ontem chegou apressada pelo corredor e bateu na porta de Hodge. Quando ele mandou que ela entrasse, eu já tinha voltado para o escritório adjacente e tomado meu lugar à mesa.

— Lydia — disse ele, — em que posso ajudar? E, por favor, não venha me dizer que Ophelia está infernizando de novo.

Inclinei-me para a frente a fim de poder ver pela brecha da porta. Lydia estava de costas para mim, mas eu podia ver suas mãos. Estavam inquietas.

— Acho que Ophelia está certa. Acabei de verificar Pippi, e os sinais de cólica estão todos lá. Ela está jogando a cabeça para trás e retorcendo os lábios. Ophelia está andando com ela no cercado...

— Ela está *o quê?*

— Eu pedi que fizesse isso, sr. Hodge. A égua precisa ficar em movimento até o veterinário chegar, mas, como demoramos a chamar, ele está a duas horas de distância.

A expressão de Hodge era furiosa.

— Aquela égua é mimada. Tem certeza de que não é uma encenação porque Ophelia não fez as vontades dela nos últimos dias?

Lydia balançou negativamente a cabeça.

— A égua está doente. Eu devia ter escutado Ophelia antes, mas depois que o senhor disse para me preparar porque ela poderia inventar desculpas, eu... Só espero que não seja tarde demais.

— Muito bem. — Ele se levantou, coçando a cabeça. — Vá e espere o veterinário chegar. Irei logo em seguida.

Escutei quando ela saiu. Segundos depois, Hodge entrou no escritório onde eu estava, mordendo o lábio inferior.

— Tire seu horário de almoço agora. Preciso resolver um problema. Você ficará com Una hoje à tarde. Ela precisa de ajuda para preparar um material para a demonstração de encadernação de livros.

Levantei-me, apontando para três envelopes fechados, no meio dos quais estava a carta para Hodge.

— Não consegui abrir todas...

— Não importa. — Ele estava distraído, impaciente. Acompanhou-me até o lado de fora, trancou a porta e passou por mim sem mais uma palavra. Provavelmente estava se preparando para encarar Ophelia. Eu não o invejava.

Capítulo 19

Confissões

A loja de encadernação cheirava a papel mofado e couro. Sentei-me à bancada, grampeando folhetos enquanto, na minha frente, Una tirava a encadernação de um livro caindo aos pedaços. As mãos dela estavam trêmulas, deixando seus movimentos desajeitados. Eu sabia o motivo: também não conseguia parar de pensar em Ophelia.

Soube que nosso almoço estava cancelado no momento em que a vi no cercado, fazendo Pippi se movimentar de um lado para o outro lentamente, sua boca sussurrando palavras que só ela e a égua conseguiam escutar. De vez em quando, o cavalo a forçava a parar enterrando o casco na terra e se virando para morder o flanco. Todas as vezes, Ophelia a incitava a continuar se movendo.

Devagar, aproximei-me do cercado e consegui ficar ao lado dela.

— Não vou poder sair para almoçar — disse ela, mal levantando o olhar.

— Eu sei. — Fiquei surpreso por ela sequer se lembrar. — Quer que eu traga alguma coisa aqui para você?

— Não estou com fome.

Continuei mancando ao lado dela em silêncio.

— Então... é cólica, certo? — acabei dizendo. — É possível tratar?

— Depende. Cólica é um sintoma, não a doença. Só saberemos mais quando o veterinário chegar. — Ela olhou para o horizonte. Olhei também e vi Hodge e Lydia nos estábulos. — Eles deveriam ter me escutado.

— Tem alguma coisa que eu possa fazer?

Ela fez que não com a cabeça.

— Só preciso mantê-la em movimento.

— Ah. — De repente, desejei saber mais sobre cavalos. — Por quê?

— Na melhor das hipóteses, fazê-la andar ajuda a fazer o sistema digestivo funcionar. Se for algo pequeno, como gases, problema resolvido. — Ela fez uma pausa. — Na pior das hipóteses, mantê-la em movimento ajuda a evitar que ela role. Se ela rolar, pode torcer a intestino. E isso pode ser fatal.

— Mas ela estava bem hoje de manhã, não estava? — perguntei, falando mais baixo. — Ela até parecia um pouco inquieta, mas achei que fosse porque eu estava no estábulo com ela.

Ophelia balançou a cabeça.

— Ela já não estava bem. Não notei logo, só quando tentei colocar a sela nela. Não estava cooperando, e ela não é assim. Deixei-a no estábulo e decidi ficar de olho, mas ela piorou no decorrer da manhã.

Revirei meu cérebro em busca de alguma coisa para dizer. A única coisa em que pensei foi:

— Quer que eu faça companhia?

Ela abriu um sorriso choroso.

— Vai fazer muito bem, sr. Manco.

— Sou muito bom em mancar. — Transformei uma careta em um sorriso. Meu joelho estava realmente doendo agora. — Um campeão da modalidade, para falar a verdade. Posso acompanhá-la.

— Vou dar um fora em você a cada cinco minutos.

— Eu não esperaria menos.

— Ei! — Ela estendeu a mão pela cerca e me deu um soco de leve no braço. O sorriso dela sumiu. — Se você quiser mesmo ajudar, faça outro desenho para mim.

Esqueci-me de andar por um segundo, depois manquei freneticamente para alcançá-la.

— De quê?

— Qualquer coisa. O que quiser.

Engoli seco.

— Que tal você? Poderia desenhar um retrato seu.

Ela deu de ombros.

— Seria interessante. — Ela olhou para mim de novo, tentando sorrir, mas a testa dela continuava franzida. — Agora vá — disse ela, baixinho. — Continue mancando.

Saí mancando.

Passei a hora seguinte sentado no Velho Celeiro, beliscando um sanduíche e fitando uma página do meu caderno de desenho. Ainda estava em branco quando o fechei. Eu não era bom em desenhar rostos de memória; para realmente ficar parecido com Ophelia, eu precisaria fazer isso ao vivo. Meu rosto formigou quando pensei em ficar olhando para ela por tanto tempo.

Um toque abafado me trouxe de volta ao presente. Una levantou da bancada e atendeu ao telefone.

— Alô? — Ela falou alto. — Mais vinte minutos? Onde está Ophelia? — Os olhos dela estavam fixos na porta. — Estou indo. — Ela colocou o telefone de volta com força e saiu.

Em cima da porta, o relógio marcava três e meia. Do lado de fora, um grupo de visitantes espiou o interior da sala, mas não entrou. Sozinho apenas com meus pensamentos, eu não estava bem acompanhado. Até ficar perto de Una sabendo do segredo de Hodge era melhor do que ficar sozinho. Assim, era fácil demais me lembrar da coisa que não era eu andando descalço na chuva e pronunciando aquela primeira e aterrorizante palavra: *vivo*.

Após dez minutos, não consegui aguentar. Saí da loja de encadernação, fechando a porta. Já sabia para onde ia, mas, quando cheguei, desejei ter ficado onde estava.

Lydia e Hodge estavam com Pippi, cada um de um lado, fazendo-a andar pelo cercado. Hodge estava de roupa comum em vez de fantasia, mas elas não eram apropriadas. Lama cobria seus sapatos e a barra de sua calça de veludo. Ao lado do cercado, Una estava com o braço em volta dos ombros de Ophelia.

Nunca a vira tão abatida. Sua pele normalmente bronzeada estava cinza. Quando me aproximei, vi que ela estava rangendo os dentes. Nenhum de nós disse nada quando parei ao lado dela. Suas mãos seguravam com força a caneca de cavalo. De vez em quanto, Una tentava encorajá-la a beber o que estava ali, mas ela não bebia. Duvido que sequer soubesse que a segurava.

— Onde está ele? — ela ficava perguntando, olhando para a entrada.

— Ele já deveria ter chegado!

— Está a caminho. — Una esfregava o braço dela, impotente. — Deve chegar a qualquer minuto.

Até eu podia notar que Pippi estava mal agora. Estava difícil mantê-la em movimento. Ela cavava, abaixando-se. Com esforço, Lydia e Hodge conseguiam levantá-la de novo. A roupa dela brilhava de suor e os olhos reviravam quando esbarrava desajeitadamente na cerca.

— Ela está ficando cansada. — Os olhos de Ophelia estavam arregalados. — Eles precisam descansá-la de novo. Diga a eles que a deixem descansar!

Una olhou para mim, depois correu pela lateral do cercado. Quando os alcançou, as patas da égua dobraram e ela mergulhou na lama. Desta vez, os esforços de Lydia e Hodge para levantá-la foram em vão. Abaixando-se, ela rolou de lado, chutando.

— Não! — Ophelia largou a caneca e correu. A louça caiu nos meus pés e se quebrou em dois pedaços, deixando escorrer um líquido escuro. A única coisa que eu podia fazer era observar enquanto Pippi rolava de um lado para o outro, chutando o ar. Além de mim, notei que um grupo de visitantes tinha parado para assistir. O guia os levou para longe. No cercado, Pippi parou de rolar e ficou de lado.

As pernas e cabeça se contorceram, em uma convulsão. Espuma saía de sua boca. Forcei-me a desviar o olhar, incapaz de assistir àquilo; em vez disso, peguei-me encarando Ophelia. Hodge a segurava por trás, detendo seus braços que lutavam.

Virei-me ao escutar um grito. Um homem de barba carregando uma mala preta corria em direção ao cercado. Só de olhar para ele, afastei-me. Não podia mais ficar ali, assistindo ao sofrimento da égua e à tristeza de Ophelia. Voltei para a loja de encadernação e fiquei sentado lá, sozinho. Esperando um milagre.

Uma hora depois, Una voltou, o rosto manchado. Eu sabia o que diria antes mesmo de ela abrir a boca. A voz saiu baixa, lutando para se controlar, sem sucesso.

— Ela não resistiu.

Assenti, mudo, concentrando-me na bancada e traçando os veios da madeira com os dedos.

O cercado estava vazio e quieto quando voltei para o Velho Celeiro. No canto, uma lona cobria uma forma imóvel.

Ophelia não estava em lugar algum.

Ela não apareceu para trabalhar no dia seguinte. Guiei passeios por Goose Walk como de costume, tolerando a dor no joelho a fim de encontrá-la. O corpo de Pippi continuava no cercado, escondido embaixo da lona. Na hora do almoço, fui até o escritório de Hodge perguntar por Ophelia. Ele estava mais desgrenhado que de costume e um odor rançoso saía dele. Papéis espalhados cobriam sua mesa como uma camada de peças de dominós caídas.

— Ela passou a noite toda no quarto dela. Não quer me ver, nem falar comigo. Nada que eu não mereça. Talvez, se eu tivesse *escutado...* — Ele passou a mão no rosto. — Una está com ela, tentando fazer com que coma alguma coisa.

Senti uma pontada de pena dele, superada pela irritação. Eu o conhecia há pouco mais de uma semana e já não gostava da forma como ele agia primeiro e pensava depois.

Ele fungou e esfregou o nariz.

— Una disse que ela não solta os desenhos que você fez.

Meu corpo ficou tenso.

— Não?

— Ela fica deitada na cama, abraçada a eles. — Ele ergueu o olhar, os olhos suplicantes. — Você poderia... poderia ir vê-la mais tarde? Não quero atrapalhar o seu horário, saia a hora que quiser... mas talvez, se você pudesse, no caminho de casa?

— Se você acha que vai ajudar. Mas não sei se ela vai querer falar comigo.

— Mas você pode tentar? Talvez ela se abra para você. Ela é... eu não sei. De alguma forma, você obviamente se conectou com ela através do seu desenho.

— Eu vou. — As palavras ficaram presas na minha garganta. Ser civilizado significara me engasgar com as palavras.

— Vai? — Ele pegou a carteira, remexendo dentro dela. — Aqui. Se você puder tirá-la de casa para respirar ar puro... — Ele me deu uma nota de vinte. — Talvez levá-la a algum lugar, pelo menos por um tempinho. Eu consideraria como um favor.

— Não quero dinheiro. — Coloquei a nota em cima da mesa. Ao fazer isso, meus dedos esbarraram em um familiar envelope branco. Recolhi a mão. — Perguntei como ela estava porque me importo, não como um favor.

— Ah. — Ele ficou sem graça. Guardou o dinheiro. — Entendo. É que não estou acostumado a isso... quer dizer, Ophelia não tem muitos amigos.

Não, pensei, irritado. *Eles teriam que aguentar você.* Em voz alta, disse:

— Então, posso levá-la a algum lugar, se ela quiser?

Ele balançou a cabeça para cima e para baixo.

— Pode.

Olhei uma segunda vez para o envelope entre nós. Não tinha sido aberto ainda.

— Vou sair às quatro e meia.

Abri meu armário e vi uma mensagem de texto do Adam.

NOITE DAS BANDAS! 19:30. NÃO SE ATRASE.

Enfiei o celular no bolso sem nem mesmo responder, um pouco irritado. Todas as mensagens de Adam eram como uma buzina. Ele sempre usava letras maiúsculas e se recusava a usar abreviações dizendo que era uma atitude "preguiçosa". O que mais me irritava era que ele simplesmente presumia que eu estaria lá, como se não tivesse nada melhor para fazer. Geralmente, ele estava certo.

Peguei minha carteira, minhas chaves e meu caderno de desenho e fechei o armário.

No carro, dirigi com as janelas abertas e o rádio bem alto, muito feliz que o final de semana estava começando. Os últimos dias tinham sido estranhos e terríveis, e mal podia esperar para esquecê-los.

Quando estacionei na frente da casa dos Hodge, entretanto, já tinha começado a ter minhas dúvidas. Desliguei o motor, mas fiquei onde estava. Se Ophelia quisesse ficar sozinha dificilmente me agradeceria por aparecer. Era mais provável que batesse a porta na minha cara. Pior, se eu *conseguisse* falar com ela, já podia imaginar Hodge me interrogando na segunda-feira, querendo saber todos os detalhes.

Saí do carro antes que mudasse de ideia. Não estava aqui por Hodge, não fizera nenhuma promessa a ele. Estava aqui por Ophelia. E, se bater com a porta na minha cara fizesse bem para ela, pelo menos era alguma coisa.

A porta se abriu antes mesmo que eu atravessasse o caminho, e Una me recebeu, usando um avental florido. A casa estava com cheiro de pão assado.

— Ah, Elliott — disse ela, me levando para a sala de estar. — Obrigada por vir. Arthur disse que você tinha concordado em fazer uma visita. — A voz dela era quase um sussurro. Era como se eu estivesse entrando em um velório. Suponho que, de certo modo, fosse. — Sirva-se do que quiser. — Ela apontou para a mesa. Estava posta com um monte de tortas de geleia, pãezinhos e coisas que eu só tinha visto em programas de culinária, mas não sabia o nome. Peguei um pãozinho quentinho e dei uma mordida. — Achei que fosse conseguir tirá-la do quarto para me ajudar a fazer isso tudo — explicou Una, colocando uma mecha de cabelo liso atrás da orelha. — Ela costumava adorar assar coisas comigo. — Una balançou a cabeça. — Achei que ela pelo menos fosse comer alguma coisa, mas o último prato que eu levei acabou na parede.

O farelo grudou na minha bochecha como se fosse serragem.

— Sério?

— Tente você, meu querido. — Ela me pegou pelo braço e me levou até as escadas. — Segunda porta à direita.

Tossi, tentando não engolir enquanto subia as escadas. Parei na frente da porta do quarto dela, escutando. Nada. Nada de música alta, nada de choro ou coisas quebrando. Apenas silêncio. Levantei a mão e bati. A resposta veio na mesma hora.

— Eu não *quero* nenhuma porcaria de torta de geleia, Una! Não tenho *seis anos, droga!*

— Ophelia? — Aquele guincho era realmente a minha voz? — Sou eu, Elliott.

Houve um estalo. Silêncio. Outro estalo, depois passos e um som de algo sendo remexido da base da porta. Ela se abriu. Olhos inchados me encararam através de cabelos despenteados.

— O que você quer?

— Ver você. — Tentei sorrir. — Não trouxe nenhuma torta de geleia. Juro.

Ela deu um passo para trás, segurando a porta aberta. Entrei no quarto.

— Tem certeza de que é seguro entrar? Você não tem nenhuma luva estilo Freddy Krueger na sua coleção, tem?

— Bem que eu gostaria. — Ela fechou a porta quando entrei e, com o dedo do pé, empurrou uma cunha de madeira para dentro da brecha entre a porta e o carpete.

— Criativo. Não tranca?

Ela passou por mim, se jogando na cama ao canto.

— Trancava, até a chave sumir. Sei que Hodge escondeu, mesmo jurando que não.

— Isso é bem extremo. Por que faria isso?

— Não me lembro — disse ela, cansada. — Tenho certeza de que você já deve ter percebido que não é preciso de muito para irritá-lo.

— Não. — Desisti de esperar ela me convidar para sentar e olhei para uma cadeira embaixo da janela com uma pilha de roupas em cima. Um sutiã branco pendurado por cima me fez reconsiderar. Então, sentei-me na ponta da cama, tentando não olhar para a cadeira. As costas de Ophelia estavam curvadas contra a cabeceira, os joelhos encolhidos na sua frente. Vestia calça de montaria e uma camiseta larga com um buraco na gola. O cabelo estava escorrido e solto.

Meus desenhos estavam em uma mesa com um abajur ao lado da cama. Perto deles havia um porta-retratos com uma fotografia de Ophelia montada em Pippi, mas era para os meus desenhos que ela não parava de olhar desde que se sentara. Inclinei-me e estendi a mão.

— Posso vê-los de novo?

Ela piscou, depois ergueu os desenhos da mesa como se fossem frágeis como um filhote de passarinho. Peguei. Era difícil acreditar que tinham sido feitos apenas dois dias antes. Pippi estava tão calma, tão cheia de vida. Agora estava gelada no pasto, coberta por uma lona. Um dos cantos da folha com as vinhetas estava borrado. Passei o dedo ali.

— Chorei um pouco em cima dele — disse ela. Sua voz era fria, vazia. — Desculpe.

— Tudo bem. — Devolvi o desenho, olhando em volta do quarto no silêncio que se seguiu. Não era parecido com nenhum quarto de menina que eu já vira. Não tinha nenhum pôster de algum galã, nem bijuterias ou maquiagens espalhadas, nem fotos de amigas. Um quadro era a única coisa nas paredes. Estava pendurado em cima de uma grande coleção de CDs e de uma prateleira maior ainda de livros. Embaixo da penteadeira, um par de galochas cobertas de lama estava jogado. Em cima, uma escova com fios de cabelos louros brilhava na luz do sol.

— Achei que você estaria sentada no escuro com as cortinas fechadas — admiti.

— Talvez, se eu quisesse ficar ainda mais deprimida, eu fizesse isso — comentou ela. — Mas o mundo lá fora é o que me mantém sã. Sufocaria sem ele.

Uma brisa entrou pela janela, mexendo o cabelo escorrido dela e trazendo à tona um cheiro de cavalo que supus vir da própria Ophelia. Sua aparência era selvagem, como algum tipo de criatura louca das florestas.

Eu me mexi na cama.

— De que ela morreu?

— Intestino torcido. — Ela fitava os desenhos. — Bem, o choque séptico por causa do intestino torcido foi o que realmente a matou. O veterinário a sedou e tentou fazer uma cirurgia, mas era tarde demais. Ele disse que o intestino já estava distendido. — Ela me olhou de repente. — Você não tem medo de falar sobre isso, não é?

— Sobre o quê?

— Morte. Por quê?

Olhei nos seus olhos, preocupado de tê-la deixado chateada por ser tão direto. Mas não havia raiva nem mágoa nos olhos dela, só curiosidade. Por que eu não tinha medo de falar sobre a morte? Era uma boa pergunta. *Porque é inevitável*, pensei. *Porque já experimentei a morte. Porque ela me cerca aonde quer que eu vá e eu não sei como impedir.*

— Porque minha mãe morreu três anos atrás — falei. — E não existe momento mais solitário. As pessoas, amigos e parentes, evitam você. Não porque não se importam, mas porque não sabem o que dizer. E, quando falam a respeito, usam expressões como "dormindo", "se foi" ou "no paraíso". Isso nunca ajuda. Era como fingir que não era real, que ela não tinha morrido. Que ela acordaria. Ou que o céu era apenas um lugar aonde ela fora para bater um papo, como a casa de um vizinho, mas que voltaria logo.

As palavras saíram de mim como uma torrente, como se uma represa cuidadosamente construída tivesse sido rompida. Nem sabia que elas estavam vindo. E, agora que tinham saído, parecia não seria possível parar.

— Adam, meu irmão, ainda vai visitar o túmulo dela. No aniversário dela e no aniversário de quando ela morreu. Toda vez digo para mim mesmo que não vou, mas ele acaba sempre me convencendo. E eu odeio. Volto me sentindo pior porque fico lá parado, escutando ele falar com o chão e sei que não é ela que está ali. Não é ela nem quem ela era.

— Como... o que aconteceu com ela?

— Câncer. Ela já tinha vencido a doença uma vez, mas aí voltou e ela não conseguiu...

Parei. Ophelia tinha chegado mais perto. A mão enluvada em cima da minha. Minha mão ardia sob o toque dela. Percebi que queria entrelaçar meus dedos com os dela. A única coisa que me impedia era a possibilidade de ela afastar a mão.

— Desculpe — sussurrei. — Não vim aqui para ficar tagarelando sobre minha mãe morta.

— Não precisa se desculpar. Eu agradeço.

— Agradece por eu tê-la deixado ainda mais deprimida?

A mão dela não tinha se mexido.

— Agradeço por você ter usado palavras de verdade como "morreu". Por você ter perguntado por Pippi, mas não ter perguntado se eu estava bem... eu *não* estou bem. Mas você já sabia disso. E agradeço por ter se oferecido para me fazer companhia ontem, mesmo mal conseguindo andar.

— Eu teria conseguido. — Lentamente, abri os dedos, deixando os de Ophelia entrarem nos espaços entre eles. Nossos dedos se entrelaçaram. Fechei minha mão em volta da dela, apertando seus dedos na palma da minha mão. Minha respiração acelerou. — Se você tivesse pedido, eu teria ficado com você.

— Eu sei. — Ela estava tão perto que eu podia ver as marcas de lágrimas no seu rosto. Em alguns lugares, pequenas fibras do lenço de papel que ela usara estavam grudadas, parecendo geada. Levantei a outra mão e passei o polegar pela pele dela. Estava macia e úmida. Com o pulso acelerado, ergui seu queixo. Nós nos encaramos por um longo momento. Rocei meus lábios no rosto dela, sentindo o gosto salgado que estava ali. Ela estremeceu quando meus lábios encontraram os dela, fechando os olhos pouco antes.

Nós nos separamos ao escutar um leve estalo do lado de fora da porta. Beijei o dedo que ela colocou sobre meus lábios. As pupilas dela estavam dilatadas.

— *Una* — sussurrou ela.

Levantei da cama, ainda segurando a mão dela.

— Quer ir para algum lugar?

— Depende — murmurou ela, olhando para a porta.

— De quê?

— Se eu vou poder beijar mais você. Ou se eu vou poder xingar e gritar como a vida é injusta.

Assenti.

— Conheço um lugar onde você pode fazer as duas coisas.

Parte 2

Nunca vi uma deusa deslizando,
Mas minha amada caminha no
chão.

— William Shakespeare

Sono, essas pequenas fatias de mor-
te, como eu as odeio.

— Edgar Allan Poe

Capítulo 20

A *Imperatriz*

Ophelia dormiu durante a maior parte do caminho. Deixei o volume do rádio baixo, olhando de vez em quando para ela enquanto dirigia. O cabelo continuava solto. As pontas ainda pingavam do banho que ela tomara antes de sairmos. Seus lábios estavam levemente abertos, como se ela esperasse outro beijo. Eu ainda não conseguia acreditar que a tinha beijado, nem que lutara contra isso por tanto tempo. Parecia *certo*. Mais do que certo. Era como acordar e vê-la de verdade... vê-la pela primeira vez.

Ela se mexeu quando parei no jardim, mas não acordou. Estacionei o carro e toquei no ombro dela.

— Humm? — Ela aninhou o rosto na minha mão. Abriu os olhos, ainda sem foco, mas menos vermelhos e inchados do que antes. Por um momento, ela pareceu em paz. Então, a tristeza invadiu seus olhos. Ela lembrara.

— Desculpe. — Ela prendeu um bocejo. — Não queria pegar no sono. Acho que estava exausta.

— Sei como é.

Ela virou a cabeça para a janela.

— Já chegamos?

— Ainda não. Mas parei para trocar de roupa. Temos muito tempo antes da primeira banda começar.

Nossos passos ecoaram pelo quarteirão. A gata deu um miado de boas-vindas quando coloquei a chave na porta e se enroscou nas nossas pernas. Ophelia se ajoelhou e fez carinho nela. Joguei as chaves e a carteira na cozinha.

— Então, você mora aqui com seu pai e seu irmão? — perguntou ela.

— Só meu pai. Adam se mudou no ano passado. Ele mora com a namorada em uma república.

— Cadê seu pai?

— Se não está aqui, deve estar no trabalho. — Abri a geladeira e peguei uma caixa de suco de maçã, servindo dois copos. Tomei o meu de uma só vez e me debrucei na bancada, observando Ophelia tomar o dela mais devagar. — Algum dia eu vou poder ver o que tem aí embaixo? — perguntei.

Ela falou para dentro do copo:

— O quê?

— As luvas. — Peguei a mão dela, puxando-a para mais perto. — Você ainda está com elas.

— Ah. — Ela colocou o copo em cima da mesa. — É só... costume. Hodge ficou furioso quando fiz a hena. Disse que me fazia parecer uma prostituta barata e que ele não tinha prostitutas embaixo do teto dele. Então, esse é o acordo. Até eu completar 18 anos. Vou sair de lá antes mesmo de acenderem as velas. E, de certa forma, as luvas são úteis, assim posso esconder quando a hena está apagando e fazer de novo sem que ele saiba.

— De quanto em quanto tempo você precisa refazer?

— A cada três semanas. — Ela riu. — Eu disse que durava seis meses, ele não faz ideia que já fiz mais quatro vezes depois. E, na época em que ele pensar que vai estar apagando, vou embora.

Peguei a outra mão dela.

— Ele é meio superprotetor, não é?

Ela assentiu.

— Sempre foi assim, desde que eu era pequena. Naquela época, acho que até gostava. Eles me mimavam porque não tiveram filhos e, com uma mãe como a minha, ficava feliz em deixar eles me tratarem desse jeito.

— Onde está ela? — perguntei. — Sua mãe?

— Da última vez que fiquei sabendo, em um tipo de retiro de escritores em Paris. Isso foi há quatro meses. Desde então, não tenho notícias. Antes disso, estava em Viena e, antes, em Berlim, acho.

Soltei um assovio baixo.

— Ela roda bastante.

— Em mais de um aspecto. Com qualquer vagabundo ou errante que ela encontra pelo caminho. Desta vez, é um escritor. — Ela bufou.

— Está se sentindo um tipo de musa de novo.

— De novo?

— Como você acha que acabei com o nome Ophelia?

— Deixe-me adivinhar... ela estava saindo com outro escritor ou... artista?

— Um pintor em Florença, dezoito anos atrás. Ele fazia parte de algum grupo, eram três integrantes aparentemente. Eles achavam que seriam a próxima irmandade Pré-Rafaelita ou algo do tipo. Ela passou o verão servindo de modelo para eles, andando seminua e dizendo para quem quisesse ouvir que seria a próxima Lizzie Sidall.

— A modelo de artistas?

— Isso. E ela estragou isso assim como fez com todas as outras coisas. Apareceu na porta de Una grávida de cinco meses, sem ter para onde ir. — Ela abriu um sorrisinho contido. — O grupo de separou quando eles descobriram que ela estava dormindo com os três. Acho que nem ela sabia quem era o meu pai. — Ophelia segurou a minha mão com mais força. — Ela ficou por perto até eu completar 9 anos, indo e voltando. Ela ainda inventava algumas modas. Às vezes, levava-me para o outro lado do país ou até mesmo para a Europa, em qualquer esquema louco que ela imaginava. Outras vezes, largava-me na casa de Una e Arthur, quando estava em uma das suas crises de depressão. Eu entrava e saía de escolas, estudava em casa, ou não estudava. Por isso minha letra é péssima. Na escola, todo mundo me achava lenta e burra. Sempre uma estranha, nunca fiquei tempo suficiente para fazer amigos.

"Aí, ela entrou em uma depressão que parecia não ter fim. Um dia, eu estava com Una. Nós fomos visitá-la. Quando entramos, ela se trancou no banheiro. Una me mandou ficar na cozinha, mas eu podia escutar minha mãe chorando e dizendo como se sentia presa. Como não tinha nascido para ser mãe. Quando Una finalmente a convenceu a abrir a porta, ela gritou, e eu, claro, fui correndo. Una tentou a esconder de mim, mas consegui ver as marcas de sangue nela... e a faca de cozinha."

— Merda. Ela tentou se matar? — Estremeci involuntariamente. Neste exato momento, começou a sair água da torneira da cozinha. Água gelada que bateu na pilha de louça na pia e respingou em nós.

— Meu Deus! — Ophelia deu um pulo para trás, soltando minha mão.

Na verdade, não. Isso foi Tess.

Eu me virei para fechar a torneira. De costas para a bancada, eu fora o mais atingido, e agora água escorria pelo meu pescoço e minha coluna como um dedo gelado.

Ophelia riu. Pelo menos, era alguma coisa. Eu não sentia a menor vontade de rir.

— Isso acontece sempre? — perguntou ela, sacudindo o braço para se livrar da água.

— Está começando — falei baixinho.

— O quê?

— Problemas hidráulicos — disse mais claramente. — Esses apartamentos são antigos. — Dei um pano de prato para ela, depois tirei minha camiseta encharcada e joguei na máquina de lavar. Sabia que os olhos de Ophelia estavam no meu peito nu. Por algum motivo, não importava.

Eu não estava mais envergonhado nem desconfortável com ela. Ela me viu seminu, usando só uma roupa de cavalo, no dia anterior mesmo. E, ainda assim, quis me beijar. Esse pensamento afastou os tremores.

— Enfim, de qualquer forma — disse ela —, parecia pior do que realmente era. Apenas cortes superficiais. Ela não pressionou o suficiente. Com a faca, quero dizer. Depois disso, todos eles, Una, Hodge e minha mãe, decidiram que seria melhor para todo mundo se eu ficasse de vez com os meus tios. — Ela dobrou o pano de prato e colocou na bancada. — De vez em quando, ela aparece. Quando se sente culpada. Ou quando está sem dinheiro.

— Ela parece uma criança rebelde.

— Eu pensava assim. Que ela era uma criança rebelde, uma sonhadora. Ela sempre foi tão boêmia, fazendo o que quisesse quando quisesse. Ainda tento vê-la assim, mas está ficando cada vez mais difícil. Na maior parte do tempo, acho que é apenas uma vaca egoísta. — Ela se aproximou de novo. — Às vezes, tenho medo de acabar igual a ela.

— Como assim?

Ela fitou as mãos enluvadas antes de me olhar.

— A hena. É o tipo de coisa que ela faria. Talvez seja a verdadeira razão de Hodge odiar tanto olhar para ela. Provavelmente, faz com que se lembre da minha mãe.

Os olhos dela estavam tão cinza, como uma nuvem de tempestade. Puxei-a para mim, encaixando sua cabeça embaixo do meu queixo. Os braços dela me envolveram. Senti o cheiro de seus cabelos, que emanavam o aroma fresco de laranjas. Não eram brilhosos, mas eram macios. Palpáveis. Passei meus dedos pelos fios, seguindo a curva das costas dela. No meio do caminho, minha mão paralisou.

Passos molhados brilhavam no piso. A princípio só dois, perto da pia. Assisti, horrorizado, enquanto outros apareciam, cada vez mais rápido, formando uma trilha molhada que passava por nós e seguia até o corredor. Percebi que estava agarrando Ophelia com muita força e me obriguei a soltá-la.

— Venha — sussurrei, tentando disfarçar que meus dentes tremiam. Levei-a para fora da cozinha, passando o pé nas marcas de água para que tomassem formas irreconhecíveis e rezando para Ophelia não notar. Na sala, liguei a televisão. — Vou tomar um banho rápido e vamos embora daqui.

Antes mesmo que ela se sentasse, eu já estava no banheiro, fechando a porta e pressionando minhas costas contra ela. O ar ali estava gelado, deixando a minha pele arrepiada. Minha respiração condensava em nuvens brancas na frente do meu rosto. A banheira estava cheia de novo, até o limite antes de transbordar.

— Tess — sussurrei —, sei que você está aqui.

Uma corrente de ar me envolveu.

— Estou implorando. Por favor, não faça isso agora.

O frio se intensificou quando uma palavra surgiu na minha cabeça, do nada. Não foi dita nem escutada, apenas apareceu ali.

Quando.

Passei os braços em volta do corpo.

— Mais tarde... hoje à noite. Quando eu estiver dormindo. O que quer que você queira me dizer, diga à noite. Mas, *por favor...* agora não.

Partículas congeladas se formaram no espelho em cima da pia, deixando marcas que pareciam de cabelo no vidro. Estremeci e fui até a banheira, tirando a tampa. Foi como quebrar uma maldição. Na mesma hora, o ar aqueceu e o gelo no espelho começou a derreter. Eu não conseguia parar de tremer mesmo sabendo que Tess não estava mais ali. Na minha mente, eu via os passos formando uma trilha pelo apartamento todo, levando ao seu túmulo de água.

Não sabia o que me chateava mais: as coisas que ela fazia ou o fato de que ela não estava mais satisfeita em me assombrar apenas quando eu estava dormindo. Ela conseguira entrar na minha vida acordado, e parecia que quanto mais eu temia e acreditava nela, mais forte ficava. Ou talvez, pensei, alguma barreira se rompeu quando aquela coisa morta entrou no meu corpo no Vidas Passadas. Se a barreira tinha sido rompida, como eu poderia consertá-la, se é que ela *podia* ser consertada?

Uma batida na porta me fez arfar.

— Elliott? Posso escutar música?

Soltei o ar em um assobio.

— Claro. — Abri a porta, rápido demais. Ophelia me olhou de forma estranha.

— Você está bem? Parece pálido.

— Estou bem. Provavelmente só reagindo à poluição da cidade depois de me acostumar a Calthorpe. — Consegui sorrir. — Todo aquele ar puro.

Ela comprimiu os lábios, seguindo-me pelo corredor.

— Eu abriria mão do ar puro para morar em um lugar onde eu pudesse andar na rua sem que todos soubessem o meu nome.

Entrei na frente dela no quarto, apressadamente colocando as cobertas no lugar, já que havia deixado a cama por fazer aquela manhã. Apontei para uma prateleira de CDs ao lado da cômoda.

— Fique à vontade. Volto em um minuto.

— Momento da verdade. — Ophelia passou por mim e se ajoelhou.

— Quê?

Ela sorriu.

— Onde eu consigo dissecar o seu gosto musical.

— Agora estou nervoso.

— Deveria ficar mesmo — implicou ela. — Posso não estar aqui quando você voltar.

— Acho melhor dar um beijo de despedida, nesse caso. — Abaixei-me, cobrindo os lábios dela com os meus antes que ela me empurrasse, rindo.

Pegando roupas limpas, voltei para o banheiro. Por um milagre, consegui tomar um banho decente, com água quente o tempo todo. Tess estava obviamente guardando seus talentos para mais tarde. Afastei-a da cabeça e me ensaboei vigorosamente, fazendo a cor e o calor voltarem para a minha pele. Trinquei os dentes quando toquei meu joelho machucado, mas já estava um pouco melhor. Desliguei a água, cantarolando no silêncio enquanto me enxugava e vestia. Franzi a testa e parei de cantarolar. Por que estava silêncio?

— Ophelia? — chamei, indo para o corredor.

— Aqui. — A voz dela estava baixa.

Entrei no quarto, ainda enxugando o cabelo.

— Estava tudo tão quieto que achei que estava falando sério sobre ir embora... — parei. Ela estava sentada na minha cama, longe dos CDs. Segurava uma folha de papel grande e grossa.

Ah, não.

— Eu... não entendo. — Ela parecia perdida. — Essas... essas são as *minhas* mãos. Mas nunca tirei as luvas na sua frente. Eu *sei* que não tirei.

Fitei o papel. Estava tão absorvido por Ophelia que me esquecera completamente do desenho das mãos dela em cima da cômoda. Os padrões serpenteavam e davam voltas, como uma impressão digital me acusando de roubar algo que eu não devia ter visto.

— Não — falei com a voz rouca.

— Então... como? — O papel tremia, traindo-a. — Como isso é possível?

Sentei-me ao lado dela antes que meus joelhos ficassem bambos.

— Por favor, não surte.

— Eu *já* estou surtando.

Devagar, estendi a mão e tirei o desenho das mãos dela, deixando--o no chão. Peguei as mãos dela, engolindo enquanto tirava uma luva, depois a outra. Ela não disse nada, mas pude sentir que estava tremendo.

— Naquela noite, na prisão — comecei —, eu tive uma das minhas... Quando fui dormir, saí do meu corpo. Eu me vi na cama. Pela primeira vez, encarei o medo. Impedi-me de voltar logo para o meu corpo. Saí da cela e...

— Entrou na minha — sussurrou ela, fitando as mãos. As pontas dos meus dedos contornavam os cabelos da mulher, os sicômoros e as folhas caídas.

— Você estava encostada na parede. Era tarde, todo mundo dormia. Você só olhava para o nada. Vi suas mãos no seu colo e não consegui mais parar de olhar para elas.

Ela fitou o desenho.

— Você deve ter olhado por um bom tempo.

— Sim. — Meu olhar encontrou o dela com dificuldade, com medo de como ela reagiria ao saber que não estivera sozinha em um momento que achara ser privado.

— Por quê? — foi só o que ela perguntou.

Meu coração batia contra as minhas costelas como se quisesse fugir.

— Porque eu nunca tinha visto nada assim antes. E porque, naquele momento, você deixou de ser uma tela em branco e se tornou outra coisa. Misteriosa. Linda.

— Então... é real? — As mãos dela apertaram as minhas com mais força. — Quando você sai do seu corpo... não é só um sonho. O que você vê é real?

Engoli seco.

— É. — A vontade de contar *tudo* para ela, de desabafar o terror daquela situação, tomou conta de mim. Procurei as palavras, perguntando-me o quanto mais ela aguentaria e continuaria aqui. Não tinha ido embora ainda. Então...

— Nunca ninguém me olhou por tanto tempo assim.

A voz dela foi apenas um sussurro, mas soou como um grito para mim, afastando qualquer ideia que pudesse ter de contar tudo e arriscar perdê-la. Em vez disso, levantei a mão dela com a imagem da mulher até minha bochecha e a deixei ali.

Juntos, deitamos, mergulhando nos lençóis amassados cara a cara.

— Quem é ela? — murmurei. — A mulher da sua mão?

Ophelia fitou-me através dos cílios. Eram tão claros que pareciam quase transparentes.

— Você sabe alguma coisa sobre tarô? — perguntou ela.

— Só que tem uma carta da morte.

— Que não significa morte, não literalmente. Tem mais a ver com uma porta se fechando e outra se abrindo. Recomeços.

— Não achei que você fosse chegada a tarô.

— Não sou. Foi uma das "modas" da minha mãe por um tempo. Só sei o que me lembro das leituras dela. Ela era tão misteriosa com as cartas. Guardava-as em uma caixa de madeira. Não deixava que ninguém tocasse, só ela e a pessoa para quem ela estivesse lendo. As energias seriam corrompidas, era o que dizia. Mas, como sempre, ela se cansou das cartas e seguiu para a próxima moda. — Ophelia abriu um sorriso irônico. — Depois, acabou me dando as cartas para eu brincar. Eu tinha tanto cuidado com elas, achava que eram mágicas. Mas o que eu mais amava eram os desenhos. Havia esta carta... a Imperatriz. Uma mulher usando uma coroa de estrelas. Ela me disse que era um poderoso símbolo de maternidade. Às vezes, quando ela ia embora, eu dormia com essa carta embaixo do travesseiro. Pedindo que ela voltasse.

Levantei a outra mão.

— E esses desenhos? O que são as folhas caídas?

— Perdas e tempo passado. Faz com que eu me lembre de que preciso esquecer. — Ela abaixou os olhos. — Parece tão triste, não é? Aposto que preferiria não ter perguntado.

— Não. — Beijei uma das mãos, depois a outra. — Preferiria ter perguntando antes.

— Você está atrasado — disse Adam sobre o ombro, abrindo caminho pelo salão lotado nos fundos do The Acorn.

— Não muito. — Segurando a mão de Ophelia, fui atrás dele, fazendo o melhor que podia para desviar de cotovelos e bebidas.

— De qualquer forma, não perdeu nada. Uma das bandas ficou presa no engarrafamento, mas vão ficar por último. Vai começar a qualquer momento. Somos a segunda banda.

Ele parou em uma mesa perto do palco, derramando cerveja ao pousar os três copos que estava carregando. Eu consegui localizá-lo no bar quando ainda estava na porta. Não era difícil encontrar Adam, nem em um lugar cheio. Era só olhar para onde a maioria das garotas estava virada.

— Então, a famosa Ophelia. — Ele abriu um sorriso curioso, os olhos se prolongando nas mãos dela. Ela deixara as luvas no carro. — Finalmente nos conhecemos. Sou Adam.

Encolhi-me, torcendo para ele não mencionar o incidente da arma. Graças a Deus, ele não falou nada.

— Guardamos lugares para vocês ali, perto da Amy. O que querem beber?

Deixei Ophelia com Amy e fui até o bar com Adam.

— Nada mal para uma caipira — disse ele, quando não podiam mais nos escutar. — Mas não é o seu tipo.

— Talvez seja por isso que eu gosto dela.

— Você finalmente admitiu, então. As mãos delas são legais. — Ele acenou com uma nota por cima do balcão. — Vamos lá, Pete! É minha noite de folga, não me faça esperar... Preferência por ser da casa, sabe como é, né? — Ele se virou para mim. — Tem certeza de que só quer uma Coca?

— Estou dirigindo.

Ele me entregou uma garrafa de cidra para Ophelia.

— Bem, nada de deixá-la muito bêbada. Se ela vomitar, é o meu pescoço que está na reta. E eu provavelmente ainda vou ter que limpar.

A primeira banda começou quando nos sentamos. A música soou pelo salão, crescendo ali dentro. À nossa volta, as pessoas bebiam, dançavam, conversavam. O vocalista gritava no microfone, as palavras ininteligíveis.

Aproximei-me de Ophelia.

— Viu? Você pode gritar e berrar o quanto quiser aqui, ninguém vai escutar!

— O quê? — gritou ela em resposta. Precisei repetir três vezes até ela escutar.

Terminamos nossas bebidas quando a banda parou de tocar. Adam comprou mais. Voltando do bar, ele acenou com a cabeça em direção à pista de dança.

— Ali... não é aquela garota com quem você estava saindo um tempo atrás?

Olhei para a esquerda.

— Juliet — murmurei. Ela estava parada com duas amigas, olhando para mim com o que só pode ser descrito como cara feia.

Adam abafou o riso.

— Acho que não está mais sentindo pena de você.

— E voltou ao estágio da raiva.

— Você está aqui com outra garota. O que esperava? — Ele virou a cerveja com um sorrisinho. — Ela é sempre gostosa assim ou só quando está irritada?

Dei uma cotovelada nele.

— Cale a boca. E se concentre na Amy. Não vi você falando com ela ainda.

Ele revirou os olhos.

— Eu a vejo todo dia.

Sentei-me quando Adam e o resto da banda se levantaram para assumir o palco. Com exceção do baterista, Chris, eu só conhecia os outros de vista. Em poucos minutos, eles estavam prontos. Adam tomou seu lugar no microfone, e eles começaram com um cover de Kings of Leon. O clima estava elétrico. No palco, Adam era praticamente um deus. Eu conhecia a rotina: os olhos dele vasculhavam a pista de dança, procurando por garotas bonitas para quem cantar determinados versos. Na terceira música, senti um aperto no peito. Ele não tinha olhado na direção de Amy nenhuma vez.

No meio do repertório deles, aproximei-me do ouvido de Ophelia.

— Quer dançar a próxima? — perguntei.

— Quer que todo mundo vá embora?

Eu ri.

— Por que não? Está cheio demais aqui.

— Vamos fazer um acordo. Se eu gostar da música, eu danço.

— Combinado. — Eu me levantei.

— Espere... aonde você vai?

— Pedir uma música para Adam. — Abri um sorriso travesso. — Lembro-me de ter visto um monte de CDs da Kate Bush na sua coleção. Ela ficou boquiaberta.

— O quê? Quando...?

— Quando você estava tomando banho. Você não foi a única a dissecar gostos musicais hoje.

— Isso é trapaça. De qualquer forma, não cheguei a ver o seus. O desenho me distraiu.

— Que pena. — Fui me afastando dela. — Parece que vou segurar você por um pouco mais de tempo.

Apesar da multidão, os olhos de Juliet estavam cravados em mim quando atravessei a pista de dança. Consegui passar metade do caminho sem olhar para ela, mas cada passo que eu dava, parecia que meus pés ficavam mais pesados. Parei, respirei fundo e virei, aproximando-me. Ela arregalou os olhos.

— Oi, Juliet.

— O que você quer?

Não foi o mais simpático dos cumprimentos, mas pelo menos ela não me mandou cair fora. Ainda.

— Posso falar com você? Sozinha?

Ela olhou para as amigas.

— Vocês podem pegar mais bebida? Encontro vocês no bar.

As amigas dela me olharam com raiva e saíram, cochichando.

— E aí? — O tom de voz dela era incisivo. Tinha me esquecido de como ela era bonita.

— Olhe, isso é estranho...

— Você tornou estranho.

— Eu sei. E sei a forma como tratei você. — Desejei não ter deixado a bebida na mesa. Minha boca estava seca. — Você não merecia.

— Então, por quê?

Forcei meus olhos a encontrarem os dela.

— Porque eu era assim e fazia esse tipo de coisa. Queria me divertir, sem compromissos.

— Mas você não é mais assim. É isso o que está me dizendo?

— É. Eu não quero mais ser aquela pessoa.

— Essa é a hora que você tenta voltar comigo?

— Não — falei, da forma mais gentil que consegui. — É a hora na qual eu peço desculpas.

Ela assentiu, abaixando o olhar.

— Desculpas aceitas. — Quando ela levantou o olhar, estava tentando sorrir. — Então... aquela garota que está com você. Vocês estão juntos?

Virei-me para Ophelia, mas alguém bloqueou minha visão.

— Não tenho certeza. Acho que sim. Espero que sim.

— Então seja legal com ela, Elliott — disse ela, olhando para o bar. — É melhor eu ir. Mas... obrigada. Por vir falar comigo. Fiquei feliz.

— Sem problema.

Ela abriu um sorriso de verdade agora.

— A gente se vê.

— Isso aí. Se cuida, Juliet.

E assim o peso desapareceu dos meus pés. Andei para o palco me sentindo mais leve. Melhor. Adam estava enxugando o rosto com uma toalha quando cheguei.

— Ei. — Ele se abaixou na beirada do palco. — O que você disse para ela?

Enfiei as mãos nos bolsos.

— Pedi desculpas.

Adam fez uma careta.

— *O quê?* Eu não te ensinei nada? Nunca peça desculpas! Agora ela vai parar de achar que a culpa foi dela e vai falar para todo mundo que foi sua.

— E foi.

Ele me bateu com a toalha.

— Você não deveria admitir isso.

— E daí? Fui um babaca e ela não merecia. Pedi desculpas e agora estou me sentindo melhor, assim como ela. Ponto final.

Ele emitiu um som de nojo e pegou uma garrafa de água.

— Falando em ser um babaca, por quanto tempo mais você acha que Amy vai aturar você flertando com outras garotas?

— Que inferno, Eli! Cale a boca, ok? — Ele tomou um gole, furioso.

— Ajuda a ganhar votos. Amy sabe as regras: pode olhar, mas sem tocar.

— Bem, espero que *você* também saiba. Não é Amy quem está dando em cima de metade do salão.

— Desde quando *você* me dá lição de moral?

— Não é uma lição de moral, apenas uma observação.

— Olhe, só porque está com Ophelia não significa que seja um Romeu.

— Esse seria Hamlet. Romeu é com Julieta.

— Que seja. Não consigo acompanhar todas essas suas garotas shakespearianas. — Ele levantou uma sobrancelha. — Era só isso?

— Não, preciso de um favor.

— Então você me dá lição de moral e tem a cara de pau de me pedir um favor?

— Sou seu irmão, posso ser cara de pau. — Sorri. — Além disso, eu quase morri, o quer dizer que você não pode dizer não para mim. Nunca.

— Fico feliz em ver que não parou de apelar para a chantagem emocional. Estava começando a achar que você tinha sofrido um transplante de personalidade. O que quer?

— Conhece alguma música de Kate Bush?

— Infelizmente, sim. Por quê?

— Pode tocar?

— O quê... *agora?* Aqui?

Gostei da forma como o tom de voz dele mudou. Era completamente diferente do Adam usual.

— Isso.

— Você está me sacaneando? Estamos tentando ganhar essa coisa, ou você não entendeu essa parte?

— Então faça algo inesperado. Sobressaia-se.

— Temos um repertório, você sabe. Não posso simplesmente mudar.

— Você pode fazer o que quiser. A banda escuta. Vai, por favor?

Adam balançou a cabeça, sem acreditar.

— Kate Bush?

— Você pode se dar bem. Ou está com medo do desafio?

Ele estreitou os olhos.

— É para Ophelia? Porque isso sim seria trágico.

Pisquei.

— Fico devendo uma. — Fui em direção à mesa antes que ele pudesse protestar.

Quando olhei para o palco de novo, Adam já estava com o microfone na mão. Ele me olhou, balançando a cabeça de novo, mas sorrindo.

— Então, a próxima música — disse ele, lentamente — é para Ophelia.

Fiz uma reverência e estendi a minha mão quando a banda tocou os primeiros acordes de *Running Up That Hill*.

— Lady Ophelia me daria a honra desta dança? — falei, esforçando-me para ficar sério.

Ela se levantou, o rosto corado.

— A lady aceita a oferta.

Abrimos caminho pela pista de dança, espremendo-nos entre a multidão. Ao contrário da apreensão de Adam, a música estava sendo bem aceita. Todo mundo parecia estar se amontoando na pista de dança, fazendo com que ficássemos ainda mais juntos.

— Não faço ideia de como se dança Kate Bush — confessei. As coxas de Ophelia pressionaram contra as minhas, deixando-me arrepiado. Não ajudou em nada a minha coordenação motora.

O cabelo dela fez cócegas na minha orelha.

— É só dançar como ela dança. O que estiver sentindo, o que a música estiver lhe dizendo. Como se fosse a sua última dança e você não ligasse a mínima para o que os outros vão pensar.

E foi o que eu fiz. Nós nos movemos juntos, rindo, girando e, no meu caso, mancando e tropeçando algumas vezes. Mas não importava. A música emendou na seguinte, e nós continuamos, perdidos na noite, perdidos no momento. Tudo acabou muito rápido, ao som de aplausos. Olhei para Adam. Ele estava ofegante e passou o braço pela testa.

— Vamos mais devagar agora — disse ele, sem fôlego. — E esta última é para a minha garota. — Ele olhou direto para ela. — Esta é para Amy.

Ele encontrou meu olhar e assentiu. Assenti também e sorri. Peguei a mão de Ophelia.

— Um pouco de ar puro?

— OK.

Fomos na direção da saída. Do lado de fora, o suor na minha pele ficou gelado com a brisa. Algumas pessoas estavam paradas à porta, os rostos iluminados pelos cigarros. Outras estavam reunidas em volta de um pequeno bar ao lado do estacionamento, anéis de fumaça serpenteando no ar noturno. Atravessamos o gramado alto até uma mesa vazia e montamos no banco, nossos joelhos se tocando.

Insetos zuniam acima de nós, formando uma auréola em volta do poste. Sob a luz fraca, Ophelia cintilava. O cabelo estava úmido nas têmporas e o rosto brilhava um pouco. A pele dela, agora que as marcas de lágrima e a vermelhidão tinham sumido, estava clara. Perfeita. Minhas mãos coçavam com vontade de tocá-la. Cheguei mais perto e coloquei-as na sua cintura. Por baixo da blusa fina, a pele estava úmida e quente.

— Sua noite está sendo boa? — perguntei.

— A melhor — disse ela, levantando a cabeça para olhar o céu. — Em muito tempo.

— A minha também.

Ela olhou para mim, depois para as próprias mãos, que estavam nos meus joelhos.

— Quem era aquela garota com quem você falou mais cedo?

Tirei a mão da cintura dela, contornando a hena com os dedos.

— O nome dela é Juliet. Saímos algumas vezes.

— Ela é bonita.

— É sim.

— Você ainda gosta dela?

— Não. Não desse jeito. Ela é uma menina legal, mas... — Parei, levantando a mão. Segurei o rosto dela, passando o polegar pelo lábio inferior.

— Mas o quê?

— Uma vez, formamos duplas na aula de arte. Tive que fazer um retrato dela. No final, a única coisa que ela disse foi: "você desenhou o meu nariz muito grande".

Ophelia soltou uma gargalhada.

— Isso não é nenhum crime.

— Não — admiti. — E eu tinha me esquecido completamente disso até ontem, quando falei que ia fazer um retrato seu. Esperei que você tivesse alguma exigência. Não me faça assim ou assado. Mas você não fez. Só disse que poderia ser interessante.

— E daí? — A tom de voz dela era suave.

— Quero uma garota que queira um retrato interessante, e não bonito. Quero a garota que seja doida o suficiente para apontar uma arma falsa para seus inimigos, que comece uma briga que sabe que não pode ganhar. Que não fique tentando agradar uma pessoa que acabou de conhecer. Uma garota que dance e não ligue a mínima para o que os outros pensam.

— A mínima — sussurrou ela.

Beijei-a avidamente, até que meus lábios latejassem e a necessidade de ar fosse a única coisa que me fizesse parar. Ela retribuiu com o mesmo desejo, com a mesma urgência.

Quando me afastei, seus lábios estavam vermelhos, inchados, como morangos maduros. A respiração dela era quente em meu rosto.

— E cadê o meu retrato?

— Ainda não desenhei — falei. Minha voz ficou abafada no cabelo dela. — Mas vou.

Foi quase perfeito.

Quase.

Até eu chegar em casa mais tarde, sozinho e com os olhos arranhando depois de dirigir; e, embora eu tenha pegado no sono com a intenção de sonhar com Ophelia, no fundo da minha mente, eu sabia que Tess viria. Como não, se eu mesmo a convidei?

Ela ficou em cima de mim durante a maior parte da noite, gritando silenciosamente na direção do meu travesseiro. Água gelada jorrava de sua boca e pingava de seus cabelos no meu rosto. As palavras se perdiam na torrente.

O quê? eu gritava para ela na minha cabeça. Minha cabeça estúpida, imóvel e muda. *O que está tentando me dizer? O que quer de mim?*

Mas ela não me escutava, assim como eu não a escutava. Toda vez que eu conseguia sair do transe, fazendo pequenos movimentos, ela desaparecia, reaparecendo em outro canto do quarto, ou eu sentia um peso terrível na ponta da cama, como se alguém tivesse sentado ali.

Acabei acordando — de verdade — às cinco, saindo da cama mais exausto do que quando deitei.

Capítulo 21

Estranhos

Na segunda-feira de manhã, quando atravessei os portões do museu, vi um homem debruçado sobre uma placa presa em um dos pilares. Normalmente eu não teria notado, mas o fato dele estar pregando alguma coisa por cima do pôster do Vidas Passadas chamou minha atenção. Quando o encarei, sua aparência me conteve. Ele era pequeno e desmazelado e se apoiava em uma bengala. Cabelo louro espetado, tão claro que era quase branco, espalhava-se pela cabeça como um dente-de-leão. Ele usava uma jaqueta de couro marrom com franjas, calça jeans rasgada e uma cruz prateada pendurada em uma orelha. Nada disso era bom, ainda mais em uma pessoa que parecia ter uns 60 anos.

Desviando o olhar, procurei na minha carteira o cartão magnético para abrir os portões. Quando finalmente encontrei e levantei o olhar de novo, vi uma pessoa atarracada vindo de dentro e indo em direção aos portões, com olhos furiosos. Hodge.

Abri a janela e passei meu cartão, pronto para cumprimentá-lo, mas ele não olhou na minha direção. No momento em que os portões se abriram o suficiente, ele se espremeu e passou com a expressão de um doberman. O homem se virou, surpreso, os olhos arregalados. Eles eram pálidos, apagados como o restante dele, mas desafiadores.

Escutei Hodge falar baixo, como se estivesse rosnando. Ele estendeu a mão, arrancou a fita adesiva do homem e jogou no mato. Vi a palavra SANTUÁRIO em letras garrafais na folha de papel que ele segurava pouco antes de Hodge rasgá-la e amassá-la no punho fechado.

Com a outra mão, ele empurrou o homem no peito, obrigando-o a dar um passo para trás. Um som enojado escapou dos meus lábios. Hodge realmente *empurrara* uma pessoa de bengala?

Abaixei o vidro do lado do carona. Palavras furiosas entraram.

— ...e se eu o vir aqui de novo com suas tentativas patéticas de propaganda, não vai ser mais comigo que você vai se ver. Vai ser com a polícia. Entendeu?

— Não é nenhum crime distribuir panfletos. — A voz do homem era tão fina quanto todo o seu corpo e ele tinha tanta chance contra Hodge quanto um piolho contra um pente.

— É sim, quando é em algum espaço pago para propaganda! — gritou Hodge. — Agora, sugiro que você volte para aquela cabana que você chama de negócio e se esqueça de tudo que você parece achar que sabe. — Ele chegou mais perto, sussurrando na cara do homem. — Ninguém está interessado.

Os portões estavam totalmente abertos agora e nada me impedia de entrar. Perguntei-me se Hodge tinha percebido que eu estava ali. Acreditei que sim, mas relutei em dar um passo. Se ele estava disposto a empurrar um homem de bengala na presença de uma testemunha, o que ele poderia fazer se não houvesse ninguém? E, para ser honesto, havia outra razão, menos nobre, para não ter ido embora: eu estava curioso.

Saí do carro. Hodge deu um pulo ao escutar a porta batendo.

— Está tudo bem? — perguntei, mais preocupado com o estranho.

— Tudo. — Hodge enfiou o papel amassado no bolso. — Só mandando um encrenqueiro cair fora.

O homem soltou um riso vazio e se afastou, a bengala batendo no chão.

Quando me virei para o carro, um homem uniformizado tinha saído da guarita ao lado dos portões. Ele caminhou até Hodge, mexendo no rádio em seu cinto. Voltei para o carro, perguntando-me por que Hodge viera até aqui se o segurança era mais do que capaz de resolver o problema sozinho. Não precisei imaginar por muito tempo. Com um aperto de mão característico, ele enfiou alguma coisa no bolso do segurança. Lembrei-me da forma como me deu dinheiro na sexta-feira. Estava claro que não se importava em pagar para as coisas serem feitas do seu jeito.

Enrolei um pouco ao colocar o cinto de segurança, os ouvidos atentos a qualquer conversa entre os dois homens. Escutei um tenso "me chame se ele voltar" de Hodge antes de cada um seguir seu caminho: ele voltou para o museu e o segurança para a guarita. Só quando liguei o motor e acelerei, dei uma olhada no cartaz de onde Hodge arrancara o panfleto. Era uma propaganda dos próximos finais de semana paranormais. Arrependi-me de não ter olhado melhor o panfleto do outro homem.

E se esqueça de tudo que você parece achar que sabe...

Pelo espelho retrovisor, observei a cabeça com cabelo espetado caminhando para o ponto de ônibus. Será que era o autor da carta misteriosa? Hodge parecera perturbado o suficiente e sua ameaça de chamar a polícia soara vazia. Aquilo era algo que ele queria resolver sozinho. Se eu estivesse certo, o homem planejava voltar para a caminhada fantasmagórica na quarta-feira. Duvido que ele fosse conseguir passar pelos portões. Pensei em ir atrás dele, perguntar o que sabia — ou achava que sabia —, mas afastei a ideia. A guarita de segurança tinha uma visão muito boa da estrada. Eu seria visto, e Hodge provavelmente saberia antes mesmo que eu estacionasse o carro.

Arranquei, pensando na palavra que conseguira ler antes de Hodge rasgar o panfleto. *Santuário*. Onde escutara isso antes? *O Santuário Weeping Cross...*

Então me lembrei: o livro de visitantes e o comentário de uma única palavra que tinha sido apagado. Até me lembrava de uma parte do nome:

Lesley alguma coisa. Será que Lesley e o homem de cabelo espetado tinham algum tipo de vendeta contra o museu?

Assim que estacionei, peguei o mapa. Não foi difícil encontrar Weeping Cross. Ficava a cinco quilômetros ao norte de Calthorpe. Eu podia ir e voltar de carro na hora do almoço. Fechei o mapa, pensativo. O que quer que estivesse acontecendo com Hodge não era da minha conta, mas uma pequena parte de mim não podia deixar de se perguntar por que ele parecia ter tantos inimigos. Se meus planos eram ficar com Ophelia, seria bom descobrir o motivo.

Saí do carro e o tranquei. Uma visita ao Santuário, o que quer que esse lugar fosse, poderia ser útil. Mas, por enquanto, eu tinha coisas mais importantes com as quais me preocupar, como Tess e como fazer com que ela me deixasse em paz.

Encontrei Ophelia no estábulo de Jasper, usando o ancinho para espalhar palha limpa. Encostei na porta para observá-la por um momento. O cabelo estava preso e usava calça de montaria marrom e camisa branca. A cor da pele do pescoço dela me fazia lembrar de mel.

— Oi.

Ela continuou o que estava fazendo, mal levantando o olhar.

— Oi.

Senti o sorriso nos meus lábios desmoronar. Passei o final de semana inteiro pensando praticamente só em Ophelia, e agora ela estava agindo como se eu não fosse ninguém.

— Estou vendo que a sua proibição de ficar perto dos cavalos acabou. — Minha voz soou estranha até para mim mesmo, como se estivesse grudada na minha garganta.

— É. — O forcado arranhou a pedra embaixo da palha, provocando uma agonia que me fez ranger os dentes. — Hodge passou o final de semana inteiro rastejando. Ele até disse que nunca mais vai me proibir de trabalhar com os cavalos, acredita? — Ela continuou sem esperar por uma resposta. — Um pouco tarde demais. — Ela parou e se apoiou no cabo, olhando para o chão. De repente, percebi a razão para ela estar distante. Estava tentando não chorar.

— Liguei para você ontem — falei, entrando no estábulo. — Una disse que você estava aqui. Com Pippi... e Hodge.

Ela fungou, encarando-me. Seus olhos brilhavam.

— Eu sei. Ia ligar de volta, mas...

— Tudo bem. Achei mesmo que você preferiria ficar sozinha.

— Eu... obrigada. — Ela abaixou a cabeça. — Eu só queria ficar aqui. Para me despedir antes de levarem o corpo, entende?

— Claro.

— Só que... eu preferia não ter vindo. Quando penso nela agora, lembro-me da maneira que a vi. Como um pedaço de carne sendo jogado em um caminhão. Não tem mais nada, só isso. — Ela soltou o forcado quando me aproximei, cruzando os braços.

— Vai passar — falei para ela. — Prometo. As boas lembranças vão voltar. — Ficamos parados ali, o tempo passando rápido demais até eu, relutantemente, soltá-la. — É melhor eu ir. Ainda tenho de me vestir.

Ela assentiu, o rosto ainda enterrado no meu peito.

— Você vai fazer alguma coisa na hora do almoço? — perguntou ela.

Na mesma hora, apaguei meus planos de ir a Weeping Cross. Poderia ir depois do trabalho.

— Não. E você?

— Além de fazer um boneco de vodu do Hodge e me sentir infeliz, não tenho nada.

— Parece divertido — respondi. — Posso me juntar a você?

Na hora do almoço, eu lutava para ficar de pé. Um fim de semana de sono fragmentado e atemorizante estava cobrando seu preço, e eu recorri à coisa que agravava ainda mais meus problemas: cafeína.

Longe de Calthorpe House e da vista de todos, eu e Ophelia passeamos de mãos dadas pelo pomar. Não pensei em voltar àquele lugar — não depois do que fiquei sabendo na caminhada fantasmagórica —, mas precisava admitir que era bem diferente à luz do dia. Em vez de me deixar com medo, o silêncio despertava o sentimento de paz.

Até eu ver a corda pendurada na árvore.

— O que é aquilo? — perguntei.

Ela olhou para os galhos.

— É o que sobrou de um velho balanço.

Relaxei, permitindo que ela me levasse.

— Dá para se perder aqui.

Ela balançou a cabeça.

— À noite, talvez. Não é tão grande quanto parece.

Não era um dia bonito, mas estava fresco. Sentamos na grama fofa e verde embaixo de uma árvore que ficava fora da vista da casa. Depois de comermos e deitamos, olhamos para o céu através dos galhos, minhas pálpebras pesadas. A cabeça de Ophelia era um peso confortável no meu braço, sua respiração quente no meu pescoço.

— Você está com cheiro de café — sussurrou ela.

— E você está com cheiro de cavalo.

Ela riu.

— É tão tranquilo.

Ophelia assentiu.

— Ninguém vem aqui, só na época da colheita.

— Por quê?

— Não sei. Não fica aberto ao público. De qualquer maneira, os visitantes só podem olhar da casa. Às vezes, você pode ver um ou dois funcionários aqui com um livro em um dia bonito, mas geralmente todos preferem ficar no Velho Celeiro pela conveniência. Talvez seja a superstição que mantém alguns longe. A história do servo enforcado e tudo o mais.

— Mas você não?

— Não tenho medo de histórias de fantasmas. ·

Gostaria de poder dizer o mesmo. Em vez disso, falei:

— Então, estamos realmente sozinhos?

— Totalmente.

— Tire suas luvas.

Silenciosamente, ela tirou. Passei as pontas dos dedos pelo labirinto de hena, depois encostei a palma de sua mão no meu rosto e a mantive ali. Em resposta, ela se apoiou no cotovelo, rolando seu peso na minha direção de forma a ficarmos cara a cara, o joelho dela entre os meus. De repente, eu não estava apenas acordado. Cada parte do meu copo queimava. Minhas mãos foram para a cintura dela. A camisa dela tinha se soltado da cintura da calça. Por baixo do tecido, sua pele estava quente, mas ela estremeceu quando meus dedos passearam por ali, explorando suas costas, o espaço macio entre suas omoplatas. A língua dela brincava com a minha, uma mecha de cabelo roçava na minha bochecha. A mão dela se moveu do meu rosto para o meu peito. Mais para baixo.

Considerando meu histórico em horários de almoço, esse era a melhor que eu já tivera.

Toques leves como de uma pluma no meu rosto. As pontas dos dedos de Ophelia? Os cílios dela? Não. Algo ainda mais leve. Flocos de neve caindo do céu cinza.

Mas não neva em junho...

Flores de maçã, pensei. Eu estava em um pomar, embaixo de árvores. Onde me permitira pegar no sono.

E agora não conseguia me mexer.

Meu corpo estava pesado. Sem vida. Tentei gritar, mas meus lábios não respondiam. Ophelia ainda estava aqui? Podia sentir a grama embaixo da minha mão, uma pedra nas minhas costas. Mas eu não conseguia *senti-la*, nem vê-la. Só conseguia ver a árvore retorcida se estendendo pelo céu acima de mim. Por que ela partira?

Pelo canto do olho, vi alguma coisa se mover. Uma pessoa. *Ophelia...*

A figura entrou no meu campo de visão. Um garoto, da minha idade ou um pouco mais jovem. Seus lábios eram finos, os olhos, escuros e alertas. Ele me parecia familiar, mas eu tinha certeza de que nunca o tinha visto antes. Usava uma túnica esfarrapada. Alguma coisa longa e sinuosa deslizava pela grama atrás dele conforme ele vinha na minha direção. Reconheci os movimentos: fluidos em um momento, rápidos e irregulares no outro, como em um filme defeituoso. Mesmo estando paralisado, senti os cabelos da minha nuca se arrepiarem. Ele se movia como Tess. Não estava fantasiado.

Ele era um *deles*.

Não estava ventando, mas o ar esfriava a cada passo que ele dava. Ele se agachou ao meu lado, debruçando-se sobre mim. Só então percebi que seu rosto estava sujo e com marcas de lágrimas. Flores de maçã passavam pelos dedos imundos dele, até chegarem ao pescoço. Ele puxou a túnica mais para baixo.

O grito reverberando na minha cabeça resultava, fisicamente, em pouco mais do que um suspiro. Cada célula do meu corpo se encolheu. Cada célula do meu corpo não tinha escolha a não ser ficar exatamente onde estava.

A corda amarrada em seu pescoço era fina, mas o nó era firme. Acima das unhas cobertas de sujeira, hematomas da cor de ameixas se espalhavam por seu pescoço. Ele abaixou o queixo, os olhos nivelando com os meus. Conforme eu observava, a parte branca foi lentamente desaparecendo. Vasos sanguíneos surgiram e se espalharam como uma trepadeira cobrindo toda a superfície. Dor, fúria e tristeza emanavam dele em ondas.

Ele abriu a boca, tentando falar. Saiu terra em vez de palavras. Farta e escura como grãos de café, caindo no meu rosto, nos meus olhos, na minha boca. Sufocando-me, cegando-me. Tentei levantar a mão para tirar, mas, como o resto do meu corpo, ela estava morta, formigando como se estivesse dormindo havia tanto tempo que a vida se esvaíra dela.

Uma coisa pequena, lembrei apesar do pânico. *Apenas... um dedinho para começar*. Concentrei-me, mantendo o pensamento na mente. Meu dedo mexeu. Curvou. Terra continuava a cair no meu rosto. *Não é real, não é real, não é real...*

— Elliott?

Passos no chão. Outro rosto sobre o meu. Um rosto de carne e osso, alheio ao rosto morto que estava tão perto do fino véu entre dormir e acordar.

— *Elliott?* — Ophelia agarrou meu braço, sacudindo-me. — Acorde! O que houve com você? — Ela levou a mão enluvada ao meu rosto. Bateu com força. — Elliott, *por favor!* — A voz dela era quase um soluço.

Um som abafado saiu como uma golfada da boca da aparição. As feições dele estavam contorcidas com fúria. Saliva e sangue e terra escorriam pelo seu queixo enquanto seus braços se estendiam sobre meu corpo na direção de Ophelia. Os lábios dele formaram uma única palavra muda. *Minha.*

Meu dedo se curvou de novo, e a mão acompanhou. Acima de mim, os dedos do garoto atravessaram o braço de Ophelia.

— *Nãããããããão!* — gritei, derrotando-o. Virei, tossindo a terra que não estava mais ali. Em um piscar de olhos, ele tinha sumido.

— O que diabos aconteceu com você? — Ophelia me agarrou, virando-me para encará-la. Nunca a tinha visto tão pálida. Agarrei-me a ela, tremendo, e enterrei o rosto em seu colo. Palavras que eu não podia controlar começaram a sair.

— Ele está aqui... Eu o *vi.*

— Quem está aqui? — Ela me sacudiu. — Elliott, você está me assustando.

— O garoto. O servo enforcado... Sebastian. Eu o vi...

— Não tem ninguém aqui, só nós. Você estava sonhando. — Os dedos dela acariciavam meu cabelo como se eu fosse um cavalo assustado que ela tentasse acalmar. Fechei os olhos. *Controle-se.*

— Por que você me deixou aqui? — Virei a cabeça para fitá-la. — Onde você estava?

— Você dormiu depois que nós... — Ela fez um gesto impotente. — Você parecia tão tranquilo que deixei você descansando. Fui pegar café.

Eu me levantei, ainda sentindo gosto de terra. Queria que passasse.

— Cadê?

Ophelia apontou para o chão a alguns metros dali. Dois copos de papel vazios estavam caídos na grama.

— Deixei cair quando vi você. Entrei em pânico... achei que estivesse tendo algum tipo de convulsão. Seus olhos estavam abertos e você estava se contorcendo.

— Eu podia ver você — falei — e escutar. Só não conseguia acordar.

— Fiquei de pé, um pouco sem equilíbrio enquanto limpava a grama da minha roupa e colocava a camisa para dentro. A sensação de pânico estava diminuindo agora, mas a vergonha já estava pronta para tomar o seu lugar. Não podia acreditar que isso tinha acontecido na frente dela. — Que horas são? — perguntei com a voz rouca.

— Quase duas. Hora de voltar.

Deixei que ela pegasse a minha mão, apesar de estar muito suada.

— Tem certeza de que está bem? — perguntou ela.

— Tenho. — *Não.* Forcei um sorriso, puxando-a para longe do pomar. — Estou bem. Foi só um sonho.

Capítulo 22

Weeping Cross

Murmurei de forma monótona durante o restante dos passeios da tarde, pela primeira vez satisfeito pela repetição que eu costumava ressentir. Foi a única coisa que me manteve nos trilhos. Mesmo assim, minhas apresentações foram péssimas. Esperava reclamações, e não demorou muito até começar a recebê-las.

Durante o último intervalo do dia, fiz café no Velho Celeiro e levei para os estábulos, o som dos cascos dos cavalos enchendo meus ouvidos. Ao longe, vi Ophelia na charrete, levando visitantes pela Planície. Por um breve momento, fechei os olhos e revivi aqueles momentos no pomar: a pele macia, o gosto dela. Antes de Sebastian aparecer e estragar tudo.

Abri os olhos e continuei vendo suas feições contorcidas. A mão dele querendo empurrar Ophelia para longe, como um lobo rosnando por cima dos últimos pedaços de uma caça.

Minha.

Dedos se fecharam em volta do meu braço. Levei um susto, quase derramando o líquido escuro.

— Calma. — Hodge falou baixo. Assoviou, soltando o meu braço. — O que assustou você?

— Nada. — Segurei-me na porta do estábulo.

Hodge me fitou.

— Não me parece nada.

Fiquei em silêncio. Ele suspirou.

— Escute, Elliott. Detesto ser chato, mas o último grupo que você guiou... da escola. Bem, eles não ficaram felizes. Disseram que você não estava envolvido, as crianças não estavam escutando. Tive de reembolsá--los. Você deveria estar *ganhando* dinheiro para o museu, não perdendo.

— Sinto muito. — Minha voz saiu desafinada. — Não estou... me sentindo eu mesmo hoje.

Hodge balançou a cabeça.

— Pelo contrário, ouvi muitos elogios a você dos grupos da manhã. Agora, ou você me conta o que aconteceu desde então, ou terei de pensar seriamente se vou manter seu emprego depois do estágio probatório. — O tom de voz dele ficou mais manso. — Não quero fazer isso. Sei que você é bom, mas isso não é o suficiente. Você precisa ser *consistente*. Entendeu?

— Entendi. — Agarrei o copo, hesitante. Minha desconfiança em relação a ele recuou, escondendo-se atrás da necessidade de redenção e de falar com alguém sobre o que eu tinha visto no pomar. *Qualquer pessoa,* contanto que acreditasse em mim. E eu sabia que Hodge acreditaria. Além disso, não contaria nada que ele já não soubesse. — Acho que eu vi uma coisa hoje. Um... fantasma. — Pronto. As palavras tinham saído. Tarde demais para voltar atrás. — Um garoto, da minha idade. Com uma corda em volta do pescoço. Vestindo roupas antigas...

Hodge parecia ter parado de respirar. Não disse uma palavra, apenas assentiu para que eu continuasse.

— Ele estava no pomar, embaixo das árvores. O pescoço dele estava coberto de hematomas e feridas... os olhos estavam injetados de sangue... — Parei, estremecendo. — Acho que era Sebastian.

Hodge estava com os olhos arregalados.

— Ele... disse alguma coisa? — perguntou finalmente.

— Não. Acho... acho que ele estava tentando, mas sua boca estava cheia de terra. — Engoli seco. Isso bastava. Não conseguiria falar mais nada.

Hodge deu tapinhas firmes no meu braço.

— Não é de se admirar que você esteja assustado! — Ele olhou em volta, depois baixou o volume da voz. — Venha comigo. Tenho o que você precisa.

Entorpecido, eu o segui pelo chão de pedras até o seu escritório. Ele trancou a porta quando entramos e foi até um cofre ao lado da lareira. Enquanto digitava a senha, fiquei parado, sem jeito, atrás dele, percebendo restos queimados na grade da lareira. Alguma coisa pegara fogo ali recentemente. O cheiro ácido de fumaça ainda estava presente, assim como um pedaço intocado de papel branco. Não era preciso ser um gênio para saber o que tinha sido queimado.

— Aqui vamos nós. — Hodge virou-se, um *decanter* com líquido dourado em uma das mãos e dois copos na outra. Colocou-os sobre a mesa e esfregou as mãos. — Ordens médicas, hein? Não existe nada melhor para relaxar.

Não tive tempo de protestar visto que ele logo serviu uma generosa dose em cada copo. Ele me entregou um e pegou o outro. Levantei o copo e cheirei o conteúdo. Só em fazer isso, meus olhos lacrimejaram.

Hodge tomou o dele de uma só vez.

— Saúde.

— O problema é que vou dirigir mais tarde — comecei.

— Um só não tem problema. — Ele já estava se servindo de mais uma dose. Desapareceu na mesma velocidade. — Nem uma palavra para Una, entendeu?

— Claro. — Virei um pouco o copo, tomando uma quantidade minúscula.

— Vamos lá — incentivou Hodge. — Você acabou de ver seu primeiro fantasma. Vire esse copo, rapaz.

Hesitei, depois virei metade. Desceu queimando, parando no meu estômago como se fosse fogo. Hodge pareceu aprovar.

— Melhor?

— Sim — menti. Eu não tomaria o resto de jeito nenhum.

Ele foi até a janela, uma das mãos no bolso e a outra segurando o copo vazio. Aproveitei a oportunidade para jogar o que tinha sobrado no meu em uma planta no console. Esperava que ele não insistisse em me dar um refil.

— Então... você está disposto a fazer o último passeio do dia? — perguntou ele.

— Acho que sim.

— Bom. — Ele se virou. — Relaxe, rapaz. Você não precisa ter medo do mundo dos espíritos. Deveria até considerar uma honra, um *privilégio*, o fato de um deles ter aparecido para você. — Ele colocou o copo em cima do cofre. A porta continuava aberta, e eu não pude deixar de olhar para dentro. Logo na frente, encontrava-se um caderno estufado, cheio de recortes. — Algumas pessoas passam a vida em busca de respostas e nunca têm nenhuma experiência assim.

Desviei o olhar do caderno, distraído.

— Que tipo de respostas?

— Se existe ou não vida após a morte. — Ele guardou o *decanter* no cofre. — Agora você viu, por si só, que a vida *continua* depois da morte. É um dom raro.

Eu não podia responder. Para mim, não era um dom assistir a alguém preso nos seus últimos momentos, sofrendo e sozinho. Não era um dom para nenhuma das partes: nem para eles, nem para mim. Outra vida? Que piada. Era outra morte. De novo e de novo e de novo.

— Você estava com Ophelia no pomar?

A pergunta me pegou desprevenido. Perguntei-me se era uma armadilha e decidi não mentir.

— S-sim. Ela me mostrou o pomar, como você sugeriu. — Calor subiu pelo meu pescoço. Se ele soubesse o que nós *realmente* estávamos fazendo...

— E ela viu... alguma coisa?

— Não. Só eu. — Fiz uma anotação mental para avisar Ophelia de que eu tinha discutido o assunto com o tio dela. Estava começando a desejar não ter feito isso.

— Certo. — Ele trancou o cofre. — Sabe, ainda não tinha falado com você direito desde sexta-feira. Foi muito gentil da sua parte visitá-la... — Ele parou, a expressão pensativa. — Mas eu não esperava que ela fosse chegar tão tarde em casa.

— Desculpe. — O álcool estava fazendo efeito, deixando-me mais corajoso. — Não achei que meia-noite fosse tarde para um final de semana. *Ou para uma garota de 17 anos.*

— Ah, bem. Sem problema. Ela voltou muito mais feliz, pelo que percebi.

— Que bom. — *Não graças a você.*

Hodge sorriu.

— Una e eu somos muito gratos a você. Sua amizade vai fazer muito bem para Ophelia.

E lá estava a palavra: amizade. Só que foi usada como um aviso, aviso que já escutara muitas vezes com diferentes pretextos: *fique longe da minha filha, minha menina, minha princesa. Você não é bom o suficiente. Afaste-se.*

Tarde demais para isso, Hodge, velho camarada.

— Fico feliz — respondi, retribuindo o sorriso. O uísque galopava pelas minhas veias como um cavalo de Troia. — Acho que ela precisa de um amigo.

Minha primeira impressão de Weeping Cross foi de um lugar triste e deprimente. Era uma cidade cinzenta, sem plantas, a apenas cinco quilômetros de distância de Calthorpe, mas a mil em todos os outros aspectos. Mordi minha língua ao passar pelos buracos na rua e evitei fazer contato visual com um grupo entediado que rondava um monumento todo grafitado que eu acreditava ser a Cruz. Levou dez minutos até encontrar alguém cuja aparência eu considerasse confiável o suficiente para pedir informação, e mais dez até alguém se dispor a responder à minha pergunta.

— O Santuário? — A mulher franziu o nariz. — O que você quer naquele lugar?

Esperei educadamente, acreditando ser apenas uma pergunta retórica, mas ela continuou me encarando. Apontei para minha jaqueta no banco do carona.

— Só... quero devolver um pertence perdido.

— Bem, não ligue se não o convidarem para entrar. — Ela apertou mais o casaco em volta de si. — Eles não chamam o lugar de igreja para malucos por nada.

— "Eles" quem?

Ela franziu a testa.

— Qualquer um com o mínimo de bom senso. Não se deve mexer com essas coisas.

— Essas coisas?

— Fantasmas. Médiuns, videntes, seja qual for o nome que eles se dão. É procurar encrenca.

Dei um sorriso insincero. O Santuário era algum tipo de centro para médiuns? Perguntei-me qual seria o problema de Hodge com o lugar. Ele dissera que a própria mãe era médium.

A mulher me deu informações confusas e acabei me perdendo ainda mais, e acabei chegando em um lugar pobre que não parecia nem maluco nem uma igreja. Fiquei frustrado ao ver que estava fechado. Olhei um mural de avisos e encontrei uma agenda de eventos. Embaixo do dia de hoje estavam as palavras: *Desenvolvendo Consciência Mediúnica — Workshop com Vidente Residente Lesley Travis. Portas abertas às 19h30.*

Olhei no relógio. De maneira nenhuma eu estava preparado para ficar uma hora passando o tempo naquele lugar horrível. Descobrir mais sobre Hodge podia esperar. Voltei para o carro e estava procurando as chaves nos meus bolsos quando eu o vi. Melhor, ouvi.

A bengala dele batia no chão a cada passo. Uma sacola plástica pendurada em cada braço. Ele estava com a mesma roupa de hoje de manhã: calças jeans rasgadas, jaqueta marrom. Ele me viu segundos depois que eu o vi, os olhos desbotados penetrando em mim mesmo com a distância entre o carro e a casa. Tirei as mãos do bolso e corri na direção dele.

— Com licença — comecei.

Ele me avaliou com cuidado.

— Será que eu poderia te fazer uma pergunta?

Ele resmungou, brandindo a bengala com uma facilidade surpreendente e apontando para o mural de recados.

— As portas só abrem às sete e meia. Só cheguei mais cedo para arrumar as coisas. Venha mais tarde e poderá fazer todas as perguntas que quiser. A taxa de entrada é sete e cinquenta.

— Sete e cinquenta? Espere... não. Quero dizer, não é esse tipo de pergunta.

Ele soltou uma gargalhada fria.

— Não, nunca é quando envolve dinheiro. — Ele abaixou a bengala. — Fale, então. Não tenho o dia todo.

— Trabalho no Vidas Passadas...

— Ah, Deus, lá vamos nós. O velho gorducho mandou você?

Já gostei dele, apesar do gosto duvidoso para se vestir.

— Eu vi você lá hoje de manhã, no portão. Colou alguma coisa por cima do pôster, mas Hodge rasgou. Eu queria saber o que era.

Ele franziu a testa, destrancando a porta.

— Bem que achei que estava reconhecendo você. — Ele inclinou a cabeça, indicando que eu deveria segui-lo. — Aqui. Pegue isso. — Ele me entregou as sacolas de supermercado e abriu a porta que dava em um enorme salão. Estava vazio, exceto por mesas e cadeiras empilhadas nas laterais. Ele acendeu as luzes e seguiu para outra porta ali dentro.

— Traga essas sacolas para cá.

Eu o segui para a cozinha com as sacolas. Ele tirou a jaqueta e a pendurou em uma cavilha, depois fez uma busca nos bolsos.

— Aqui. — Entregou-me uma folha de papel. — Essa é uma cópia do que eu tinha hoje de manhã.

Desdobrei.

— Invocações Paranormais — li. — Palestra sobre Pensamento Crítico com Lesley Travis e palestrante convidado, o aclamado médium David Morse. Tópicos abordados na sessão de noventa minutos: Breve História de Médiuns Fraudulentos; Oração ou Enganação... — Olhei para o restante. — Não entendo. Achei que o Santuário fosse um lugar *para* essas coisas, não contra.

O homem começou a tirar da sacola leite, chá, café e biscoitos e colocar sobre a bancada. Ele riu.

— Ah, nós somos, contanto que seja genuíno. O problema é que hoje em dia tem tanta informação disponível em livros e na internet que está mais fácil do que nunca tirar proveito disso. E, outras vezes, é usado como entretenimento, para pessoas procurando por emoções baratas. Não vejo o que pode ser divertido em explorar a morte de uma pobre alma para ganhar uns trocados, entende o que estou dizendo?

Eu entendia. E, mais ainda, concordava.

Ele abriu um pacote e me ofereceu.

— Quer biscoito?

— Não, obrigado.

— Você que sabe. — Ele enfiou três na boca, mastigou e engoliu. — E é *aí* que começam os meus problemas com o museu. Primeiro, as caminhadas fantasmagóricas. Agora, esses finais de semana paranormais para supostos médiuns e sessões espíritas. Tratando o assunto como se fosse Halloween a droga do ano todo.

Franzi a testa.

— Mas você não cobra das pessoas pelas mesmas coisas aqui?

Ele me lançou um olhar duro.

— Você acha que tenho algum lucro cobrando sete e cinquenta por pessoa? Isso mal cobre o aluguel e os refrescos. Sem falar nas despesas de viagem dos palestrantes. — Ele soltou um som de zombaria. — O objetivo do Santuário não é o dinheiro. É orientar as pessoas, ajudá-las a seguir em frente. Não um circo para acordar os mortos. — Ele atacou outro biscoito. — Ele diz para as pessoas que eu tenho inveja, sabe. Dos eventos dele e do lucro que traz. E a maioria das pessoas não presta muita atenção. Uma parte desse dinheiro poderia ser minha, se eu tivesse desejado.

— Como assim? — interrompi.

— Ele me convidou para trabalhar com ele, ofereceu uma boa quantia para me envolver diretamente e uma comissão para quaisquer contatos que eu fizesse para ele. Não ficou muito feliz quando recusei.

— Certo. Então... foi aí que a hostilidade começou?

— Basicamente. Agora, posso ajudá-lo com mais alguma coisa?

— Na verdade, sim. — Olhei para o panfleto de novo. — Vim por causa de um comentário deixado no livro dos visitantes ano passado por uma amiga sua: Lesley Travis. Foi em relação a uma caminhada fantasmagórica, mas não consegui ler, foi apagado. Eu gostaria de conversar com ela a respeito. Você teria o telefone dela? Ou talvez ela tenha mencionado algo com você...

Os olhos prateados me analisaram com curiosidade.

— Você disse que trabalha lá?

— Isso mesmo.

— Suponho que o gorducho não saiba que você está aqui, fazendo perguntas?

Hesitei.

— Não.

— Hummm. — Ele saiu da cozinha, levando-me para o salão. — Bem, se você valoriza seu emprego, é melhor deixar assim. — Ele tirou uma cadeira de uma pilha e empurrou na minha direção, depois pegou outra para si, apoiando a bengala na parede. — Então, por que você *está* fazendo essas perguntas?

Eu mesmo não tinha certeza absoluta. Além da ideia de me envolver com Ophelia, tudo o que eu sabia era que Hodge estava sendo chantageado e que o meu único suspeito estava na minha frente. Não estava preparado para admitir nenhuma das duas coisas ainda. Por sorte, tive a sensibilidade de antecipar essa pergunta no caminho e já tinha uma resposta pronta.

— Na noite em que o comentário foi escrito, disseram que um espírito foi visto por um grupo inteiro. Um servo jovem enforcado por roubar um pedaço de pão. Hoje, eu acho... acho que o vi. Gostaria de comparar a minha experiência com o que Lesley viu. E saber o que ela escreveu, que foi tão ruim a ponto de alguém esconder seu comentário. — Fiz uma pausa. — Você sabe onde posso encontrá-la?

— Sei — disse ele. — Só que Lesley, na verdade, não é "ela", é "ele". Eu, para ser preciso.

— *Você é* Lesley Travis?

— De acordo com meu passe de ônibus, sim. — Ele suspirou. — E minha certidão de nascimento, graças à péssima capacidade de soletração do meu pai, no caso de você estar se perguntando.

— Você se lembra daquela noite? O que você escreveu?

Lesley apertou os lábios um no outro.

— Lembro a essência.

— Era curto. Uma palavra.

— Devia ser alguma coisa tipo "ato" ou "show" — pensou ele enquanto brincava com a cruz pendurada em sua orelha. — Lembrei. Foi "encenação".

— *Encenação?* Quer dizer...

— Isso mesmo. Achei que a coisa toda foi uma armação. Que não havia fantasma nenhum... foi uma fraude.

Capítulo 23

O Cordão de Prata

— Mas eu o vi — sussurrei. — Sei que estava ali. Não *podia* ser uma fraude.

— Não estou dizendo que o que *você* viu não era real — disse Lesley. — Estou dizendo que tenho dúvidas sobre o que *eu* vi e ouvi naquela noite.

— Então, o que aconteceu exatamente?

— Eu já tinha dito para Hodge que não estava interessado em me envolver com os eventos dele — explicou Lesley. — Mas ele continuava tentando me convencer a reconsiderar, até me mandou ingressos grátis para a caminhada fantasmagórica. Acabei usando, em parte, para calar a boca dele, e em parte, admito, porque estava curioso. Ele pareceu surpreso quando apareci, acho que tinha desistido de mim. E conforme a noite foi passando, ele parecia cada vez mais... — Ele parou, pensativo. — Não tenho certeza se "nervoso" é a palavra certa. Agitado, talvez.

— Por que você acha que ele estava assim?

— Na hora, achei que era por causa da minha presença.

— Você disse que ele convidou você...

— Convidou. Mas não esperava que eu me comportasse mal.

— Como assim?

— Revirei os olhos algumas vezes, sussurrei alguns comentários. Pude ver que ele estava ficando irritado. E eu estava começando a me divertir. Aí, chegamos na casa na rua elisabetana.

— Calthorpe House?

— Essa. Ele nos levou até o pomar e contou a história do servo enforcado e da cozinheira chorona. Estava escuro e o clima no final daquilo... bem, o grupo estava no limite. Não me importo de dizer que até eu senti um arrepio subindo pela espinha. E aí, Hodge pegou uma lanterna e iluminou o pomar, apontando para a árvore onde o garoto foi enforcado. Foi apenas por uma fração de segundo, mas todos nós vimos, todos nós.

Inclinei-me, ansioso.

— O quê? O que vocês viram?

— Um corpo, pendurado em uma corda. Balançava bem de leve. Lembro-me de escutar o galho estalando. Foi horrível.

Um arrepio de medo passou pela minha pele.

— Como ele era?

— Foi tão rápido, mal deu para ver. E estava longe, entre as árvores. Só me lembro de uma túnica rasgada. E de pés descalços, muito sujos.

— Cabelo escuro? Tipo longo... na altura dos ombros?

— Não sei. Estava escuro demais para ver a cabeça, graças a Deus.

— E aí, o que aconteceu? Desapareceu?

— Primeiro alguém riu. Obviamente achando que era uma armação para nos assustar. Mas foi a reação de Hodge que mudou as coisas: ele não estava rindo. Deixou a lanterna cair. Pessoas gritaram, não sei quantas. Mais de uma. Estava um breu, todos agarrando uns aos outros. Escutei Hodge dizer para nos acalmarmos enquanto ele procurava a lanterna. Alguém começou a chorar atrás de mim, uma mulher. Hodge gritou que encontrou a lanterna e a acendeu de novo. Virei-me para perguntar se a mulher atrás de mim estava bem, mas vi que ela não chorava. Ela parecia assustada, mas os olhos estavam secos. Naquele momento, aconteceu de novo, todos escutamos também. — Ele fez uma pausa. — Uma mulher chorando. Parecia vir de trás, perto da casa ou dentro dela, mas não consegui localizar o lugar exato. Hodge iluminou à nossa volta. A mão dele tremia. Comecei a me sentir tonto.

— Você a viu? — perguntei. — A mulher chorando?

— Não. Ninguém viu. E tão rápido quanto começou, parou. — Ele estalou os dedos. — Hodge iluminou em volta de novo, as janelas, os jardins. Não havia nada. Então, ergueu a lanterna na direção da árvore onde tínhamos visto o garoto... Ele tinha desaparecido.

— Desaparecido?

— Isso, sumido.

— E aí?

— Saímos de lá. Todo mundo estava muito abalado. Hodge nos levou de volta para o hotel, onde pediu drinques para todo mundo. Quando chegamos lá, o grupo já estava menor. A experiência tinha sido demais para algumas pessoas, que foram embora. Mas os que restaram... depois que entramos na taverna, todos começaram a se acalmar. Todo mundo discutindo o que tinha visto, o clima elétrico. Todos ficaram animados, querendo mais. Quando terminamos os drinques, Hodge nos levou para fora a fim de continuar o passeio. Nada mais aconteceu, mas não precisava. Havia essa... *energia* no grupo, uma espécie de...

— Onda — sussurrei, me lembrando da minha própria experiência depois do cheiro horrível na sala de aula.

— Isso, uma onda. E teve um momento em que meu olhar cruzou com o de Hodge. Ele parecia tão satisfeito. Acho que estava pensando em como a notícia se espalharia e quanto mais isso traria de lucro. Mas não era só isso. Ele parecia... *aliviado* também. Foi isso, mais do que qualquer outra coisa, que me fez começar a questionar o que tinha visto.

— Até aquele momento você não tinha questionado?

— Não — admitiu ele. — Mas quando comecei, não parei mais. O fato de *todo mundo* que estava presente ter visto me deixou desconfiado. Acredita-se que algumas pessoas nunca terão a capacidade de ver os mortos. *Eu* nunca tinha visto...

— Mas você se diz vidente...

— São duas coisas diferentes — respondeu ele. — *Médiuns* se comunicam com os mortos. Videntes liberam energia viva. Alguns dizem que é apenas um instinto mais bem sintonizado, e eu concordo. A maioria das pessoas poderia sintonizar se tentasse, se estivesse aberta o suficiente.

— Foi por isso que você foi o único a duvidar?

— Talvez sim, talvez não — disse ele, sombriamente. — Eu provavelmente era a única pessoa presente que sabia o quanto Hodge estava desesperado para que a coisa desse certo. Quanto mais eu pensava, mas me convencia de que aquilo tinha sido apenas um truque muito bem planejado. Sem efeitos especiais. Apenas o que vimos e escutamos, e um tempo impecável, mas conveniente, entre os dois.

— Mas se alguém estivesse pendurado na árvore, vocês teriam visto ou escutado alguém descendo depois, não? — perguntei.

— Acho que era nisso em que devíamos acreditar — explicou Lesley.

— Que seria impossível. Mas pensei a respeito, e muito. Assim que a lanterna iluminou o corpo, Hodge a jogou no chão. As pessoas começaram a gritar; quaisquer sons teriam sido facilmente abafados. Assim que o fogo foi aceso de novo, os sons da mulher chorando começaram, afastando nossa atenção das árvores. Quando a luz voltou para o pomar, mais de um minuto já tinha se passado, mais do que suficiente para alguém descer com cuidado, ou subir mais e se esconder.

— E a mulher atrás de você? — perguntei. — Você mencionou que escutou alguém chorando perto de você antes que o som começasse a vir de perto da casa. Acha que ela estava perto do grupo e depois se afastou?

— Não. Acho que foi outro truque para nos distrair. O grupo era formado por pessoas que não se conheciam. Qualquer um deles poderia ser um ator, alguém contratado para estar ali desde o começo. Minha opinião é que essa pessoa ficou até o final no grupo. Os outros barulhos ou foram feitos por alguém no andar de cima da casa...

— Mas Hodge disse que está interditado por razões de segurança.

— Para grupos grandes. Não para uma única pessoa. Droga, pode até ter sido uma gravação.

— Parece muito trabalho. Pra quê?

— Pelas mesmas razões que qualquer um que monta uma fraude — disse Lesley. — Fama ou publicidade. Dinheiro. Pense bem, só é preciso fazer uma coisa dessas uma vez e a notícia se espalha. Aquelas pessoas contaram para pessoas que contaram para outras pessoas e assim por diante. Foi mencionado nos noticiários locais, acho que até em um nacional.

— Você falou das suas suspeitas para Hodge?

— Dei os parabéns a ele pela boa performance. Ele agiu como se não soubesse do que eu estava falando. Não estava disposto a admitir, não é?

Decidi tentar uma abordagem direta.

— Você alguma vez já tentou convencê-lo a admitir?

Lesley pareceu confuso.

— Como assim?

— Com, digamos... uma carta. Chantageá-lo com o que você sabia?

— Não, claro que não. Eu não *sei* de nada, essa é a questão. Só tenho suspeitas. Não tenho prova alguma.

Recostei-me na cadeira. Não era nenhum especialista, mas tinha certeza de que ele estava falando a verdade.

— Por que você está aqui de verdade? Hein?

— Já disse — murmurei. — Queria comparar o que você viu com o fantasma que eu vi.

— E isso mudou em alguma coisa a sua opinião sobre o que você viu ou acha que viu?

— Não.

— Conte-me o que aconteceu. Para começar, você estava em grupo?

— Eu estava sozinho. — O mais rapidamente que pude, descrevi o que tinha acontecido. — Sei o que parece — falei assim que terminei. — Mas não foi um sonho.

— Você parece bem certo disso.

— Já aconteceu antes. Não só com o garoto, mas... com outros.

— Você sempre recebeu essas... visitas durante o sono?

— Não. Elas começaram recentemente, depois que sofri um acidente.

Lesley analisou meu rosto por um longo tempo.

— A mente é uma coisa complicada — acabou dizendo. — Desde que o mundo é mundo, existem histórias de profetas prevendo coisas nos sonhos. Quem sabe o que é real e o que não é?

— Você não acredita em mim.

— Eu não disse isso. Mas, de qualquer forma, não interessa em que *eu* acredito, rapaz. Se é real para você, então é real o suficiente. E a única coisa que importa é como você lida com a situação.

— Já tentei. Nada funciona. Não vai embora.

Ele deu uma gargalhada.

— Deixe-me dar um conselho. Esse tipo de coisa, uma vez que começa, não "vai embora" simplesmente. O que você tem feito, tentado não dormir? Fingido que, se ignorar, vai embora?

— Tentado não dormir? — questionei. — Isso é uma piada. Quando eu deveria estar dormindo, estou assustado demais, ou meu sono é interrompido e, quando deveria estar acordado, só consigo pensar em dormir. Conheço os gatilhos, tento evitá-los, mas cedo ou tarde, aparece. *Eles* aparecem.

— Já tentou perguntar o que querem? Tentar ajudar?

— Já. Nem sempre funciona. Na verdade, só funcionou uma vez.

— O que foi diferente dessa vez?

Lembrei-me da noite na cela da prisão.

— Eu não estava em casa. E não percebi de cara o que estava vendo. Tentei ajudar antes mesmo de saber o que realmente era.

— Como você se sentiu?

— Preocupado. Assustado por ele, não por mim.

— E normalmente? O que você sente?

— Medo. Fico aterrorizado, mais do que já me senti em relação a qualquer outra coisa.

— Aí está a sua resposta. Medo é o que está atrapalhando você.

— É difícil sentir outra coisa quando um estranho aparece no seu quarto durante a noite — respondi —, pingando água e sangue enquanto você não consegue mexer um músculo.

— A comunicação entre um espírito e um médium é uma via de mão dupla — disse ele. — Você precisa mostrar compaixão e a mesma medida de confiança que o espírito está demonstrando para você.

Franzi a testa.

— Não sou médium. Não pedi isso.

Ele riu.

— Infelizmente, eu discordo. O termo "médium" significa "receptáculo", que é exatamente o que você se tornou, querendo ou não. Eles encontraram um caminho através de você e está me parecendo que não tem muita escolha a não ser escutar.

— E quanto à outra coisa? Não sei... exorcismo? — perguntei.

— Exorcismo é para demônios ou espíritos que não podem ser ajudados. Não é uma solução, é mais como uma porta batendo na sua cara. Isso é algo que você queira em sua consciência?

— Posso lidar com a minha consciência. O que não consigo é lidar com o fato de estar sendo assombrado.

Os olhos prateados de Lesley se fixaram em mim.

— Acho que você vai descobrir que, às vezes, essas duas coisas andam juntas, de mãos dadas. Do que exatamente você tem medo?

Dei uma gargalhada vazia.

— Que tal possessão?

— Nunca ouvi falar de ninguém que tenha sido possuído durante a paralisia do sono ou visitas em sonhos...

— Que tal experiências extracorpóreas? — perguntei. — Também tenho isso, e não consigo controlar. Da última vez que aconteceu, meu corpo não estava lá quando voltei. Alguma coisa o tinha tomado, um fantasma. Não consegui recuperá-lo até que ele quisesse ir embora.

— Isso é impossível.

— Confie em mim, não é.

— Acho que você vai descobrir que é, sim. — O tom de voz de Lesley era frio, contido. — Estava acreditando em você. Mas você foi longe demais.

— O que quer dizer?

— Que o que você está contando é impossível. Houve diversos estudos com pessoas que experimentam projeção astral ou fora do corpo, e a maioria esmagadora relata um cordão de prata que os liga ao corpo, garantindo que não se percam e saibam encontrar o caminho de volta.

Soltei uma gargalhada amarga.

— Certo. Você acha que não li a respeito disso? Acha que não fiz meu dever de casa? Esse cordão de prata místico nunca apareceu para mim, nenhuma vez.

— Esse feixe não apenas liga seu eu psíquico ao seu eu físico, como também mantém a conexão entre você e seu corpo enquanto você está longe dele — continuou Lesley, os olhos agora parecendo pedras. — Essa conexão significa que seu corpo não está vago, portanto, não pode ser possuído. Acredita-se que essa conexão só se quebre no momento da morte.

As palavras dele fizeram meu sangue gelar de medo dentro das veias.

— Então — concluiu ele calmamente. — Acho que nós dois sabemos que você está mentindo. E eu gostaria que fosse embora.

— Não — sussurrei. — Você não está entendendo... O acidente do qual falei. Quando tudo começou. Meu... meu coração parou de bater. Por uns dois minutos. Eu morri, mas eles me ressuscitaram.

A pouca cor que ainda restava no rosto de Lesley sumiu.

— Saia — disse ele, rouco. — Saia. Agora.

— Estou falando a verdade, juro.

Ele levantou tão rapidamente que a cadeira virou e caiu no chão.

— Eu acredito em você.

— Não estou entendendo...

— Desculpe. — Os olhos dele estavam arregalados, assustados. — Preciso que você saia. Agora.

Capítulo 24

Proteção

Quarenta minutos depois, as minhas mãos ainda tremiam enquanto eu tentava enfiar a chave na porta da frente. Na terceira tentativa, ela se abriu, expulsando um bafo morno com cheiro de comida assada que me envolveu como um bálsamo. Papai apareceu na porta da cozinha segurando uma cenoura e um descascador, um em cada mão.

— Aí está você. Já ia ligar. O jantar estará pronto em vinte minutos.

— OK. — Passei direto por ele, com a cabeça abaixada, e segui na direção do meu quarto.

— Elliott? Aconteceu alguma coisa?

— Não. — Parei na porta. — Sim. Mas não quero falar disso agora, ainda não. Preciso pensar.

Houve um silêncio curto.

— Grito quando o jantar estiver pronto — papai acabou falando.

Assenti, mas não olhei para trás ao entrar no meu quarto. Ainda estava claro. Liguei o computador. Enquanto eu esperava ele carregar, procurei tudo o que eu tinha sobre experiência extracorpórea: livros, recortes de jornais, impressões da internet. Não havia muita coisa, e logo encontrei o que procurava:

Durante projeção astral, algumas pessoas dizem que veem um fio conectando a forma astral com o corpo físico. Esse fio é conhecido como cordão de prata e garante que o projetor não vai se separar nem se perder. Também ajuda a proporcionar uma volta rápida para o corpo.

Meus olhos se fixaram em *volta rápida*. Com exceção das últimas duas vezes em que saí do meu corpo, todas as outras experiências que eu podia lembrar se provaram um desafio na hora de voltar para o corpo. Deixei o livro de lado e digitei CORDÃO DE PRATA na ferramenta de busca. Milhares de páginas apareceram nos resultados. Entre os filmes, bandas e vários outros irrelevantes, encontrei mais definições. Referências bíblicas, blogs e fóruns relacionados à projeção astral. Conforme clicava, lembrei-me de como as definições do cordão em si variavam entre elas, indo de um fio de luzinhas de Natal até algo parecido com um cordão umbilical.

Uns diziam que o cordão só era visto se você procurasse por ele, enquanto outros relatavam que ele se mantinha intacto por dias depois da morte. *Como se alguém pudesse saber,* pensei. Quanto mais pesquisava, menos tranquilo eu ficava. De acordo com muitos, a possessão era impossível se o cordão de prata — ou fragmentos dele — estivesse intacto. Limpei o campo de busca e fitei a tela em branco. Não tinha descoberto nada, a não ser que cada pessoa tinha uma opinião e que cada uma era diferente.

Se é real para você, então é real o suficiente. As palavras voltaram para mim, e desta vez elas ressoaram. No fim, a única opinião que importava e os únicos fatos com os quais eu podia contar eram os meus. Um: fiquei clinicamente morto por dois minutos no local do acidente.

Dois: nunca tinha visto nenhuma evidência de um cordão de prata. Três: costumava ter dificuldade em voltar para o meu corpo quando saía dele. E quatro: *alguma coisa* ou alguém entrou no meu corpo enquanto eu estava fora dele.

Todas essas coisas combinadas assustaram Lesley Travis. Agora, estavam me assustando. *Esse tipo de coisa, uma vez que começa, não vai embora simplesmente...*

Lesley estava certo. *Venho* tentando fazer com que vá embora. Todo o tempo que passei tentando compreender a paralisia e evitando os gatilhos foi um desperdício. Podia me esquivar por alguns dias, semanas até, mas sempre acabava voltando. Sempre voltava. E, ao fazer essas coisas, na verdade evitava o que mais importava: o fato que eu sabia o tempo todo.

Eu estava sendo assombrado.

Meus dedos percorreram o teclado e lentamente digitaram outra frase: *PROTEÇÃO CONTRA FANTASMAS E POSSESSÃO.*

Cliquei em "pesquisar" e me recostei. A página carregou com milhares de resultados. A maioria dos artigos sobre possessão se referia a demônios. Descartei esses.

Eu já fui como você. Um garoto...

As mesmas listas apareciam repetidas vezes. Peguei um lápis e comecei a anotá-las atrás do meu caderno de desenho.

Espíritos não conseguem ultrapassar linhas de sal ou pregos retirados de tampas de caixão e martelados em portas.

Andar de costas ao atravessar portas evita que espíritos o sigam.

Bíblia, água benta e oração são eficientes para espantar o mal.

Terra de cemitério dentro do bolso afasta os mortos.

Feitiços, amuletos, plantas e ervas que eu não conseguia nem pronunciar, muito menos me imaginar procurando. Minha cabeça girava com tantas informações. Então, encontrei outra coisa:

O aspecto mais importante em qualquer método de defesa é a sua crença nele.

Reli a minha lista. E comecei a riscar as coisas. Os primeiros três itens só evitariam que mais fantasmas me seguissem. Para os já existentes, seriam inúteis — se é que realmente funcionavam. Com relutância, risquei a Bíblia, água benta e oração. Três anos atrás, talvez eu fizesse diferente, mas não sabia se ainda tinha a fé necessária. Orações não tinham salvado a minha mãe. Eu duvidava que me salvariam.

Isso me deixou precisamente com uma defesa possível: terra de cemitério. *Ótimo.* Talvez uma visita ao túmulo da mamãe devesse ser levada em consideração, afinal. Continuei pesquisando sobre possessão. Havia muita coisa sobre o assunto, a maioria religiosa ou, de novo, relacionada a demônios e espíritos do mal. Bati com o lápis nos meus dentes. Não estava certo se tinha me deparado com alguma coisa *má* exatamente. Assustadora, sim. Tess, definitivamente, era. Porém má? Não. Entretanto, lembrei-me de que uma coisa não precisa necessariamente ser má para me prejudicar. O desejo de um espírito de voltar a viver usando o *meu* corpo era prejudicial o suficiente.

Fechei um site e entrei em outro.

Doença, trauma, depressão, abuso de drogas e álcool ou se sentir física ou mentalmente exaurido pode levar à vulnerabilidade e aumentar o risco de um ataque mediúnico. O medo é um portão que permite que entidades negativas sejam prejudiciais.

Trauma. Depressão. Exaustão física. Medo. Sem mencionar que eu não conseguia controlar quando estava dentro e fora do meu corpo. Não era de se espantar que Lesley Travis me quisesse longe dele. Eu estava totalmente exposto.

Desliguei o computador. Embaixo da lista, escrevi outro título.

Razões que me fazem ter medo.

Embaixo, escrevi o seguinte:

1. *Nunca sei quando eles vão aparecer.*
2. *Não sei o que querem.*
3. *Está sempre escuro quando eles estão aqui.*
4. *Estou fisicamente vulnerável pela paralisia e fora do corpo.*

Então, abaixei o lápis e analisei a lista. Percebi que o número três era o mais fácil de resolver. Só precisaria deixar a luz acesa. Fiz uma careta, perguntando-me se ver Tess com mais detalhes seria uma coisa boa. Pelo menos, evitaria aqueles poucos momentos de medo durante a aproximação dela, quando ela ainda era apenas uma sombra na escuridão.

Já tinha tentado resolver o número dois, quando perguntei a Tess o que ela queria da última vez em que apareceu — bem, gritei isso para ela dentro da minha cabeça. Talvez, se eu estivesse mais calmo, como fiquei com o fantasma na cela da prisão, eu teria uma chance.

Ainda pensava sobre os números um e quatro quando papai me chamou para jantar. Sentamos na sala de estar, equilibrando as bandejas sobre os joelhos e assistindo à TV. Engoli garfada atrás de garfada, mal sentindo o gosto. Vi papai mexendo na própria comida sem muito entusiasmo. Ele parecia cansado de novo. Senti a culpa me alfinetar. Um final de semana com sono agitado para mim significava o mesmo para ele. Gostaria de ter uma forma melhor de lidar com tudo, mas ele era a única coisa que fazia com que eu me sentisse seguro...

O medo é um portão que permite que entidades negativas...

Parei de mastigar. Se o medo era a minha maior ameaça, então me sentir seguro era a minha vantagem mais forte. *Papai* era essa vantagem. Ele era a minha segurança. Talvez essa fosse a proteção de que eu precisava. Com essa percepção, a resposta para o último item da lista surgiu.

Nunca sei quando eles vão aparecer.

Eu não tinha certeza absoluta, mas sabia qual era o gatilho para eles. E, mais importante, sabia que tinha um elemento sob meu controle, até certo ponto. Sono. Eu controlava quando e onde dormia, só que até agora estava fazendo tudo errado. Permitira que Tess se manifestasse em seus próprios termos, temendo cada visita dela e desejando que fosse embora. Mas e se os papéis fossem trocados? E se *eu* fosse procurar por *ela*?

— Pai? — falei. — O que você sabe sobre Tess?

Ele abaixou o garfo.

— Elliott, não acho que...

— Por favor, pai. É importante. Eu... eu sei que você não acredita que ela está aqui, mas eu acredito. E, se eu quero acabar com isso, preciso saber por que ela não vai embora.

— É por causa da banheira?

— Da banheira?

Ele abaixou o prato.

— Eu encontrei a banheira cheia de água duas vezes esta semana. A princípio, achei que fosse você, mas...

— Não foi. Já aconteceu comigo também. É ela, pai. Ela está com raiva. É como se estivesse tentando me dizer alguma coisa, mas não consegue porque eu estou sempre com muito medo para escutar. É por isso que preciso descobrir mais sobre ela. Se eu tiver mais informações, talvez tenha menos medo.

Papai estava fitando o chão. Eu não fazia ideia do que ele estava pensando.

— Eu não sou louco. — Minha voz era baixa. — Fui ver uma pessoa hoje. Um vidente.

— Ah, Elliott!

— Por favor, apenas *escute*! Contei a ele o que estava acontecendo. Ele acreditou, mas ficou com medo.

— De quê?

— Não disse. Mas acho que sei. Ele... ele me falou sobre essa coisa. Um cordão de prata que deveria aparecer durante experiências extracorpóreas. É o que mantém você conectado ao seu corpo.

A voz do papai estava contida.

— Um cordão de prata?

— Isso. Só que eu não vejo esse cordão. Eu não tenho um. E, aparentemente, ele só se rompe quando você morre. O que faz sentido por causa... do que aconteceu. Do acidente.

— Eles ressuscitaram você. — O rosto dele estava pálido e, de alguma forma, parecia dez anos mais velho em um espaço de poucos minutos.

— Pai?

— Eu não ia te contar — sussurrou ele. — Achei que não fosse importante.

Uma sensação gélida tomou conta do meu corpo, indo do alto da cabeça até as pontas dos dedos do pé.

— Contar o quê?

— Aconteceu antes. Quando você era pequeno.

— Do que você está falando?

— Você só tinha uns 2 anos, formava frases fazia pouco tempo. Uma manhã, durante o café, você nos disse que o vovô tinha visitado você enquanto dormia.

Minha respiração estava presa na garganta.

— Continue.

— Adam começou a chorar e quis saber por que o vovô não tinha ido vê-lo também. Explicamos para vocês dois que aquilo era apenas um sonho; o vovô tinha morrido havia um mês. Mas aconteceu de novo na semana seguinte e, desta vez, você disse que ele tinha levado você para dar comida para os patos no lago. Adam estava na escola desta vez, então deixamos você continuar, e até rimos quando você descreveu um fio que saía do seu umbigo. Você apontou para o cordão de prata da sua mãe e disse que era parecido com aquilo, e que foi o que puxou você de volta para casa quando estava na hora de voltar a dormir.

— Um fio de prata?

Papai assentiu.

— Pareceu tão bizarro, tão típico de um sonho, que não demos importância. Mas, então, você disse que o vovô ficava pedindo que você me perguntasse sobre o relógio. Por que eu não estava usando.

— Que relógio?

— O relógio dele. — Papai desviou o olhar. — Ele tinha deixado para mim, mas eu não conseguia usar. Ainda estava arrasado. A questão é: nem você nem Adam sabiam sobre o relógio. Então, quando você veio com isso, ficamos abalados.

— Por que não me lembro de nada disso?

— Você era muito pequeno. Muitas outras coisas estavam acontecendo, você aprendia coisas novas todos os dias. E resolvemos não criar uma cena em cima disso. Sua mãe te disse que, se o vovô aparecesse de novo, você deveria dar boa noite a ele e ficar na cama. Depois disso, comecei a usar o relógio. Você nunca mais falou mais nada a respeito e, no decorrer dos anos, nas poucas vezes que falamos sobre isso, acreditamos que fosse coincidência.

Minha cabeça girava. A comida pesava no meu estômago como pedra.

— Aconteceu antes e você nunca me contou? Mesmo depois de todos esses meses?

— Desculpe. — Os olhos de papai estavam suplicantes. — Eu não sabia mais o que fazer. Achei que, se tinha parado uma vez, pararia de novo.

— Mas não parou — falei. — Só está piorando, aos poucos.

— Agora eu sei. Mas, quando tudo recomeçou, as suas descrições eram diferentes. Mais ameaçadoras. Você não parecia assustado quando era um bebê, e não mencionou o cordão de prata desta vez. — Ele balançou a cabeça, confuso. — Achei que fosse apenas algum tipo de estresse que você tinha desenvolvido. Mas então, com a sra. Mardle, eu comecei a me perguntar. Não sabia que o cordão de prata era importante, eu... — ele parou abruptamente. — O que significa ele não aparecer mais?

Eu queria sentir raiva, mas não conseguia. Papai tinha perdido muita coisa e se esforçando muito para lidar com tudo. Ele não merecia minha raiva.

— Significa que eu posso estar em perigo. Sem ele, é mais difícil voltar para o meu corpo e... eu fico vulnerável.

— Vulnerável como?

— A qualquer coisa que tente me usar.

— O que nós vamos fazer? — perguntou papai. — Podíamos chamar alguém... um padre, para vir aqui e...

— Não, isso não ia ajudar. — Lembrei-me das palavras de Lesley. — Seria como fechar uma porta na cara dela. E, de qualquer forma, não é o apartamento, sou eu. Não importa para onde eu vá. Eles estarão lá. Sou eu quem precisa encontrar uma forma de lidar com isso. E logo.

— Como assim?

— Eu vou encontrá-la. Tess. Agora. Esta noite. Vou descobrir o que ela quer.

— Isso é seguro? Você acabou de dizer que ficaria vulnerável.

— E fico. Mas estou começando a achar que Tess não é uma ameaça, não dessa forma. — Minha mente estava voltando nos últimos seis meses, revivendo todas as vezes em que eu a vira. — Eu saí do meu corpo inúmeras vezes, se ela quisesse me fazer algum mal, já teria feito. Mas não fez nada.

— E a sombra que fica olhando para você quando volta para o quarto? — perguntou papai.

— Acho que é ela também. Esperando que eu volte para o meu corpo, tentando fazer contato. — Lembrei-me do fantasma de Eric Williams, a mudança de forma do garoto morrendo na cela para a sombra sussurrando para mim. E me lembrei do espírito do garoto no *Vidas Passadas*. *Não era a minha hora...*

Ele não tinha escolhido morrer. Mas com Tess era diferente. Começava a compreender que talvez ela não quisesse morrer, mas também não quisesse viver. Mas precisava perguntar se ela se arrependia da sua decisão. Se tinha mudado de ideia na última hora, depois de já ter feito um corte muito profundo? Quando já era tarde demais?

— Preciso saber mais sobre ela, pai. Se eu souber *alguma coisa*, poderia me ajudar a progredir.

Papai estava segurando a cabeça.

— Não sei muito mais do que você. A maior parte é fofoca sobre como ela fez e como já estava aqui havia dias quando a encontraram. A única pessoa com quem eu conversei que já morava no prédio na época de Tess foi a sra. Mardle. — Ele levantou a cabeça de repente, uma centelha de alguma coisa em sua expressão.

— O que foi? — perguntei.

— Uma vez ela disse uma coisa, logo depois que nos mudamos. Provavelmente não era nada, mas ela insistiu tanto...

— Conta.

— Ela me disse que uma vez chamou Tess no jardim várias vezes porque queria entregar a ela uma carta que tinha sido colocada na porta dela por engano. Primeiro, achou que Tess a estava ignorando, mas quando chegou perto, bateu no braço dela, que aparentemente ficou muito assustada.

— Não entendi.

— A sra. Mardle achava que a razão para Tess não estar respondendo não era porque não estava escutando, mas porque não tinha percebido que estava sendo chamada. — Papai fez uma pausa. — Ela estava convencida de que Tess Fielding não era o nome verdadeiro dela. Você acha que isso é importante?

— Eu não sei. Talvez. — Agarrei o braço da poltrona. — Preciso que você faça uma coisa para mim.

Ele assentiu.

— O quê?

— Apenas... fique aqui. Não saia desta sala.

— Aonde você vai?

— Tecnicamente, a lugar nenhum. — Coloquei meu prato vazio no tapete ao lado do sofá e me reclinei. — Vou dormir. Vou tentar encontrá-la enquanto está claro e você está aqui. Enquanto eu não estou com medo.

— Tem certeza?

— Não. Mas preciso tentar. E preciso que você me prometa que não vai sair desta sala. Nem por um minuto. Promete?

— Não vou me mexer, prometo. Mas... tem uma coisa que eu não entendo. Por que ela... por que Tess? Por que não a sua mãe?

Virei a cabeça para ele. Parecia tão triste, tão arrasado.

— Não sei, pai — respondi. — Mas acho... acho que é uma coisa boa. Eles não ficam a não ser que precisem. A mamãe se despediu de todo mundo. Ela estava pronta, mesmo que nós não estivéssemos.

Ele assentiu e desviou o olhar, mas consegui ver seus olhos brilhando.

— Eu deveria ter escutado o que você estava dizendo antes. Desculpe.

— Você está escutando agora. É só o que importa. — Virei-me para encarar o teto de novo, permitindo que as minhas pálpebras se fechassem. Elas estavam muito pesadas, apesar das batidas fortes do meu coração.

Eu estava pronto.

Capítulo 25

Lúcido

Peguei no sono quase imediatamente. Começou com a paralisia, que eu esperava evitar. Se Tess aparecesse, não queria me sentir preso.

Ela não apareceu, mas isso não significava que não estava aqui. Lutei contra meus membros pesados, o pânico familiar crescendo no meu peito. Através de olhos semiabertos, vi a sala e me forcei e me lembrar da respiração. Inspira, expira. Inspira, expira.

Esta é a minha escolha... Eu escolhi isso.

Do meu lugar, vi a televisão passando uma novela, a janela da sala refletida na tela. Escutei um barulho ao lado do sofá onde eu deixara o prato. O gato estava lambendo o molho. O som era estupidamente reconfortante. E papai, ainda na sua poltrona, as pernas esticadas sobre o tapete. Escutei o jornal estalando, senti o cheiro do fósforo quando ele acendeu o cigarro.

Conforme o medo ia embora, comecei a relaxar. Meu polegar mexeu. Um a um, flexionei os dedos. A paralisia tinha acabado, mas eu precisava tomar cuidado para não despertar totalmente, nem dormir totalmente. Precisava me manter lúcido.

Imaginei, depois senti, a parte lúcida de mim se sentar. Olhando em volta da sala... andando até a porta. Olhando para trás e vendo o papai e o meu corpo. Eu estava fora. Movendo-me levemente pelo tapete, fitei meu corpo adormecido, tirando um momento para me lembrar de que eu estava seguro com papai. Então, entrei no corredor.

A porta do banheiro estava aberta. Entrei e encontrei-o vazio.

— Tess? — sussurrei. Nada me respondeu. Parte de mim ficou aliviada, outra parte, decepcionada. Eu tinha certeza de que ia encontrá-la, mas por que teria, se ela sempre aparecia às três da manhã? Andei pelo corredor, preparando-me para as pegadas molhadas. Não apareceram.

A atmosfera mudou. Ficou mais fria, mais úmida. Morte.

Ela estava aqui.

Um soluço abafado ecoou do final do corredor. Virei-me e fui nessa direção, o medo apertando meu peito como uma cinta. Vapor de água saía por baixo da porta do banheiro e subia. Passei direto por ele, minhas costas grudadas na parede. A porta da sala estava aberta. Meu corpo estava deitado no sofá, olhos fechados. Papai não tinha se mexido. Calor e luz irradiavam dali, me chamando. Seria tão fácil entrar. A fuga estava a poucos passos.

Mas não haveria escapatória para Tess se eu virasse as costas para ela. Eu sabia disso. Ela ficaria aqui para sempre, presa.

Virei as costas.

Para o papai, para mim mesmo e para o meu próprio medo. Afastei-me da sala e fui para o banheiro, as mãos esticadas à frente. A porta se abriu silenciosamente quando meus dedos tocaram nela. Ar úmido me envolveu, subindo da banheira. Escutei a água correndo antes de conseguir ver qualquer coisa. A torneira estava aberta, mas o som era mais fraco do que o dos soluços que enchiam o pequeno espaço. Eu queria fechar os olhos, mas me forcei a olhar para a água. Estava vazia.

Um rosto surgiu no vapor, surpreendentemente perto. Soltei um grito e dei um passo desequilibrado para trás, tateando em direção à maçaneta da porta. Suas feições estavam retorcidas, os olhos escuros de dor. Outro soluço escapou de sua boca.

Forcei-me a soltar a porta. A névoa se dissipou um pouco, embora a água continuasse caindo na banheira. Ela ficou parada de pé, tremendo, seminua.

— Seu nome não é Tess, é? — sussurrei. — Estou pronto para escutar você agora.

Lentamente, ela estendeu as mãos pálidas para mim. Preparei-me para não hesitar ao ver os pulsos dela, mas, desta vez, eles estavam intactos.

Olhei para a banheira. A água ainda estava caindo.

Ela ainda não fez.

— Fale comigo — falei baixinho.

Ela balançou a cabeça. Lágrimas grudavam em seus cílios, deixando--os grossos e pontudos.

— Venha comigo — sussurrou ela. — Vou lhe mostrar.

— Ir aonde com você? — perguntei.

Ela colocou um dedo sobre os lábios. A outra mão continuava na minha frente. Estendi o braço através do vapor antes que mudasse de ideia. A pele dela parecia carne resfriada. Seus dedos se fecharam em volta dos meus. As paredes do banheiro se descascaram como uma fruta, revelando outra camada, uma mais antiga, por baixo. A pintura creme se transformou em papel de parede mofado. A veneziana estava abaixada até o meio e havia cortinas verde-claras. O espelho em cima da pia era maior e sua moldura era feita de plástico, não madeira. A disposição era a mesma, mas eu não estava mais olhando para o banheiro que compartilhava com papai.

Estava olhando para o banheiro de Tess.

Capítulo 26

Troca de identidade

A força dela na minha mão se intensificou. Ela passou por mim e pela porta, levando-me pelo corredor. Ele também era diferente, mas mal tive tempo de olhar em volta enquanto Tess me empurrava na direção da porta da frente. A porta se abriu antes que chegássemos até ela e, ao invés dos andares cinza de concreto e paredes desbotadas das escadas, entramos em uma sala grande e quente com vigas baixas e escuras. Na mesma hora, vi que estávamos em um pub, mas não um que eu conhecesse. Olhei para trás, mas o apartamento tinha desaparecido, substituído por mesas e cadeiras, algumas ocupadas, outras não. O lugar vibrava com as conversas baixinhas e, em um canto ao lado de uma lareira, uma árvore de Natal piscava.

Tess me levou até um casal sentado em uma parte que estava vazia, com a exceção dos dois. Eles estavam bem perto um do outro, falando baixinho, de forma confidente. Quando nos aproximamos, vi que a garota sentada à mesa parecia familiar. Levei alguns segundos para perceber que era Tess — ou quem quer que ela tenha sido um dia. A versão à minha frente era mais jovem, uns 20 anos, com cabelo mais curto e arruivado. O homem sentado na sua frente era louro e rústico.

Parecia mais velho do que ela, com 30 e poucos anos, eu diria. Estava com a carta de vinho aberta à sua frente e, conforme deslizava a mão pela página, uma aliança de ouro brilhou em seu dedo.

A outra Tess notou também.

— Você precisa usar isso quando está comigo?

Ele levantou o olhar.

— O que você quer que eu faça? Que tire toda vez que estamos juntos e corra o risco de perder e encarar mais perguntas? — Ele falava baixo. — É assim que cometemos erros, Lorna. Não posso me dar ao luxo de cometer mais erros, ela já está desconfiada. — Ele estendeu a mão por cima da mesa e pegou a dela. — Olhe, sei que é difícil. Odeio tanto quanto você o fato de precisarmos fazer tudo escondido, estou vivendo uma mentira. Enganando todo mundo...

— Então acabe com isso! — Os dedos dela ficaram brancos em volta dos dele. — Faça o que prometeu que faria dois meses atrás.

— Você acha que eu não quero? Estou sofrendo aqui! Meus filhos acabaram de perder a avó. Não posso sair de casa agora. Preciso esperar até que tudo esteja mais calmo. Aí contarei para ela e podemos ficar juntos. Para sempre.

— Quanto tempo?

— Depende. Seis meses, talvez.

— Seis *meses*?

— Talvez antes, não sei.

— Robert, não posso mais fazer isso. É errado. — Ela puxou a mão e se levantou, pegando o casaco no encosto da cadeira.

— Aonde você vai? Fique pelo menos para um drinque...

— Não. Um drinque leva a dois e depois eu não vou embora. E preciso, para o meu próprio bem. — Os olhos dela brilhavam com lágrimas. — Não vou ser mais a outra. Quero mais.

— Lorna, estou implorando... não vá. Preciso de você.

Ela abotoou o casaco.

— Estou indo agora — disse ela, baixinho. — Mas vou te dar uma última chance. Estarei aqui, exatamente na mesma hora, daqui a um ano. Se quiser me ver de novo, esteja também. — Ela olhou nos olhos dele. — E você não vai estar usando essa aliança. Até lá, não me procure de forma alguma. Entendeu?

— Eu... — Ele passou a mão na parte de baixo do rosto. — Um *ano*?

— Deve ser tempo o suficiente para você se decidir. Adeus, Robert. — Ela fechou o último botão e puxou o cabelo por cima da gola, depois saiu sem olhar para trás.

Ele continuou à mesa, olhando a carta de vinhos. O nome do pub estava escrito no topo com letras elegantes: *The Mask and Mirror.*

Ele ainda fitava a carta quando uma garçonete se aproximou e parou ao lado da mesa.

— O senhor quer ajuda para escolher? — perguntou ela.

— Não, obrigado. — Ele se levantou e vestiu o casaco. — Infelizmente, vou precisar cancelar o quarto que reservei. Está no nome de Bradley. Robert Bradley.

Em silêncio, nós o seguimos enquanto ele se encaminhava para a saída. Ar gelado entrou. Ele saiu para a noite e, quando a porta bateu, a cena mudou novamente.

Desta vez, eu e Tess nos encontrávamos em um quarto simples, que primeiro achei que fosse um hotel barato. Quando olhei em volta, ficou claro que era um albergue. Em frente à única cama, havia uma pia e, ao lado, uma pequena cozinha. O ambiente era claro: as janelas estavam abertas em uma tentativa de ventilar o espaço abafado. Através delas, vi ruas movimentadas embaixo e árvores e flores florescendo. A antiga Tess — ou Lorna — estava na janela com um copo d'água. Parecia que não comia direito e não via o sol havia semanas.

O copo escapuliu da mão dela ao som de uma batida na porta. Ela passou por cima da poça de água e dos cacos de vidro e foi até lá.

— Pois não?

Uma voz grave atravessou a porta.

— Srta. Clements? Aqui é o Detetive Sargento Lockwood.

Ela abriu a corrente e os dois ferrolhos. Um homem grande à paisana entrou no quarto. Ela apontou uma cadeira e ele se sentou enquanto ela fechava os ferrolhos novamente.

— Como está passando? — perguntou ele.

— O que você acha?

— Desculpa. Pergunta estúpida.

— Só quero que o dia de amanhã acabe logo. Você tem certeza de que preciso ficar escondida assim? Só me deixa ainda mais nervosa. — Ela pegou uma pá de lixo e se ajoelhou para juntar os cacos.

— Srta. Clements, eu...

— Isso também me deixa nervosa, me chame apenas de Lorna.

Ele hesitou, enxugando o suor da testa.

— Lorna. Infelizmente, acho essencial que fique aqui até o julgamento acabar. Como testemunha-chave, sua declaração é vital. Desde o início, nós alertamos que o que viu colocaria sua vida em risco se fosse testemunhar...

Ela levantou a cabeça.

— Eu vi a minha irmã ser assassinada... não, *executada*, bem na frente dos meus olhos. Que tipo de pessoa eu seria se deixasse esse cretino escapar?

Lockwood suspirou.

— Algumas pessoas fariam isso.

— Quero esse homem atrás das grades.

— É por isso que estou aqui. — A voz de Lockwood era gentil. — Recebemos informações que sugerem que Billy Lynch colocou sua cabeça a prêmio, sendo condenado ou não. Com os contatos dele, temos razões para levar essa ameaça a sério. Se você testemunhar amanhã, sua vida mudará para sempre.

Ela soltou a pá de lixo.

— O que você quer dizer?

— Quero dizer que, se você for em frente, não seria sábio voltar para sua antiga vida. Nosso conselho seria que aceitasse proteção policial... permanentemente. Isso significaria uma nova identidade, casa nova, *tudo* novo, bem longe daqui. Significaria contar apenas para poucas pessoas essenciais que está indo embora. Eles não poderiam saber para onde você vai, ou qualquer outro detalhe sobre sua nova identidade. Contatos, cartas, telefonemas e visitas, seriam severamente restritos e monitorados.

— Por que está dizendo isso? — sussurrou ela.

— Estou relatando os fatos. Sua irmã se envolveu com o cara errado e sabia demais. Isso custou a vida dela. E custaria a sua também. Mas você tem uma escolha: se afastar e deixá-lo livre. Ou testemunhar e fugir.

— *Escolha*? Que escolha? Se Billy se livrar, eu perco. Se eu desaparecer, ainda perco. E acho que o coração do meu pai não aguentaria nenhuma das opções. Ele já perdeu uma filha. Agora, vou ter que falar para ele que ou o assassino dela fica livre ou ele perde a outra filha. — Ela riu amargamente. — Que escolha.

Lockwood se levantou e tocou o ombro dela.

— Você ainda tem até de manhã para decidir. Um carro virá pegá-la de qualquer forma.

— Eu já me decidi. — A voz dela era baixa e firme. — Vou testemunhar. Billy Lynch pode apodrecer na prisão. — Ela se levantou e acompanhou Lockwood até a saída. Quando a porta abriu, o ar esfriou e a luz mudou para tarde da noite. As duas pessoas desapareceram e reapareceram do outro lado, desta vez vestidas formalmente.

— Não temos muito tempo — disse Lockwood. — Mude de roupa e arrume as malas. Deixe tudo que não seja essencial. — Ele foi para a janela e olhou para fora enquanto Lorna tirava o terno creme e vestia calça jeans e camisa. Ela começou a jogar coisas em uma grande mala: roupas, escova de cabelo, bolsa.

— Você acha que ele vai ser condenado?

Lockwood deu de ombros.

— Está nas mãos do júri agora. Mas, com o seu testemunho, não vejo como podem livrá-lo. — Ele sorriu. — Você foi muito bem.

Ela fechou a mala e colocou um boné.

— Para onde eu vou?

— Não saberemos até que estejamos no caminho. A esta altura, só tenho conhecimento do seu novo nome, que terá de adotar assim que sairmos deste quarto.

A voz dela tremeu.

— Que é?

Lockwood virou-se para encará-la.

— Sally Painter.

Ela trincou os dentes.

— E quando vou me despedir?

— Não vai. Você parte hoje à noite e, assim que chegar ao destino, seu pai será contatado e informado sobre a decisão de tirá-la daqui.

— Eu não vou vê-lo antes...

— Sinto muito. O mesmo vale para sua melhor amiga, Sarah. Entraremos em contato com seu chefe também. — Ele fez uma pausa. — Tem mais alguém?

Ela abaixou o olhar.

— Tem. — Sua voz era um sussurro. — Um... homem. Tivemos um envolvimento.

Lockwood franziu a testa.

— Você nunca mencionou ninguém.

— Ele é casado. — Ela parecia envergonhada. — Nós terminamos. Eu não o vejo desde a véspera do Ano Novo. Antes de tudo isso acontecer.

— Esse homem... tem família? — perguntou ele. — Filhos?

— Sim.

Ele suspirou.

— Srta. Clements... Lorna, o meu conselho é que deixe isso para trás. Recomece sua vida do zero. Nós não estaríamos tomando essas medidas se não acreditássemos que não é apenas a sua segurança que está em jogo, mas daqueles com quem você tem contato. Qualquer vazamento de informação poderia ser desastroso, não apenas para você. — Ele parecia sério. — Essas crianças precisam do pai. Você não precisa de mim para lhe falar do que Billy Lynch é capaz.

Uma lágrima escorreu pelo rosto dela.

— Eu sei. Estou pronta.

Lockwood abriu um sorriso triste.

— Dê adeus para Lorna Clements.

Ela enxugou o rosto.

— Acabei de dar.

O quarto rodou à nossa volta. Eu tinha consciência da mão de Tess em volta da minha enquanto a visão mudava e nos levava para outro lugar, mas, desta vez, o que eu via e o que eu escutava não estavam conectados.

Vi Robert Bradley sentado sozinho a uma mesa, olhando para o relógio. Seu rosto estava mais magro e ele não usava aliança. Às suas costas, uma árvore de Natal e uma mesa com uma família. Não conseguia escutar suas palavras nem risos. Em vez disso, escutava outras vozes, exaltadas e furiosas, na minha cabeça.

— *Não quero ir para Essex. Eu odeio aquele lugar!*

— *Isso não é negociável. De alguma forma, sua identidade foi comprometida e você está correndo perigo. Tem certeza de que não ligou para ninguém, ninguém de... antes?*

A voz dela saiu como um sussurro.

— *Eu não falei nada. Só esperei ele atender, para poder escutar a voz dele...*

— *Meu Deus, Sally!*

— *Eu estava me sentindo sozinha! Não tenho ninguém agora que meu pai morreu. Como posso fazer amigos, conversar com alguém, se morro de medo de cometer algum deslize?*

— *Você sabe o trabalho que é mantê-la protegida? Quantas vidas estão em jogo? Billy Lynch está planejando a sua morte na cela dele neste exato momento, caso você tenha se esquecido, e você arrisca isso tudo por quê? Pelo marido alheio que provavelmente já está com outra agora.*

— *Ele não era desse tipo...*

— *Não importa como ele era. Acabou. ACABOU. Você tem vinte minutos para juntar as suas coisas. Aí você deixa esse corpo e se torna outra pessoa.*

— *Outra vida construída sobre mentiras.* — Ouvi a derrota na voz dela. — *Quem sou eu desta vez?*

— *Seu nome será Tess Fielding.*

Tess Fielding.

O nome nos trouxe de volta ao último lugar na lembrança de Lorna. O banheiro. O lugar do suicídio.

Ela soltou a minha mão. Meu braço abaixou, frio e formigando. O ar não estava coberto de vapor e a banheira ainda estava cheia. Não me lembro de vê-la desligando as torneiras. Minha visão estremeceu e se confundiu com a versão atual: o banheiro do meu pai e meu.

Um novo pânico tomou conta de mim. Eu estava prestes a acordar. Concentrei-me no papel de parede mofado, afastando a versão que eu conhecia.

O banheiro balançou, depois voltou. Quando olhei para Tess de novo, ela estava nua, entrando na banheira. O pé dela, quase azul de tão pálido, penetrou a superfície da água, que não ondulou.

— Tess... Lorna — falei. — O meu tempo está acabando. E eu ainda não entendi. Você tem que me dizer o que quer que eu faça. É alguma coisa a respeito de Robert, não é?

Uma lágrima escorreu pelo rosto dela e caiu, se juntando à água da banheira.

— Sim — sussurrou ela. — Robert...

— Você ainda o ama? É isso que está prendendo você aqui?

Olhos impotentes me fitaram. Assisti a ela pegando a lâmina, amaldiçoada a ir até o final.

— Não, ainda não... Tess, por favor, não...

— Eu sempre o amarei. — Ela levantou a gilete, olhando a luz refletir em suas beiradas. — Mas eu o superei há muito tempo. Quando me tornei Tess.

— Então o que é? — perguntei, desesperado para desviar o olhar da lâmina, mas sem conseguir. — Por que você está aqui?

— Porque *ele* não *me* superou. Não sabe o que aconteceu comigo. — Ela aproximou a lâmina da pele. Um ponto vermelho apareceu na ponta do dedo dela. — E está procurando pela garota errada. Ela não existe mais. Ele precisa seguir em frente... para que eu também possa.

— Você quer que eu o encontre? Que conte o que aconteceu com você?

— Quero.

— Tudo bem... Farei isso!

Jure.

A voz — voz *dela* — soou dentro da minha cabeça.

— Eu juro, vou encontrá-lo! — gritei, afastando-me da banheira. — Mas, *por favor,* pare de se machucar!

— Uma última vez — sussurrou ela. Os braços dela afundaram. A água limpa ficou turva. Ela se recostou, uma expressão contente. — Não dói mais.

O banheiro estremeceu, assim como Tess. Engasgado com lágrimas, recuei, abrindo a porta do banheiro e me afastando do frio. A sala me envolveu com seu calor. Papai estava inclinado sobre meu corpo adormecido, hesitante. Ajoelhei-me, estendendo a mão na direção do meu rosto, desejando acordar.

Meus olhos se abriram e encontraram os do meu pai.

— Você acordou, finalmente. Eu estava ficando preocupado — disse ele.

— Acordei. Estou de volta. — Lágrimas escorriam pelo meu rosto.

— Elliott? — disse papai, com a voz baixa. — Acabou? Você... a encontrou?

— Encontrei. Preciso fazer uma coisa para ela. Dar um recado. Mas acho que é isso... acho que ela se foi. — Levantei-me, esfregando os olhos, corri para o banheiro e abri a porta.

A água na banheira estava imóvel, como se congelada. Fiquei parado por um momento. Depois mergulhei a mão lá dentro.

— Espero que você descanse agora, Lorna — sussurrei, tirando a tampa. — Vou manter a minha promessa. Ainda não sei como, mas vou.

A água borbulhou e foi sugada pelo ralo. Junto a isso, escutei um leve barulho. Um suspiro aliviado.

Capítulo 27

Intruso

Dormi profundamente e sem sonhos, fazia muito tempo que não dormia tão bem. Tão bem que acordei grogue em vez de renovado. Tomei meu primeiro — que jurei ser o último — café do dia, tomei um longo banho quente e tomei meu café da manhã sozinho antes de sair adiantado para o trabalho. Embora ainda estivesse cansado, saber que estava livre de Tess era como tirar um peso das minhas costas, mas eu já estava me perguntando como cuidaria do meu novo problema: encontrar Robert Bradley. As únicas informações que eu tinha eram o nome dele e o nome do pub da lembrança de Tess: *The Mask and Mirror*. Tentei não pensar que poderia ficar muito longe ou até não existir mais.

Peguei um caminho diferente do que eu normalmente pegava para o trabalho, entrando em uma pequena rua em vez de seguir pela autoestrada. Não quis pensar muito a respeito depois da minha pequena vitória do dia anterior, mas, bem no fundo, eu sabia que não podia contar com papai como rede de segurança toda vez que eu fosse dormir. Precisava encontrar outros meios — e decidi que minha primeira parada seria no cemitério. Levei um pote para pegar um pouco de terra, torcendo para chegar cedo o suficiente e evitar uma plateia.

Infelizmente, era cedo *demais*. Os portões ainda estavam trancados.

Dei a volta, manobrando o carro na direção oposta. Por um momento, pisei no freio, olhando através das grades de ferro. O lugar estava mais abandonado do que eu me lembrava. Da última vez que viera, estava sob pressão e fora bem antes do acidente. Não tinha planejado voltar e, agora que estava aqui, sentia culpa pelo motivo ser outro. Passei a primeira marcha e acelerei.

A próxima parada foi na frente dos portões do Vidas Passadas. Com meu cartão de funcionário entre os dentes, abaixei o vidro, pronto para inseri-lo — então congelei.

Ele surgiu como se do nada, embaçado pela neblina da manhã. Reconheci a jaqueta de camurça com franjas e o cabelo espetado imediatamente. Mas o que quer que eu ganhara em sono na última noite, Lesley Travis parecia ter perdido. A expressão dele estava atormentada. Ele se apoiava com força na bengala, o som dela abafado pela grama. Ele abaixou a cabeça na altura da minha janela.

— Eu estava esperando por você — resmungou ele. — Torcendo para aparecer hoje. Já ia embora.

Tirei o cartão da boca.

— O que você quer?

— Tenho uma coisa para você...

Um grito enfurecido veio de perto. Lesley virou a cabeça rapidamente, estreitando os olhos para ver através dos portões.

— Ah, não...

Uma pessoa robusta vinha correndo na nossa direção. Pela silhueta formada pelo sol, eu sabia tão bem quanto Lesley que era Hodge.

— Aqui!

Ele colocou a mão para dentro sem avisar; ela era enrugada, escura e parecia uma pata. Minha pele ficou arrepiada. Tinha alguma coisa entre os dedos dele... consegui ver penas e alguma coisa vermelha antes dele soltá-la e ir embora.

— O que diabos...? — gritei. Saí do carro, passando a mão para a coisa soltar de mim. Meu cartão caiu da minha mão. Lesley mancava pela estrada, resmungando como um louco a cada passo.

— Ei! — Hodge correu atrás dele, passando pelos portões. — Eu falei pra você não voltar, seu lunático maldito!

Lesley sumiu entre os arbustos. Hodge parou subitamente. Uma veia estava estufada em sua têmpora e, mais uma vez, lembrei-me do talo em um tomate maduro.

— Se ele já não fosse aleijado, eu mesmo providenciaria isso — falou, arfando. — O que ele disse para você?

— Não muita coisa. — Apontei para o chão. — Ele jogou uma coisa em mim. Foi para debaixo do carro quando saí. Acho... parecia um pássaro morto. — Ajoelhei e olhei embaixo da porta. Hodge agachou do meu lado, dobrando o pescoço.

— Ali. — Ele apontou para a roda.

Uma coisa pequena e redonda estava perto do pneu. Com o estômago revirado, estiquei a mão para pegar. Quando toquei, não era sólido como eu esperava, mas leve. Prendi a respiração quando aquilo de repente se desenrolou nos meus dedos, e deixei cair de novo, limpando a mão na calça jeans para me livrar da sensação.

Fitamos em silêncio. Estava certo sobre as penas. Pequenas e marrons, elas estavam amarradas a três fitas. Uma era preta, outra azul e uma terceira — que eu confundira com sangue — vermelha. Meu alívio inicial ao perceber que não era um pássaro morto rapidamente desapareceu, dando lugar ao medo. Havia algo indescritivelmente ameaçador naquele objeto.

— O que é esta coisa? — sussurrei.

Hodge estava com os olhos arregalados. Pegou um galho próximo, usando-o para erguer a coisa. Desenrolado, tinha o tamanho do meu pé.

— Nove nós — disse ele, baixinho, abaixando a coisa. — Cada um com uma pena de galinha amarrada a ele.

— Você sabe o que é isso? — perguntei.

Ele assentiu.

— É uma escada de bruxa.

As palavras soaram como um feitiço maligno nos meus ouvidos.

— Eu já vi antes, alguns anos atrás. Foi encontrado durante uma restauração na Calthorpe House, escondida embaixo da soleira de uma porta. Não sabemos quem fez, mas reforça a teoria de que alguém na casa, provavelmente Alice Calthorpe, não era popular. Era odiada.

Fitei a escada da bruxa. As penas dançavam, levadas pelo vento, como se a maldade tivesse lhes dado vida.

— Odiada?

— É uma forma de amaldiçoar alguém. Cada nó é feito com uma bruxaria... um pedido para algum tipo de doença ou ferimento, até mesmo a morte. — Ele bufou, furioso. — Que velho tolo e louco. — Ele me fitou. — Mas por que Lesley Travis ia querer causar mal a *você?* Já falou com ele antes?

— Não — menti.

— Não, claro que não. — O rosto de Hodge ficou sombrio. — Provavelmente queria que você me entregasse. Ele disse alguma coisa quando jogou isso?

Eu estava esperando por você...

— Ele não teve tempo. Assim que eu o vi, você apareceu.

Hodge levantou a coisa, ainda usando o galho.

— O que você vai fazer com isso? — perguntei.

— Eu sei o que *gostaria* de fazer, mas infelizmente é ilegal. — Ele fez uma pausa. — Antigamente, acreditava-se que cada nó precisava ser desfeito para liberar a maldição, mas acho que fogo é suficiente. — Ele fez uma cara feia e se levantou. — Pelo menos pelo prazer de ver horas de trabalho dele se transformando em cinzas.

Senti a mão dele no meu ombro.

— Sinto muito por isso — murmurou. — Acho que, considerando o que você viu no pomar e agora maldições sendo jogadas em você, as coisas estejam ficando estranhas por aqui.

— Um pouco.

Ele tirou a mão.

— Se você não quiser fazer a caminhada fantasmagórica desta semana, vou entender. Provavelmente não é a melhor coisa a se fazer se estiver assustado.

A caminhada fantasmagórica. Eu quase tinha me esquecido — era amanhã. Eu não queria fazer, mas Hodge me oferecendo uma escapatória fácil não me agradou. Se eu aceitasse, seria como admitir uma fraqueza, admitir a derrota. E ainda me restava orgulho para defender.

— Vou pensar a respeito.

Voltei para o carro, não sabendo o que mais fazer. Eu não podia exatamente contar a verdade para Hodge: que a escada da bruxa era para mim. Se eu confessasse, ele saberia que eu fui sondar O Santuário. Peguei meu cartão e passei. O carro atravessou os portões. Hodge continuou parado do lado de fora, a fita e as penas ainda penduradas no galho como um pássaro morto.

Ele não tocou o objeto nenhuma vez com as próprias mãos.

Estacionei, mas fiquei no carro, querendo que a minha pulsação desacelerasse. Olhei pelo espelho retrovisor e vi outros funcionários chegando, bocejando e segurando garrafas térmicas.

Que velho tolo e louco.

Ontem, ele não parecia louco. Assustado, talvez. Mas hoje tinha parecido um maníaco. Doido. Não sabia se ficava com raiva ou com pena dele. De qualquer forma, tinha escolhido a pessoa errada para pedir ajuda. Não tinha certeza se acreditava em maldições, mas, se Lesley acreditava, então talvez essa escada de bruxa tenha exorcizado qualquer medo que ele cultivasse em relação a mim.

Liguei o rádio, feliz por ter algo normal para escutar. Uma música que eu gostava de uma banda já extinta estava tocando, e me recostei no banco, fechando os olhos, tentando me acalmar. Ainda tinha alguns minutos antes de precisar sair e me trocar.

Estava aquecido dentro do carro. Raios de sol passavam pelas árvores e refletiam no estacionamento, manchando o interior de minhas pálpebras. Meus pensamentos foram levados, se tornando indistintos...

Chiados. Uma confusão de palavras e sons. Meus olhos se abriram, e eu tentei mexer no rádio mal sintonizado. Minha mão continuou no meu colo, sem responder. Meu corpo permaneceu paralisado.

De novo, não.

O rádio ficou bom de repente, tocando uma música que eu não reconhecia:

"Às vezes sinto que não estou sozinho
Ainda escuto a sua voz, tão real quanto a minha.
Ecos do passado agitam meus sonhos,
Eles me dizem que o tempo cura, eles estavam errados, parece..."

Vi um movimento pelo espelho retrovisor. Alguém estava no banco de trás.

— Quem está aí? — tentei dizer. As palavras saíram sem forma, não passavam de um fraco assovio.

Olhos escuros se fixaram nos meus.

— *Você...* — Outra palavra inútil saiu dos meus lábios enquanto eu lutava contra a paralisia.

O garoto me encarava, lágrimas abrindo caminho pela sujeira encrostada em seu rosto. Os olhos estavam vermelhos e esbugalhados. As veias inchadas. Ele estava sufocando... e eu também.

Eu não conseguia ver a corda, mas podia senti-la, fina e mortal, esmagando a minha traqueia. Se eu pelo menos conseguisse levar a mão até o pescoço, talvez eu tivesse uma chance, mas o medo me prendia com mais firmeza do que a corda. Minha visão piscou e se tornou um borrão. Eu ainda via terra saindo da boca do garoto... e sentia o gosto na minha própria. Grossa, granulada, terrosa. Alguma coisa carnosa e viva se contorcia nos meus lábios. Senti cair na minha coxa e tossi, lançando um spray de terra e minúsculos insetos brancos no para-brisa. Larvas. Meu estômago revirou.

Senti a voz dele no meu ouvido, um bafo gélido.

— *Vá embora.*

A corda apertou mais. Minha visão ficou vermelha. Preta. Vômito subia pela minha já espremida garganta, mas não chegou à boca, impedido pela corda. Minha única vontade era de estar longe dali, de mim mesmo. Era que o sofrimento acabasse.

— *Vá.*

E eu não me importava para onde. Eu só precisava sair, para qualquer lugar. Com a força que ainda me restava, afastei minha consciência, atravessando o carro e caindo de joelhos no cascalho. A pressão no meu pescoço aliviou na mesma hora. Coloquei as mãos no lugar e só senti a minha pele. Não havia corda. Levantei-me e olhei para dentro do carro. Meu corpo semiadormecido reclinado no banco, olhos um pouco abertos. Não havia corda, nem terra. Não havia nem larvas nem terra no para-brisa.

E o banco de trás estava vazio.

Preciso voltar para meu corpo...

Tarde demais.

O eu dentro do carro se mexeu. Piscou. Depois se sentou e me olhou — se olhou — no espelho, tocando o rosto. Perplexo, maravilhado.

Bati na lateral do carro em vão e tentei segurar a maçaneta da porta.

— Saia. SAIA!

A porta se abriu. Meu corpo saiu e se levantou, olhando para mim com cuidado.

— Saia — repeti, trincando os dentes.

— Já saí — disse ele, com a voz rouca que eu me lembrava. Aquela que não estava acostumada a falar... ou talvez apenas achasse doloroso demais por causa de um ferimento infligido muito tempo atrás.

— Você sabe do que estou falando. Saia de *mim*.

Ele não respondeu, apenas levantou o olhar, embevecendo-se com o céu da mesma forma que fizera com a chuva no outro dia.

— Foi *você* — sussurrei. — Foi você quem tomou o meu corpo no outro dia. E era você no pomar... Sebastian.

Ele se encolheu ao escutar o nome, seus olhos encontrando os meus.

— Você não pode ficar — gritei. — Não pode fazer isso... não tem o direito!

— Eu já fui como você — disse ele baixinho. — Depois me tornei *isso*. Eu era apenas um garoto.

— Posso ajudar você — falei. — Mas não assim. Diga como eu posso te ajudar. Diga o que você quer.

Ele levantou as mãos — as minhas mãos — uma de cada lado, como se estivesse segurando o ar.

— *Isto* — respondeu ele simplesmente. — É vingança.

— Mas você não pode...

Passos se aproximavam no cascalho atrás de mim. Vi Sebastian levantar o olhar e virei.

Ophelia estava parada ali, protegendo os olhos contra o sol.

— O que você está fazendo aqui? — perguntou ela, fitando Sebastian. — Sabe que horas são?

Pela primeira vez, percebi que não havia mais ninguém no estacionamento além de nós. Olhei através do vidro do carro para o painel. Já passava das dez.

— Desculpe — disse ele. — Eu... devo ter pegado no sono.

— Hodge me mandou vir procurá-lo — disse ela, aproximando-se.

— Não — sussurrei, impotente. — Esse não sou eu. Esse não sou *eu*...

— Você me assustou ontem. — A voz dela era gentil.

— Assustei?

Ela estendeu a mão e tirou uma mecha de cabelo dos olhos dele.

— Sim. Aquele sonho que você teve no pomar. Com o garoto enforcado.

Os olhos de Sebastian viraram na minha direção, depois voltaram para Ophelia.

— Foi só um sonho — sussurrou ele, pegando a mão dela.

— Senti saudades — disse ela, inclinando-se para a frente. Passou os braços em volta do pescoço dele. — Quer dizer, sei que nos vimos ontem, mas...

As mãos dele envolveram a cintura dela. Ele inclinou a cabeça, sentindo o cheiro do cabelo de Ophelia.

— Também senti saudades de você.

Senti como se tivesse uma cobra no estômago, lentamente comendo minhas entranhas em direção ao meu coração.

— Afaste-se dela, seu cretino — sussurrei. — Estou avisando, não *toque* nela...

Mas ele já estava tocando. E eu não podia suportar aquilo.

— Sua voz está rouca — murmurou ela no seu ouvido. Observei enquanto beijava o pescoço dele.

Sebastian olhou para mim sobre o ombro dela.

— Estou com dor de garganta.

Ela entrelaçou os dedos nos cabelos dele, aproximando os lábios dele dos seus. Observei, cada beijo como um soco no estômago. As mãos dele subiram pelas costas dela e soltaram seu cabelo. Ele desenrolou como ouro sob a luz do sol. De repente, ele a estava girando, encostando-a contra o carro.

— O que você está fazendo? — murmurou ela através dos beijos dele. — Alguém pode ver.

— Eu quero você. — A respiração dele formou uma nuvem no ar.

— Aqui, não. Precisamos ir... Já estamos atrasados...

Eu não podia suportar nem mais um segundo. Vê-la nos braços dessa criatura, desse estranho com o meu rosto. Fiquei em posição de luta, os punhos fechados, mirando na cabeça dele. Cada soco atravessava o meu corpo como ar através de uma teia de aranha.

— Você acha que ela quer isso? — gritei. — Suas mãos no corpo dela? É a mim que ela quer. *Eu!* Você não é nada, está me escutando? Nada além de um parasita!

Minhas palavras eram tão inúteis quanto meus socos. Lágrimas de ódio queimavam em meus olhos. Eu levaria mil surras para tirá-la de perto dele, para protegê-la. Mas só podia assistir enquanto os lábios dele devoraram os dela, cada beijo mais faminto, mais desejoso.

— Há quanto tempo você vem a observando? — berrei no ouvido dele, cuspindo. — Quanto tempo? Você provavelmente a viu crescer, não foi? Seu pervertido...

A língua dele passou pelo lábio superior dela e entrou na sua boca. Ela arregalou os olhos e abaixou as mãos até os ombros dele. Empurrando--o, afastando-o.

— Elliott, me desculpe... Eu...

Ela parou quando Sebastian cambaleou, perdendo o equilíbrio. Assisti, petrificado, enquanto ele dava outro passo para trás. Por um segundo, pareceu quase bêbado. Vapor subiu dele, serpenteando pelo ar. Ele caiu, e, no mesmo segundo, vi meus olhos ficarem sem vida. Sebastian saíra do meu corpo, deixando-o prestes a cair no chão.

Corri, cheio de fúria. Reivindicando aquele corpo com tudo que eu tinha. Forçando minha entrada. Não foi o suficiente para me salvar completamente. Caí de joelhos no cascalho com força, mordendo a língua com o impacto.

Ophelia estava de pé na minha frente, a mão no meu ombro.

— Elliott, o que está acontecendo, quer que chame alguém?

— Não. — Levantei, trêmulo, meus olhos procurando em volta por qualquer sinal de Sebastian. Embora não tenha visto sinal dele, duvidava de que estivesse longe. Apesar do frio matinal, minha pele ficou molhada de suor ao pensar nele nos observando.

— Você não parece bem — disse ela, incerta.

— Vertigem. — Respirei fundo o ar gelado. Eu me sentia febril e grogue, como se tivesse algum tipo de vírus no meu corpo.

Ou o que restava de um parasita.

— Acho que só fiquei muito... entusiasmado.

Ela assentiu e desviou o olhar, passando os dedos sobre os lábios. Havia uma expressão no rosto dela que eu não reconheci nem compreendi, e isso me incomodou.

Engoli com dificuldade. Subitamente, era dolorido falar, e percebi que minha garganta estava sensível.

Observei Ophelia puxar o cabelo para trás e prendê-lo de novo. Ela não me olhava nos olhos.

— Vamos. Estamos muito atrasados.

— Ophelia, espere. — Peguei a mão dela. — Desculpe. Não queria deixar você chateada.

· As luvas eram macias sob os meus dedos.

— Você não me deixou chateada. — A expressão dela suavizou, mas eu ainda não conseguia interpretá-la.

— Então o que foi? — hesitei. Será que ela sentiu que alguma coisa não estava certa? Que aqueles beijos não eram meus? — Por que você me empurrou?

Ela soltou um longo suspiro

— Você só... nada. Esqueça. — Ela virou o rosto para me encarar e olhou para a minha boca. — Você não fez nada errado. Achei que alguém pudesse nos ver, só isso.

Desejei muito beijá-la, mas não ousei. Não queria correr o risco dela me empurrar outra vez. Ophelia pegou a minha mão e fomos andando, mais devagar do que deveríamos, para longe do estacionamento, na direção da entrada do museu. Paramos do lado de fora do Velho Celeiro, constrangidos e sem palavras por um momento longo demais.

— Almoçamos juntos? — perguntei.

Ela assentiu.

— Onde?

— Qualquer lugar menos o pomar. — Tentei sorrir. — Vamos sair para algum outro lugar, como sugeri ontem.

— Tá bom.

Separamo-nos ainda esquisitos, mas não havia nada que eu pudesse fazer. Digitei a senha da porta e subi, trocando de roupa e jogando todo o resto dentro do armário. A fantasia pesava no meu corpo, coçando. Suor brotava de mim, e eu parecia não conseguir me resfriar. Passei pelos vestiários e fui para o banheiro, levantando as mangas e jogando água fria no rosto. Ajudou um pouco.

Desliguei a torneira e me olhei no espelho. Meus olhos estavam vermelhos e arranhando de uma forma diferente da habitual. Estava acostumado a me sentir cansado, mas agora era quase como se houvesse areia nos meus olhos.

Ou terra.

Estremeci, abrindo o botão de cima da minha camisa para afrouxar a gola. Então cheguei mais perto do espelho, segurando na pia.

— Ah, meu Deus...

A fina linha vermelha se destacava no meu pescoço pálido. Conforme eu observava, ela ficou mais forte, uma mistura de pele ferida e irritada. A marca de uma corda fina, apertada com força e crueldade, era inconfundível.

Meu suor ficou frio. Apalpei o botão de cima, fechando-o de novo, e me afastei do espelho até chegar à porta.

— Não — sussurrei. — O que você está fazendo comigo?

Uma palavra ecoava na minha cabeça: *Parasita, parasita, parasita*.

Achei que nada podia ser pior do que assistir Ophelia ser violada, *molestada* sem nem saber... mas isso vinha em segundo lugar. Eu também tinha sido violado. Usado. E agora exibia a marca de outra pessoa, os ferimentos de outra pessoa.

Fechei os olhos com força. Sebastian queria vingança, mas como uma coisa morta há cinco séculos poderia se vingar? Diferente de Tess, não havia ninguém da época dele vivo, ninguém que eu pudesse ajudar a justiça a punir por suas ações contra ele. De toda forma, vingança não era o mesmo que justiça. E talvez Sebastian não se importasse com quem pagaria, apenas que *alguém* pagasse.

Lembrei-me do rosto dele quando estendeu os braços na direção de Ophelia.

Minha.

Presumira que ele a empurrava para *longe*, tentando prolongar o contato que fizera comigo. Agora eu reconsiderava. Ele podia muito bem estar tentando alcançá-la.

Reivindicando-a.

Capítulo 28

A *Escada da Bruxa*

Misturei leite no chá e passei o polegar em uma lasca da caneca.

— O que você faria se ele voltasse? — perguntei.

Ophelia levantou o olhar de seu omelete.

— Quem?

— O garoto que você namorava. Sean.

Ela abaixou o garfo e limpou a boca. Eu invejava o apetite dela. Mal tinha tocado a minha comida.

— Por que você está perguntando dele?

Tomei um gole grande de chá, desejando que fosse café.

— Por nada. Só estava me lembrando daquela noite. — Minha voz estava sendo sobrepujada pelo som das outras conversas e louças batendo. — Com a arma, Vince e tudo o mais. Vim para essa lanchonete na manhã seguinte com Adam e Amy depois que a polícia me liberou.

Ela olhou para o prato.

— Ah.

— Você disse para Vince que ele já tinha fugido antes — insisti.

— É verdade. Mas ele era menor de idade na primeira vez. Foi encontrado e trazido de volta. Isso só o deixou mais determinado. — Ela abriu um sorriso fraco. — Ele dizia que garantiria que tudo desse certo da próxima vez. Que desapareceria para sempre.

— Parece que ele pensava muito no assunto.

Ela deu de ombros.

— Com uma família como a dele, não o culpo.

— Vince me pareceu um cara forte.

— Todos eles eram. Os irmãos mais novos pareciam trombadinhas, e o pai era igual, só que maior. Sean dizia que batia em todos eles. Eu ficava com pena da mãe. Ela levava a pior. Vince e Sean tentavam protegê-la, mas acabavam apanhando também. Perdi a conta de quantas vezes ele apareceu com a boca inchada.

— Você sabe onde ele está?

— Não.

— Mas você sabia que ele ia fugir, não sabia?

Ela pegou o garfo e começou a remexer no que restava de comida em seu prato.

— Meu Deus, Ophelia. Você *sabia*, não sabia?

Ela soltou o garfo.

— Sabia, ok? Eu sabia. Podemos mudar de assunto agora, por favor?

— Mas por que você não disse isso para Vince e Nina? Para eles largarem do seu pé?

— Porque eu deveria ter ido com ele!

— *O quê?*

Ela finalmente levantou o olhar, seus olhos cheios de dor.

— Nós íamos embora juntos, sair daqui para sempre. Recomeçar em um lugar onde ninguém nos conhecesse. Ele queria deixar a reputação da família para trás e eu queria uma vida em que não fosse protegida o tempo todo por Una e Hodge. — Ela balançou a cabeça. — Não me leve a mal, sou grata por tudo o que fizeram, mas é como se eles quisessem que eu nunca crescesse. Una nem tanto, mas Hodge... ele me trata como se eu fosse uma garotinha porque é isso que ele quer que eu seja. A garotinha dele. Ele não aceita que estou crescendo. *Mudando.*

Eu a fitei, perplexo. A verdade — ou parte dela — era que eu tinha feito a pergunta para me distrair e não pensar no que tinha acontecido no estacionamento de manhã. A outra parte, da qual eu não tinha consciência, era que eu queria saber onde ficaria na vida de Ophelia se Sean voltasse. Agora eu desejava não ter aberto a boca.

— Podemos ir? — murmurou ela.

Assenti, pegando uma nota da carteira e deixando embaixo da caneca ainda cheia. Saímos da lanchonete e fomos andando em silêncio até o carro, que estava um pouco afastado, fechando as portas ao mesmo tempo. O assunto, entretanto, era como uma casca de ferida que eu não conseguia parar de cutucar.

— Eu acho que você deveria contar para Vince onde Sean está. Pelo menos pela mãe deles...

— Eu já disse que não *sei* — respondeu ela.

— Se você ia com ele, deve saber.

— Não fomos tão longe. Quer dizer... *eu* queria, mas ele dizia que era melhor não. Que se fizéssemos planos, alguém poderia descobrir. A única preocupação dele era juntar o máximo de dinheiro possível antes de partirmos. Ele dizia que se tivéssemos dinheiro, teríamos opções. Então economizamos cada centavo.

— E por que você não foi? — perguntei. — Amarelou?

— Não.

— Então o quê?

— Eu arrumei as minhas coisas — disse ela baixinho. — E esperei, conforme ele me disse para fazer. Ele não apareceu.

Soltei ar sonoramente.

— Ele foi sem você?

— Acho que decidiu que seria mais fácil sozinho. — Ela me encarou, os olhos cintilando. — Principalmente com a minha parte do dinheiro. — Ela soltou uma gargalhada amarga. — Isso mesmo, eu fui burra. Ingênua a *esse ponto*. E foi por isso que não contei para ninguém que eu ia junto.

Tentei imaginar Ophelia um ano atrás. Cheia de esperanças, esperando para fugir. Esperando para sua vida realmente começar. Uma vida sem mim.

— Que bom que você não foi. — Minha voz estava rouca. — Sei que é egoísmo. Desculpe. Minha intenção não foi trazer todo esse assunto à tona e deixá-la triste.

— Não deixou.

Hesitei.

— Você sente saudades dele?

— Eu sentia.

— E se... e se ele voltasse?

— Ele não vai. Mesmo se voltasse... As coisas são diferentes agora.

— Como?

— Você está aqui.

— E?

— E eu espero que continue aqui.

Coloquei a mão no encosto do banco dela, meus dedos brincando com os cabelinhos finos da sua nuca.

— Ophelia. — Aquela voz trêmula era realmente minha? — Você sabe que estou me apaixonando por você, não sabe?

Ela virou o rosto para a minha mão.

— Aposto que diz isso para todas.

— Nunca disse para ninguém. — Passei o polegar pelo rosto dela. Ela fechou os olhos, e me dei conta de que poderia passar o dia todo ali, contando cada um dos seus claros cílios. — Nunca senti isso antes.

Com os olhos ainda fechados, ela se inclinou na minha direção, e, naquele beijo, qualquer constrangimento que ainda houvesse desapareceu. Tudo estava como deveria estar e, por enquanto, a mentira que eu contara não importava.

Porque a verdade era que eu já estava apaixonado por ela.

Estávamos quase na entrada do museu quando vi uma pessoa solitária escondida atrás da cerca viva, fora da visão da guarita. *Lesley Travis*. Instintivamente, pressionei o pé no freio.

— O que houve? — perguntou Ophelia.

— Nada. — Parei um pouco à frente do ponto de ônibus. — Você se importa em ir andando daqui?

— Aonde você vai?

Apontei com a cabeça na direção de Lesley.

— Quero falar com ele. Não vou demorar.

Ela olhou para onde o homem estava.

— Ele é do Santuário, não é? Por que quer falar com ele?

— Só quero perguntar uma coisa. Mas me faz um favor, não diz ao Hodge que você o viu aqui.

— Tudo bem. — Ela soltou o cinto de segurança. — Mas isso tem alguma coisa a ver com o sonho que você teve ontem? No pomar?

— Tem. Mais ou menos.

Ela saiu do carro sem mais perguntas. Fiquei olhando enquanto ela atravessava a estrada, depois saí do carro. Lesley estava protegendo os olhos do sol.

— Ei! — Corri até ele quando Ophelia já tinha sumido de vista. — Não fiquei impressionado com sua proeza hoje de manhã.

A aparência dele estava ainda pior do que mais cedo.

— Você guardou?

— Se você está falando da sua feitiçaria, daquela escada da bruxa, a resposta é não. Hodge pegou. — Gostei da reação dele. — Provavelmente já virou cinza.

— Eu não queria criar problemas para você com ele.

— Problemas? — Eu ri com hostilidade. — Não, claro que não. Você só me jogou um cordão de maldições, mas não quer me causar problemas nem nada. — Olhei para ele de cima a baixo. — O que trouxe desta vez? Um crucifixo? Uma bala de prata?

— Maldições? Não, eu... não. Você entendeu tudo errado.

— Da mesma forma que errei quando fui pedir ajuda a você ontem?

Ele parecia cansado.

— No momento em que você saiu, soube que não devia ter me comportado daquela forma, mas entrei em pânico. Você me procurou para pedir ajuda, e foi por isso que eu voltei... para ajudá-lo.

Eu o fitei por um longo tempo.

— Ajudar? Hodge disse que a escada da bruxa era uma forma de fazer bruxarias contra uma pessoa...

— Isso é a cara dele. Leva tudo para o lado negativo. — Ele falou em tom de zombaria. — É justo. Escadas de bruxas ou cordas bruxescas, ou qualquer outro nome que você queira chamar, *às vezes*, são usadas com objetivos sombrios. Mas também podem ser usadas para o bem.

— Você espera que eu acredite nisso?

— Escute! A única diferença é a intenção com que elas são feitas. Elas podem ser usadas tanto para proteger quanto para prejudicar. — Ele passou a mão no queixo. A barbicha ali era grisalha, contrastando com o branco do cabelo. — Eu me senti péssimo depois que você foi embora.

— Depois que você me expulsou — corrigi.

Ele assentiu.

— Pensei em você a noite toda... e o que o cordão de prata, ou a ausência dele, pode significar. Eu precisava avisá-lo que está em perigo.

— Eu já sabia — respondi. — Sua reação foi uma indicação bem clara.

— Porque você está aberto, por isso — explicou ele. — Eu não estava pensando apenas em mim; dezenas de pessoas iam chegar lá ontem à noite, pessoas prestes a abrir seus corações e suas mentes. Eu tinha um dever com eles de não deixá-los vulneráveis e, se você tivesse levado alguma coisa com você, isso poderia muito bem ter acontecido.

— Então, onde a escada da bruxa entra?

— Bem, quando cheguei em casa ontem, procurei em todos os livros que tenho que tratam de proteção mediúnica. — Ele me fitou. — Suspeito que você tenha feito o mesmo. De qualquer forma, esqueça as coisas de sempre: atravessar portas de costas e todas essas baboseiras. Isso só funciona com lugares mal-assombrados, e seu problema, filho, é que você já deixou alguma coisa entrar. Agora, eles vão ficar... mais perto de você. Mais poderosos. Faz sentido?

Eu me lembrei das visões que tive com Tess. Da forma como ela foi capaz de me mostrar suas memórias. Desde que Sebastian tomou o meu corpo, as coisas vinham se agravando. Essa percepção gelou o meu sangue.

— Onde você encontrou sobre a escada da bruxa? — perguntei, tentando manter a voz firme. — Não encontrei nada sobre isso.

— Não é uma proteção tradicional contra os mortos — respondeu ele. — Mas foi uma coisa com que eu me deparei um tempo atrás. O que me fez lembrar dela foi a forma como é feita.

O aspecto mais importante de qualquer defesa é acreditar...

— Com um objetivo? — perguntei.

— Isso, mas também algo mais literal, a forma física dela. — Ele estalou os dedos. — Um cordão!

Meu coração parou por um segundo.

— Você fez um cordão para substituir o que eu perdi? — Hodge estava certo: Lesley era um velho louco e tolo.

— Dei um pontapé inicial — disse ele. — Uma amostra. E sim, desejei sua segurança e proteção enquanto fazia os nós, mas é realmente um modelo para que você faça a sua.

Meu silêncio valeu mais do que mil palavras.

Ele franziu a testa.

— Tem alguma ideia melhor?

Além de dormir no mesmo quarto que meu pai pelo resto da vida, eu não tinha.

— Eu ia pegar um pouco de terra — falei de má vontade — da sepultura da minha mãe.

Lesley estreitou os olhos.

— Hummmm. Se colocada embaixo da sua cama ou no bolso do seu pijama... Sim. Pode funcionar. — Ele deu de ombros. — Se você quiser acordar com terra de cemitério na boca. — Ele chegou mais perto e me cutucou no peito. — Mas se você tem fé o suficiente para acreditar nisso, então por que não faz uma coisa você mesmo?

— Eu... — Era uma boa pergunta. Ontem à noite, confiei em nada mais do que a proteção do meu pai e a sensação de segurança que ele me trouxe. Só isso tinha sido suficiente.

— Três pedaços de fita — disse Lesley com firmeza. — Uma preta, que representa a terra, para mantê-lo conectado. Uma vermelha, que simboliza o sangue...

Recuei.

— *Sangue?*

— Vida — disse ele, impaciente. — *Energia.*

— Ah.

— E a última... — Ele fez uma pausa, pensando. — Eles dizem uma cor da sua escolha, mas muitas pessoas optam pelo azul. Significa cura. Outras pessoas às vezes até trançam algumas mechas de seus cabelos junto. Mas para você...

— Prata — adivinhei.

— Exatamente. Quanto mais pessoal você fizer, melhor. Roupas velhas, roupa de cama...

— De onde vêm as penas? — interrompi.

— Elas são apenas para a contagem. Se a pessoa que está fazendo quiser entoar seus pedidos, seus nós, usa as penas. No seu caso, elas podem simbolizar outra coisa... uma conexão com o sono.

— Não estou entendendo.

— Onde você dorme à noite?

— Em um travesseiro. De penas...

— Bom. Pegue algumas penas do seu travesseiro, trance as três cordas e vá fazendo nós.

— Nove nós, nove penas?

Lesley franziu o nariz.

— Tradicionalmente são três, nove ou treze nós. Independentemente de quantos você faça, é importante que seus pedidos sejam bem específicos. A maioria das pessoas adapta os seus pedidos de certo cântico. — Ele pendurou a bengala no braço e começou a revirar os bolsos. — Escrevi para você, mas o gorducho chegou antes que eu conseguisse entregar. — Ele pegou uma folha de papel amassada. — Aqui.

Desdobrei e li a caligrafia delicada.

— *No nó número um, meu feitiço começa* — li. — *No nó número dois, meu desejo se tornará verdade. No nó número três, que seja...* Devo pensar em *nove* dessas coisas?

— Não precisa ser nove. Se for três, está bom. Apenas se lembre de ser bem claro no que pedir.

Dobrei o papel.

— Você realmente acha que pode funcionar?

Lesley estreitou os olhos.

— Qualquer coisa dá certo se você acredita. A mente é capaz de maravilhas, mas, às vezes, precisa de alguma ajuda para encontrar o foco.

— O que devo fazer com essa coisa quando estiver pronta?

— Você que sabe. Dormir com ela embaixo do travesseiro ou segurando na mão, se o deixar mais seguro. Se você estiver fora do seu corpo e se sentir ameaçado, pode usar o cântico para se tranquilizar e afastar quaisquer espíritos negativos.

— Depois que eu vi você hoje de manhã, ele voltou. O garoto — desabafei. Apertei o cântico na mão, como se apenas as palavras pudessem me proteger. — Mas desta vez ele me encontrou em um lugar diferente. Cochilei no carro. Eu o vi morrendo, senti. Então ele me forçou a sair do meu próprio corpo. Precisei esperar até ele enfraquecer e sair, mas não entendo como pode ter me encontrado lá.

— Não escutou o que eu disse? Você permitiu que ele entrasse! Ele não está mais amarrado a este lugar, agora está conectado a *você!* — O rosto de Lesley estava sombrio. — E cada vez ele vai ficar mais forte, até trancar você do lado de fora. E, aí, você será o fantasma.

— Tem isso também — falei. Com a outra mão, abri o botão de cima da camisa.

Lesley arregalou os olhos quando viu as marcas no meu pescoço.

— *Meu Deus...* — ele sussurrou e deu um passo atrás. — Você precisa fazer essa escada da bruxa, rapaz. Faça assim que puder, está me escutando? Então, descubra o que o está prendendo aqui e se livre dele antes que ele se livre de *você*.

— Mais fácil falar do que fazer. — Escondi as mãos trêmulas nos bolsos. — Já perguntei a ele. Ele quer viver de novo... e quer vingança.

Lesley balançou a cabeça.

— Bem, ele não pode. E, quando você estiver protegido, quando ele perceber que não pode controlar você, ele deve mudar de ideia.

— E se não mudar?

— Resolveremos se isso acontecer. É só me procurar. Às vezes a porta precisa ser fechada com força, entende o que estou falando?

— Entendo. — Fiz uma pausa. — Lesley? Obrigado.

Ele juntou os lábios com força.

— Não me agradeça ainda — disse ele, de forma brusca. — Só disse o que sei. Você é quem tem de fazer isso funcionar, mas precisa de fé, garoto. Você tem fé?

Não respondi na mesma hora. Minha fé tinha sido abalada com a morte da minha mãe, mas, ontem à noite, experimentei um tipo novo, totalmente diferente, de fé no meu pai, e deu certo. E eu sabia que era aquela fé, aquele *amor*, que eu precisava e que me guiava. Porque não era apenas a mim mesmo que eu tinha que proteger agora. Era Ophelia também.

— Estou trabalhando nisso — respondi. — E vou me livrar dele.

Começando com a caminhada fantasmagórica amanhã.

Naquela mesma noite me sentei na cama e observei os objetos à minha frente. O primeiro era uma velha chuteira. Uma coisa que eu costumava usar antes, quando era mais forte. Quando me sentia invencível.

O segundo era um cachecol de lã do papai. Mamãe tricotara para ele no Natal antes de morrer.

O terceiro era a caixa que eu mantinha embaixo da cama. Tirei a tampa e peguei alguns objetos do seu interior. Como o frasco meio vazio de perfume que nunca seria usado até o final. Levei-o até o nariz e senti o aroma fresco e gramíneo que me fazia lembrar da mamãe. Mexi nas outras coisas: cartas que escrevemos para ela, dentes de leite que ela guardava, duas minúsculas pulseiras de hospital que usamos ao nascer. Então encontrei: o colar que ela sempre usava. O colar para o qual, segundo papai, eu apontei quando era pequeno, dizendo ser parecido com o cordão de prata.

Coloquei tudo de volta na caixa, menos o colar. Pousei-o cuidadosamente sobre a cama, depois tirei o cadarço preto da minha chuteira. Finalmente, cortei um pedaço de lã vermelha da franja do cachecol do papai.

Um cordão preto, um vermelho e um prateado.

Peguei meu travesseiro, tirei a fronha e fiz um pequeno corte na costura. Uma pena escapou na mesma hora, flutuando para a janela.

Comecei.

Capítulo 29

Encontros

Bati pela segunda vez, dando um passo atrás para olhar a janela do andar de cima. As cortinas do quarto de Adam estavam fechadas. Estranho. Já passava do meio-dia e eu já tinha ido ao The Acorn procurá-lo.

Alguma coisa se moveu atrás do vidro. Ouvi o clique da fechadura, e a porta se abriu. Adam me fitou com olhos semicerrados, usando apenas um short.

— O que você está fazendo aqui? — resmungou ele.

— Preciso de um favor. — Passei por ele e entrei na sala abafada e fedorenta. — Caramba, Adam, está um cheiro horrível aqui dentro.

— Está? — Ele foi tropeçando para a cozinha e passou por uma pilha de caixas de pizza vazias até pegar a chaleira. — Café?

— Não devo beber, lembra?

— É. — Ele tossiu. — Bem, todos fazemos coisas que não devemos.

— Como assim? — perguntei, já com uma terrível desconfiança. — Onde está Amy?

Ele afastou uma pilha de louça suja para alcançar a torneira.

— Foi embora.

— Para onde? Por quê?

— Para a casa dos pais dela. — Ele se virou, evitando meus olhos.

— O que você fez?

— Nada — respondeu ele. — Tecnicamente nada. — Ele suspirou, coçando a cabeça. — Ela apareceu uma noite dessas quando eu estava trabalhando. Eu não a vi entrar.

— O que você estava fazendo, Ad?

— Eu estava com uma garota — murmurou ele. — Na verdade, não estava *fazendo* nada. Só peguei o telefone dela.

— E Amy viu?

— Viu.

— Seu *idiota*. Qual é o seu problema?

— Não sei.

— Eu sei. É ser um babaca estúpido e egoísta.

Ele assentiu.

— Quer saber qual foi a maior estupidez? Eu nunca teria ligado para ela. Eu teria jogado o papel fora. Estava só fazendo joguinho.

— *Por quê?*

Ele deu de ombros.

— Porque eu podia. E agora Amy acha que eu estava fazendo joguinhos com *ela*. — A voz dele vacilou. — Realmente estraguei tudo desta vez, não foi?

— Você é um merda — falei. — Fez isso logo antes das provas dela.

Nós nos olhamos. Meu irmão bonito, popular e burro. Tudo que eu também era e não sou mais. E isso era bom, percebi. Eu tinha mudado, mas não para pior. Agora Adam também precisava decidir se queria.

— Você está certo. — Ele escondeu o rosto nas mãos. A voz saiu abafada. — O que eu vou fazer? Não quero mais ninguém. Agora estraguei tudo.

— Diga isso a ela.

— Eu tentei. Ela disse que não podia mais acreditar em nada que saía da minha boca. Que atos falam mais do que palavras.

— Mostre a ela, então. Use as palavras de forma diferente; escreva uma música para ela.

Ele ficou em silêncio, então finalmente levantou a cabeça.

— Você acha que isso vai funcionar?

Qualquer coisa funciona se você acredita nela.

Dei de ombros.

— Acho que você devia tentar.

Adam colocou a chaleira para ferver e pegou uma camiseta velha pendurada no encosto de uma cadeira.

— E por que você está aqui, de qualquer maneira? Não deveria estar vestido de Henrique VIII?

— Só entro às duas. Vou trabalhar até tarde hoje.

— Certo. A caminhada fantasmagórica. — Ele enfiou a camiseta pela cabeça. — Falando em fantasmas, como estão as coisas em casa?

— É por isso que estou aqui. O negócio com a Tess... acabou. Ela foi embora, mas eu preciso fazer uma coisa por ela. Prometi.

— Está falando sério? Agora você faz coisas para fantasmas? Achei que eu que estivesse com problemas.

— Esqueça. Sabia que não devia ter falado nada.

— Não, espere... o quê? Que isso, desculpe.

— Preciso mandar um recado para uma pessoa.

— Que recado?

— Não é da sua conta. O negócio é o seguinte: a única pista que tenho de onde ele pode estar é um pub. Procurei hoje de manhã e só tem um com esse nome no país. E fica em Oxfordshire.

— Bem longe daqui.

— É. Umas três horas para ir e outras três para voltar. Eu estava pensando se você não podia ir comigo, para me fazer companhia durante a viagem. — Parei, apontando para a bagunça na cozinha. — Mas posso ver que você tem seus próprios problemas.

Adam assentiu.

— Desculpe, Elliott, eu seria uma companhia tão boa para você no momento quanto um peido embaixo do cobertor. — Os olhos dele se acenderam com um brilho familiar. — Mas e a Ophelia? Chance perfeita para...

— Nem fale. Ela não sabe de nada disso. E, mesmo se soubesse, duvido que o tio dela a deixaria ir comigo. Ele é um pé no saco.

— Você precisa ficar amigo dele. — Adam me entregou um café preto. — O leite estragou.

Nós nos sentamos à mesa, assoprando nossas xícaras fumegantes. Adam tentou dar um gole e xingou.

— Que merda esses dias — disse ele, mal humorado.

— Por que, o que mais aconteceu? — Não pude deixar de rir da expressão zangada na cara dele. — Além de levar um pé na bunda e queimar a língua?

— É aniversário da mamãe semana que vem.

Isso apagou o sorriso do meu rosto.

— Você tinha se esquecido, não tinha?

Não havia por que mentir.

— Tinha.

— Vou levar flores para ela. Você vem?

Olhei para as profundezas negras da minha caneca.

— E aí? — A pergunta foi concisa.

Levantei o olhar.

— Não.

Ele juntou as sobrancelhas.

— Simplesmente... *não?*

— Não é "simplesmente não" — falei. — Desde o início, eu disse que não queria ficar visitando o túmulo dela. Você insistia e eu acabava indo junto.

— Então você quer esquecê-la?

— Não seja estúpido. Quero me lembrar dela tanto quanto você, tanto quanto papai. Mas posso me lembrar dela pensando em coisas que aconteceram. Olhando fotos e coisas que ela guardava. E talvez isso não seja mais saudável do que ir visitar o lugar onde ela foi enterrada, mas é como eu quero lidar com a situação. — Mantive a voz controlada, mas firme. — Se você quer ir lá, se isso faz com que se sinta melhor, então eu respeito. Mas você precisa respeitar os meus motivos para não querer.

Esperei que ele protestasse, explodisse, mas ele não fez nada disso. No silêncio que se seguiu, lembrei-me da caixa da mamãe que eu abrira ontem à noite.

— Você se lembra do colar de prata dela? — perguntei. — Aquele que nós compramos?

Adam abriu um sorriso fraco.

— Lembro. Ela sempre usava.

E, com isso, a tensão entre nós se esvaiu. Tomamos nossos cafés, relembrando. De alguma forma, mesmo sem leite, estava gostoso, como se as lembranças das quais falamos tivessem afastado o gosto amargo. Logo estava na hora de ir. Adam me acompanhou até a porta, parecendo sentir muito menos pena de si mesmo.

— Então, o negócio do tio — disse ele, cruzando os braços. — Isso significa que vocês ainda não fizeram?

Eu sabia aonde ele queria chegar, mas preferi ignorar.

— Não fizemos o quê?

— Você sabe. Com Ophelia?

Saí brincando com a chave do carro.

— É como você sempre me ensinou, Adam. Um cavalheiro nunca conta.

— Mas isso não vale, não comigo. Vamos lá, sempre contamos um para o outro...

Entrei no carro, sorrindo.

— Desta vez, não.

Deixei o rosto infeliz de Adam apenas para trocá-lo por outro. Um ônibus escolar quebrara a caminho do Vidas Passadas, deixando a tarde sem passeios e Hodge fazendo beicinho como se fosse uma das crianças do grupo. Ele reclamou o caminho todo até o escritório dele e me entregou uma lista de buffets.

— Horas extras para você semana que vem, se quiser. — Ele deu um tapa no pôster na parede. — No ano passado, ficou lotado. Deve ficar ainda mais cheio este ano.

Olhei para o papel brilhoso, assentindo. Era uma propaganda para uma semana de eventos da era Tudor que começaria na sexta-feira. Uma colagem de imagens mostrava competições com cavalos, danças e um tipo de banquete.

— O que é isso? — perguntei, referindo-me à lista.

— Ah... um dos estandes de comida desistiu. Precisamos de um substituto, e logo. Você poderia ligar para esses e ver se alguém pode preencher a lacuna?

— Claro.

— Ótimo. Depois, você pode ficar em Goose Walk e ajudar quem estiver por lá. Provavelmente, vai ser uma tarde tranquila.

Senti o cheiro de alguma coisa quando ele passou por mim. Será que ele tinha bebido uísque de novo? Parecia mais distraído e suado do que de costume.

Ele voltou alguns minutos depois, quando eu já estava na metade da lista.

— Conseguiu alguma coisa?

— Até agora, não. — Risquei o último número para o qual eu tinha ligado e olhei para o seguinte, pronto para discar de novo. Alguma coisa me fez parar e levantar a cabeça. Hodge estava me olhando.

— O seu acidente — disse ele.

De repente, senti-me na berlinda.

— O que tem o meu acidente?

— Acha que tornou você mais sensível às coisas?

Abaixei o olhar.

— É só que Sebastian é um dos espíritos menos... sociáveis, digamos assim. Fiquei surpreso quando você disse que o viu.

Ele passou por mim para pegar umas chaves na sua mesa. Senti o cheiro de novo. Definitivamente uísque. Tive a distinta sensação de que estava sendo desafiado. Será que Hodge tinha tido tempo de pensar no que eu dissera e decidira que estava mentindo? Ou será que não gostava do fato de que eu vira alguma coisa, algo *real*? Se Lesley estivesse certo sobre a aparição de Sebastian no ano passado, então Hodge tinha de estar envolvido. De qualquer forma, fiquei irritado.

Abaixei a lista.

— Eu não fui totalmente honesto com você antes — falei, observando o rosto dele com cuidado. Tive certeza de que ele achou que eu fosse retirar o que tinha dito, dizer que foi um sonho. — Sebastian não foi o primeiro fantasma que eu vi.

Ele levantou as sobrancelhas.

— Não?

— Uma mulher morreu no meu apartamento. Eu a vejo desde o acidente. — Desviei os olhos, relutante em divulgar mais do que o necessário. Por mais estranho que parecesse, depois de temer e até *odiar* Tess por tanto tempo, eu agora tinha um estranho senso de lealdade a ela e seus segredos. — De qualquer forma, descobri o que... por que ela continuava lá. E preciso fazer uma coisa para ajudá-la, preciso *contar* uma coisa para alguém por ela.

— É mesmo? — Hodge afundou na cadeira. Não sabia se ele acreditava ou não.

— O negócio é: tenho de ir a Oxfordshire para fazer isso. — Dei de ombros. — E nem sei se vou encontrá-lo.

Hodge levantou a cabeça, os olhos de repente brilhantes.

— Você disse Oxfordshire? — Ele foi até o cofre e inseriu a combinação, pegando o caderno estufado no interior. Abriu-o no final e passou o dedo pela página. — Que tal nós dois fazermos uma pequena viagem de campo para lá? Durante o expediente, com tudo pago?

Pisquei, surpreso.

— Para *Oxfordshire*?

Ele sorriu.

— De vez em quando, faço umas viagens de pesquisa pelo país. Vou a caminhadas fantasmagóricas e eventos, para conseguir algumas ideias. Até angariei alguns guias aqui e ali. Estava planejando ir para Glasgow primeiro, mas tem muitos lugares em Oxfordshire que poderia visitar.

Dois coelhos numa cajadada só: eu faço a minha pesquisa, você dá o seu recado e nós dois recebemos por isso. Podemos ir juntos. O que você acha? Seria como uma viagem de carro de rapazes!

Forcei um sorriso. Uma viagem de carro era o que eu planejara para Adam e eu: falar de garotas, dirigir com o rádio no último volume e tomar umas cervejas antes de dormir. Uma viagem de carro com um cara nervoso, barrigudo, de 40 e poucos anos não era o que eu tinha em mente. Mas eu precisava admitir, um dia de trabalho pago não soava nada mal. E essa poderia ser a minha chance de aceitar o conselho de Adam e tentar fazer amizade com Hodge.

— Parece bom — respondi. — Quando você quer ir?

— Que tal sexta-feira?

— *Esta* sexta?

— Por que não? O tempo vai ficar bom o final de semana todo. Se sairmos bem cedo, chegaremos a tempo do banquete Tudor à noite. — Ele piscou. — Além disso, não vamos precisar ajudar na arrumação durante o dia.

— Tudo bem — falei. — Pode ser.

Só mais tarde, quando estava sentado sozinho no pedágio de Goose Walk, que entendi o humor de Hodge antes de fazermos nossos planos para a viagem. Hoje era dia cinco de junho.

O dia que o autor da carta ameaçadora prometera aparecer.

Eu e Ophelia ficamos no carro durante a hora antes da caminhada fantasmagórica começar. O estacionamento estava praticamente vazio agora que a maioria dos funcionários já tinha terminado o expediente, incluindo Ophelia.

A calça de montaria dela estava suja de lama, e havia feno em seu cabelo. Estendi a mão e, com delicadeza, tirei, observando seu pulso acelerar por baixo da pele cor de mel do seu pescoço. Um raio de sol do final da tarde refletia em seu cabelo, transformando palha em ouro.

— Hodge te contou que vamos viajar na sexta-feira? — perguntei.

— Uma viagem de carro, certo? — Ela fez uma careta. — Você vai morrer de tédio.

Dei de ombros, aliviado por Hodge não ter mencionado a minha parte na viagem.

— Vale a pena se facilitar as coisas para nós dois.

— Depois de um dia com Hodge, talvez você não queira mais.

— Vou querer.

— Você vai voltar para o banquete, não vai?

— Estarei lá.

— Que bom. — Ela abriu um sorriso implicante. — Vai ter dança no final. Você precisa praticar...

— Ei! — Puxei o cabelo dela. — Isso não é justo. Eu estava machucado. Escute... vamos fazer alguma coisa este fim de semana. Só eu e você, algum lugar longe daqui. Jantar e cinema?

— Eu adoraria.

Ela levantou o rosto na altura do meu, a mão segurando meu pescoço como se fosse o nosso primeiro beijo. Estremeci quando a mão dela desceu pela minha gola, se enroscou no meu cabelo...

Uma rajada de estática nos forçou para longe um do outro. Dei um pulo para trás, apalpando para desligar o rádio.

Ophelia colocou a mão no peito, ofegante.

— Como isso ligou?

— Eu... eu devo ter esbarrado com o joelho — gaguejei, apertando para desligar. — Ou está com defeito...

Ophelia arfou, me silenciando.

— O quê?

— Seu pescoço... o que são essas marcas?

Agarrei o espelho retrovisor e o abaixei. A gola da minha camisa tinha aberto quando Ophelia me tocou, expondo o meu pescoço.

— Não é nada. — Fechei o botão, colocando a gola no lugar. — Só uma alergia.

— Parecem hematomas.

— Não, mesmo. — Dei um beijo na ponta do nariz dela. — Não se preocupe. Vai sumir logo.

Segurei o retrovisor, procurando a posição certa, enxergando vários ângulos até encontrar o certo.

Olhos escuros me encararam.

Sebastian.

Virei para trás. O banco estava vazio. Quando olhei de novo pelo espelho retrovisor, não havia nada.

Ophelia olhou para mim de maneira estranha.

— Tem certeza de que está bem? Parece meio... agitado.

— Estou bem. — Tirei a chave da ignição. — Só preocupado com a hora. Não quero me atrasar.

— OK. — Percebi a confusão na voz dela, mas não ousei tocá-la. Ela sentiria que eu estava tremendo. — Bem, nos vemos amanhã.

— OK.

Ela saiu, batendo a porta. Observei-a atravessar o estacionamento.

— Você não pode tê-la — sussurrei para o carro vazio. — Ela é minha.

Ninguém me respondeu.

Observei um a um conforme o sol se punha sobre o museu.

Dezoito pessoas apareceram para a caminhada fantasmagórica, divididos igualmente entre os grupos de Hodge e Lyn. Os nove de Hodge consistiam em dois casais de adolescentes um pouco mais velhos do que eu, um casal aposentado e três pessoas que tinham ido sozinhas: duas mulheres e um homem. Não consegui dar uma boa olhada no grupo de Lyn antes de eles partirem, mas acreditava que, se o correspondente de Hodge tivesse aparecido, ele ia querer mantê-lo por perto e provavelmente o colocaria no seu próprio grupo.

Escutei com atenção as perguntas deles e fiquei ainda mais atento aos seus olhos, buscando olhares maldosos ou expressivos. Analisei especialmente Hodge. Ele estava agindo normalmente, animando-se apenas ao relatar algum fato apavorante. Quando a história de Sebastian e Samuel foi contada, afastei-me do grupo, com o corpo todo arrepiado. Nada aconteceu e, quando terminamos o setor elisabetano, eu estava certo de que nenhum deles era o autor da carta. Quem quer que fosse não tinha aparecido.

Na sala de aula vitoriana, tentei escapulir e ficar do lado de fora, mas Hodge me chamou para dentro. Senti um nó no estômago enquanto ele demonstrava os castigos. O fedor apareceu, como eu sabia que apareceria — assim como Hodge. Ele me lançou um sorriso triunfante enquanto levávamos o grupo para tomar o drinque grátis do Swan.

Recusei-me a sorrir também, furioso demais até para encará-lo.

No Swan, Hodge entornou vários copos de cerveja antes que a maioria dos hóspedes e visitantes fosse embora ou se recolhesse para seus quartos. Quando tocou o último sino do bar, poucos permaneciam ali, incluindo o homem e as duas mulheres solitárias, além de alguns participantes do grupo de Lyn.

— Muito bem, então, caça-fantasmas. — Hodge juntou as mãos. — Foi uma noite adorável, mas precisa chegar ao fim. Se todos já terminaram aqui, vou acompanhá-los até a saída.

Copos foram esvaziados e os casacos, vestidos. Fiquei atrás o caminho inteiro, em silêncio enquanto eles riam de tudo o que tinham visto. *Ali estava de novo*, pensei. *Aquela onda.*

Passamos pela entrada principal de visitantes, agora fechada, e nos encaminhamos para os arcos que levavam ao estacionamento. Eles já estavam quase saindo. Eu e Hodge já estávamos voltando pelos arcos quando ouvimos:

— Perdi meu colar.

A mais jovem das mulheres se apalpava e sacudia o casaco. O resto do grupo ia embora. Portas de carro batiam à distância.

— Sei que estava com ele mais cedo... deve ter caído em algum lugar. — Ela encarou Hodge com olhos arregalados. Senti meu pulso acelerar. Isso era verdade ou ela podia ser a autora da carta?

— Ah. Talvez a nossa batedora de carteira Annie tenha entrado em ação, hein? Bem, não adianta procurar no escuro — respondeu Hodge. — Se quiser, venha comigo e preencha uma ficha, então posso enviar para você se encontrá-lo. — Ele olhou para mim. — Pode deixar que cuido disso, Elliott. Pode ir para seu quarto. Ah — ele piscou —, e obrigada pela sua ajuda.

Ele levou a mulher na direção de seu escritório. O cabelo escuro dela brilhava sob as luzes da rua, balançando sobre o casaco vermelho. Nenhum deles olhou para trás, seguros da autoridade de Hodge. Esperei trinta segundos. Então fui atrás.

Dentro das casas, andei sorrateiramente pelo chão de calcário. Todas as portas estavam fechadas e todas as luzes, apagadas — com exceção do brilho amarelo saindo por baixo de uma. Aproximei-me da porta, andando bem próximo à parede, parando do lado de fora para escutar e, ao mesmo tempo, rezando para serem apenas palavras.

A princípio não escutei nada e quase me afastei, com medo do que estava acontecendo do outro lado da porta. Mas, então, escutei um som fraco. Como se cartas estivessem sendo jogadas... ou dinheiro sendo contado.

— Foi uma performance e tanto — disse ela, como a voz parecendo um ronronado. — Parece que não sou a única atriz aqui esta noite. Se não soubesse, até teria jurado que você não me conhecia.

O som do dinheiro sendo contado parou.

— Apenas pegue e vá embora.

— *Quinhentos?* — O miado não estava mais ali. Em seu lugar, algo feio, penetrante.

— Quanto você esperava? — rosnou Hodge. — Precisei de semanas para conseguir desviar isso dos lucros das caminhadas fantasmagóricas, e vai ter uma auditoria na semana que vem. Agora, estou avisando, esta é a última vez...

Ela o cortou grosseiramente.

— *Eu* direi quando será a última vez. As coisas não precisavam ter chegado a esse ponto... Foi você quem quebrou nosso acordo, lembra? Você forçou a barra, Arthur. Eu estava feliz em fazer o que você tinha me pedido. E até gostava dos seus roteiros...

A voz dela mudou, se tornando sonhadora e suave:

— Estou vendo uma mulher, torcendo as mãos. Ela... ela está tentando me dizer alguma coisa... O quê? Não consigo escutá-la, meu amor. Um garoto enforcado, é isso? Você quer confessar? — Ela riu, voltando ao tom de voz normal. — Verdade, eu curtia fazer a médium. Foi um bom acordo. Eu poderia voltar a fazer amanhã mesmo, se você quisesse...

— Não havia acordo nenhum! — Hodge falou baixinho. — Nunca disse que seria regular. Se fosse, *desvalorizaria* o negócio, sem falar nos riscos de errar. — Ele bufou. — Mas é isso que você é, né? Sem valor. Você não se importa de onde vem.

— Existem formas piores de ganhar dinheiro.

— E aposto que você já experimentou muitas delas.

Ela ignorou o comentário dele.

— Esses eventos paranormais que você tem organizado. Podia ter arranjado alguma coisa para mim. Você sabe que faço um bom trabalho. Fiz da última vez...

Ele soltou um muxoxo zombeteiro.

— Sabe de uma coisa? Eu provavelmente teria arranjado alguma coisa para você. Mas você já tinha começado com essas exigências, não foi? As ameaças. Você acha que vou arranjar mais trabalho para você, colocá-la junto dos meus colegas, minha família? E aquela *carta*? Foi pura sorte a minha secretária não ter aberto!

— Você não devia ter me ignorado. Avisei que não admitiria ser ignorada. Eu dou as cartas aqui, Arthur, enquanto você quiser que seus segredinhos permaneçam guardados. Lembre-se disso. Só precisaria de algumas palavras e todo mundo ficaria sabendo da fraude que você é. — Ela soltou um suspiro exagerado. — Pense na vergonha da sua pobre mãezinha, se ainda estivesse viva...

Escutei uma arfada e, então, uma pancada tão alta que achei que a parede onde eu estava encostado fosse quebrar. Recuei, adrenalina correndo pelas minhas veias. Será que ele tinha dado um soco na parede? Jogado a mulher contra a parede? Não dava para saber.

— *Não ouse falar da minha mãe, sua piranha!*

— De... desculpe! Arthur, por favor...

Alguma coisa escorregou. Os saltos dela clicaram no chão quando ela saiu cambaleando para a porta.

— Pegue o seu dinheiro e vá. — A voz de Hodge era baixa, mal conseguindo se conter. — Se eu vir você de novo, se tiver *qualquer* notícia sua...

Não fiquei para escutar mais. Saí de fininho, minha respiração pesada no corredor silencioso. Consegui sair a tempo de me esconder em um arco coberto de glicínias quando a porta principal do prédio de escritórios bateu. Observei enquanto Hodge acompanhava a mulher até a saída e a empurrava pela porta sem mais nenhuma palavra. Do bolso do paletó, ele tirou um pequeno frasco. Sua mão tremia ao desenroscar a tampa. Tomou dois goles, tossiu e voltou para o escritório.

Esperei, depois fugi, começando a correr quando me aproximei dos estábulos. Não vi ninguém quando cruzei para o Swan. Peguei a chave do meu quarto e passei pela entrada dos hóspedes. Ouvi som de vozes e louças tilintando vindo do restaurante, onde funcionários limpavam depois do funcionamento da noite. Deixei os sons para trás, subindo as escadas até os quartos dos funcionários. Era um quarto diferente desta vez, mas não parecia mais seguro. Agora era a mim que Sebastian assombrava. Aonde quer que eu fosse, ele podia ir.

Acendi a luz e fechei as cortinas. Minha mochila, que eu trouxera mais cedo, estava em cima da cadeira. De dentro dela, tirei uma camiseta simples e uma calça e as vesti. Não me arriscaria a ficar trancado do lado de fora seminu pela segunda vez. Do compartimento externo da mochila, tirei com cuidado a escada da bruxa.

Fechei os olhos e, com a luz acesa, deitei na cama, segurando a corda cheia de nós e penas trançadas entre meus dedos. Lesley estava certo. Hodge *estava* enganando as pessoas. *Pagando* artistas para representarem as histórias de fantasmas. Mentindo, traindo e enganando. Explorando a morte e a infelicidade para obter lucro.

Caí em um sono agitado, com sonhos confusos de Hodge pendurado em uma corda de três cores trançadas com penas. Os olhos dele estavam injetados de sangue e vidrados, a boca meio aberta. Tentei gritar, mas a minha boca estava entupida com alguma coisa arenosa e grossa. Um dos olhos de Hodge piscou para mim, fazendo uma lágrima de sangue escorrer pelo seu rosto.

A lâmpada no teto piscou e apagou, acordando-me.

Meio me acordando.

Fiquei deitado, paralisado no quarto escuro, minha respiração formando nuvens no ar à minha frente. Uma silhueta contornada contra as sombras esperava na frente das finas cortinas, imóvel e alerta. Embora não tenha me mexido, as cortinas lentamente se abriram. Luz amarela entrou no quarto vindo de fora, iluminando a túnica rasgada, o rosto marcado por lágrimas. Então, ele se moveu.

Sebastian deu a volta na cama, rodeando-me como uma raposa faria com um coelho. Terra caía da sua boca conforme ele falava palavras furiosas que eu não conseguia escutar. Unhas sujas de terra vieram na minha direção, parando a poucos centímetros do meu rosto.

A escada da bruxa estava entre meus dedos, as penas se agitando na gélida corrente de ar. E me forcei a lembrar de dizer, mesmo que as palavras estivessem mais claras na minha cabeça do que soavam no quarto.

"No nó número um, o dia começa,
No nó número dois, meu descanso é certo,
No nó número três, o sono toma conta de mim,
No nó número quatro, não tenho mais medo,
No nó número cinco, estou vivo,
No nó número seis, meu cordão é restaurado,
No nó número sete, com corda e pena,
No nó número oito, não tem portão,
No nó número nove, para o que é meu..."

A mão de Sebastian recuou, seus olhos escurecendo. Eu sabia que ele escutava, e saber disso me tornava mais forte. Ele não podia me forçar a sair e não podia entrar, não se eu não permitisse.

Repeti o cântico uma vez após a outra. Na terceira ele se afastou, indo na direção da janela. Meu dedo mindinho se mexeu: eu começava a voltar.

— Fale comigo — instruí. — Diga-me outra forma de ajudá-lo.

Mais terra saiu da boca dele, sujando ainda mais a túnica. Ele ficou com mais raiva, mais frustrado. Virou-se para a janela, embaçada de vapor, e escreveu uma única palavra:

SEBASTIAN

— Eu sei — gritei para ele. — Eu *sei* quem você é!

Ele gritou silenciosamente, passando a mão por cima da palavra, apagando-a parcialmente. Em uma parte intocada do vidro, ele escreveu de novo. A mesma palavra apareceu. Mais uma vez ele passou a mão por cima dela.

SEBASTIAN, SEBASTIAN, SEBASTIAN

Logo o vidro estava coberto com o nome, todos destruídos pela mão dele. Gotas de água escorriam de cada palavra, juntando uma à outra.

Minha mão já se movia perfeitamente, agarrando a escada da bruxa. O restante do meu corpo imitou, quebrando a paralisia. Sentei-me no quarto vazio, ainda soltando fumaça ao respirar. Gotas escorriam pela janela, nenhuma palavra legível agora.

Pressionei as costas contra a cabeceira, sussurrando:

"No nó número um, o dia começa,

No nó número dois, meu descanso é certo,

No nó número três, o sono toma conta de mim,

No nó número quatro, eu não tenho mais medo..."

A escada da bruxa, ou a fé que depositei nela, tinha funcionado. Tinha me protegido, mas não estava mais perto de fazer Sebastian descansar.

Eu não tinha perdido, mas também não tinha ganhado ainda.

Capítulo 30

The Mask and Mirror

Outro ronco veio do banco do carona. Com uma das mãos ainda no volante, abri meu estojo de CD, enfiei um no rádio e aumentei um pouco o volume. Hodge nem se mexeu.

Já passava das dez e eu dirigia há duas horas. Hodge dormira mais da metade do tempo, depois de sugerir que trocássemos no meio do caminho. Dez minutos atrás, eu tinha parado para mijar antes de terminar o café que trouxemos e me resignar a dirigir o restante do caminho. Não o vira muito ontem, mas a julgar pelos olhos turvos e hálito podre, ele estava de ressaca. No início puxou conversa, depois apagou antes mesmo de sairmos de Calthorpe. Não que isso me incomodasse — depois da noite de quarta-feira, eu não tinha muito o que falar com ele. Para mim, essa viagem era apenas um meio para alcançar um fim.

O sol ofuscava ao refletir na pista molhada. Choveu durante a noite, mas a minha camiseta já começava a grudar na pele. O dia seria muito quente. O carro, pelo menos, era decente: Hodge conseguira um carro de uma locadora. Embora fosse do tamanho do meu, era mais macio e tinha ar condicionado.

Trinta minutos depois, ele gemeu e se espreguiçou.

— Está na hora? — Ele se sentou direito no banco e esfregou os olhos. — Quer que eu assuma?

— Tudo bem — falei, indiferente. — Já estamos quase lá.

— Desculpe. Estava exausto. — Ele piscou e olhou pela janela. Quilômetros de campo nos cercavam. — Onde estamos?

— Acabamos de passar por Brackley. Em uns vinte minutos, chegaremos a Steeple Aston.

Ele recostou.

— Você disse que esse pub fica em Woodstock?

Assenti.

Nossa primeira parada foi no Holt Hotel, aparentemente frequentado pelo fantasma de um assaltante de estradas do século XVIII. Quando chegamos, Hodge já tinha recuperado toda sua energia e estava armado com mais perguntas do que uma criança de 4 anos que comeu açúcar demais. Eu meio que escutava, fingindo interesse enquanto ele fazia anotações e balançava a cabeça animadamente, até fotografando os lugares das aparições e ficando parado nos pontos supostamente assombrados, mas não sentindo nada.

Eu me arrastava de um quarto para o outro sentindo uma estranha mistura de cansaço por ter acordado muito cedo e impaciência, querendo que aquilo acabasse logo. O pub *The Mask and Mirror* era a próxima parada da nossa lista de lugares a visitar, e eu tinha as minhas próprias perguntas a serem respondidas. Duvidava que tivesse sequer uma chance em um milhão do meu caminho cruzar com o de Bradley, mas, talvez, alguém lá o conhecesse e me desse uma nova pista.

No momento em que chegamos, senti que estava sem sorte. Além de Hodge e de mim, só havia quatro pessoas no lugar. Dois eram funcionários, ambos jovens. Abordei-os de qualquer forma, depois fui questionar os dois homens mais velhos que bebiam cerveja. Nenhum deles conhecia ou ouvira falar de um homem louro chamado Bradley. Desesperado, mencionei o nome Lorna Clements e tive a mesma resposta. Eu não esperava que fosse diferente — o casal certamente não se encontrava perto de casa. Eles tinham escolhido esse lugar por uma razão: porque ninguém os conhecia.

— Podemos ficar para almoçar — disse Hodge, apontando para um quadro atrás do bar. — Vão começar a servir em dez minutos. Talvez ele apareça.

— Acho que não. — Ignorei o olhar curioso no rosto de Hodge. — Mas vamos ficar mesmo assim, estou morrendo de fome.

Encontrei a mesa que eles se sentaram no minuto seguinte. Ficava escondida, longe do bar e de olhares curiosos. Aproximei-me dela com a sensação de que, de alguma forma, eu era um intruso, e fitei a cadeira onde Tess — ou Lorna — tinha se sentado. Muitas pessoas, muitas mesmo, devem ter passado por ali, antes e depois. Comido e bebido. Brigado e se divertido. Perguntei-me se alguma dessas pessoas tinha uma conexão tão forte com o lugar quanto ela, se alguma delas planejou, amou ou perdeu aqui.

— Quer se sentar nessa mesa? — Hodge apareceu às minhas costas, pegando uma cadeira. A cadeira de Tess.

— Não — respondi logo. — Nessa não. Venha para essa.

Sentei-me à mesa de trás. Na lembrança de Tess, era onde ficava a árvore de Natal. Hodge se sentou na frente e pegou o cardápio.

A comida chegou. Outras pessoas também. Eu me levantava cada vez que escutava a porta se abrindo, examinando cada salão, olhando cada rosto. Nenhum deles pertencia a Bradley.

Comemos, pagamos e saímos. Sentei do lado do carona, e Hodge no do motorista.

— Olhe — disse ele —, que tal passarmos por aqui na volta?

— Não sairia do caminho?

Ele deu de ombros.

— Um pouco. Mas a rota que eu planejei é circular, levaria só meia hora a mais.

Assenti, grato e mais do que só um pouco culpado pelos meus pensamentos mais cedo. Eu não concordava com muita coisa que Hodge fazia nem com a forma como ele tratava Ophelia, mas ele saíra do caminho para me ajudar hoje.

Isso não ajudou o resto do dia a passar mais rápido. De Woodstock, fomos para Blenheim, de Blenheim para Eynsham, de Eynsham para Oxford. Cada lugar e suas histórias se confundiam com o próximo, uma névoa de mulheres chorando, monges e assassinos. Casas, corredores e igrejas. Todos ofereciam um refresco por causa do calor, mas, no meio da tarde, eu estava letárgico. Hodge não se sentia muito melhor a julgar pelo brilho na sua pele, mas parecia se divertir. O caderno dele estava cada vez mais estufado assim como minha atenção, mais fraca. Distraidamente, brinquei com a escada da bruxa no meu bolso, passando as penas e nós pelos dedos como se fosse um terço. Olhava para o rosto de todos que encontrávamos, com a esperança de ser Bradley. Nunca era. Ele podia estar em qualquer lugar. Qualquer lugar mesmo. Como eu poderia cumprir a minha promessa para Tess? E o que aconteceria se eu não cumprisse? Ela voltaria?

Às quatro, Hodge colocou sua câmera no banco de trás e começamos nossa viagem de volta ao *The Mask and Mirror*.

Desta vez, estava mais cheio, com pessoas felizes comemorando o bom tempo e o fim de semana. Enquanto Hodge ficou no bar tomando uma cidra, rondei pelos jardins, pelo restaurante e por cada mesa do lugar. Foi uma perda de tempo tão grande quanto de manhã e, a cada rosto que eu via, eu me esquecia um pouco mais do de Bradley. Comecei até a me perguntar se eu o reconheceria se ele passasse ao meu lado.

— É uma pena não termos mais tempo — disse Hodge, enquanto terminávamos nossas bebidas e nos preparávamos para ir embora. — Da próxima vez, vou reservar algum lugar para passarmos a noite e fazermos uma viagem de dois dias.

Parei na porta, olhando o lugar uma última vez.

— Não era para ser, rapaz. — Hodge deu um tapinha no meu braço e passou por mim.

Virei-me para segui-lo, depois parei. Porque ali estava ele: Bradley. Olhando para mim a poucos metros de distância. Olhei em volta procurando Hodge, mas ele já estava do lado de fora, no estacionamento. Aproximei-me do mural na parede, o coração acelerado.

Ele estava mais velho, mas definitivamente era ele; um dos quatro homens num deprimente pôster preto-e-branco preso no mural. Devo ter passado por ele umas seis ou sete vezes hoje sem notá-lo nem uma vez. *WILD BOYS*, dizia em cima. *A MELHOR BANDA COVER DE DURAN DURAN*. Embaixo, havia o endereço de um site e um espaço em branco onde uma data fora escrita a mão: *Sábado, 20 de julho*. Peguei uma caneta no bar e anotei na minha mão o site e a data. Depois corri para o carro.

— Eu o encontrei... eu realmente o *encontrei!*

Um olhar confuso cruzou o rosto de Hodge.

— Achei que você tivesse dito que ele não estava lá.

— Não estava. — Mostrei a minha mão e expliquei sobre a banda. — Agora tenho uma forma de entrar em contato com ele. Mesmo se eu não conseguir pelo site, sei onde ele estará no mês que vem. — Recostei-me no banco do carona, alívio tomando conta de mim enquanto Hodge saía do estacionamento e pegava a estrada de novo. — Foi por isso que ela me mandou para lá. — A tensão que eu carreguei o dia todo derreteu como um sorvete no calor do verão. — Ela sabia que seria o suficiente para encontrá-lo.

— Você acha que ele vai querer escutar o que ela mandou dizer? — perguntou Hodge.

— A princípio, acho que não. Nem sei se vai acreditar em mim. Mas ele precisa. — Encostei minha cabeça no vidro. — Ele *precisa* me escutar.

Campos de trigo passavam pela janela.

— Por que você acha que ela escolheu você?

— Acho que ela não tinha escolha. Eu era o único que podia vê-la.

— Quero que me diga uma coisa — disse Hodge. — Quando você foi trabalhar no museu, sabendo que era mal-assombrado, não ficou preocupado que outros espíritos pudessem tentar entrar em contato com você?

— Eu tinha esperança de que eles não tentassem — admiti. — Até entrar no museu, eu não sabia se era real ou não. Às vezes, com Tess... achei que estava ficando louco.

— Mas agora você não acha mais isso? Acha que é real?

— É real pra mim.

— E além de Sebastian, tiveram outros?

— Só um. — Hesitei, minha pele ficando arrepiada com a memória. — Annie.

— *Mesmo?*

Vi Hodge me olhando pelo canto do olho.

— Eu mesmo nunca a vi — disse ele. — Mas muitas pessoas dizem ter visto.

— E aquela coisa na sala de aula — falei. — Eu *senti* aquilo, o que quer que seja. Sei que acontece quando tem alguém por perto que esteve perto da morte. — Examinei os olhos de Hodge, de volta na estrada. — Se não se importar, eu preferiria não ficar por perto quando você estiver mostrando os castigos daqui pra frente. Sei que é uma experiência para o grupo que está fazendo o passeio, mas, o que quer que seja, não gosto de ser o responsável por fazer aquilo acontecer. Não me deixa à vontade.

— Entendo. — O rosto de Hodge estava indecifrável. — Tudo bem, é justo, acho.

Não soube dizer se ele estava aborrecido ou não. Mas, com o sol batendo na minha pele e a esperança renovada em conseguir dar o recado de Tess, de repente eu estava cansado demais para me importar. O dia tinha sugado toda a minha energia. Minhas pálpebras pesavam. Enfiei a mão no bolso e entrelacei os dedos na escada da bruxa, permitindo que meus olhos se fechassem.

Quando eles abriram de novo, o sol estava fraco e baixo no céu, e minha bexiga estava cheia.

— Quanto tempo falta para chegarmos?

As palavras saíram como uma série de pequenos roncos sem forma e significado. Tentei virar a cabeça na direção de Hodge. Não consegui.

Não conseguia mexer nenhum músculo.

Está tudo bem, falei para mim mesmo. *Apenas relaxe, você vai sair dessa. Não tem nada aqui para te fazer mal...*

Então por que o cabelo da minha nuca estava arrepiado? Por que a temperatura no carro despencara?

Pelo canto dos olhos, vi que alguma coisa estava acontecendo na janela ao meu lado. Forcei a visão, tentando focalizar, mas a minha cabeça estava em um ângulo que não ajudava, virada mais para o lado de Hodge. O vidro estava ficando embaçado, como se alguém estivesse respirando perto dele. Lentamente, letra por letra, uma palavra familiar apareceu.

SEBASTIAN

Ah, meu Deus. Ah, meu Deus. Ah, meu Deus, não...

Fiz força para me concentrar na escada da bruxa no meu bolso, ainda enrolada nos meus dedos. *No nó número um, o dia começa... No nó número dois, meu descanso é certo...*

O frio penetrava cada vez mais, deslizando pelos meus ombros e pelas minhas costas. Descendo pelo braço. Sentia o gosto de terra úmida e podre cada vez que respirava.

No nó número três, o sono toma conta de mim... No nó número quatro, eu não tenho mais medo...

Dedos imundos envolveram meu braço. Um grito encheu a minha cabeça, mas não passou disso. *No nó número seis... não, no cinco... NÃO!* Os dedos apertaram com mais força. E a parte consciente de mim, a parte lúcida recuou.

Recuou tanto a ponto de se separar da parte adormecida e impotente de mim. Senti-me solto e subindo, girando e encarando o banco de trás. O simples ato de me mover, mesmo que não fosse o meu físico, me deu coragem. Força suficiente para encarar o monstro.

Mas não havia monstro. Apenas um garoto, sufocando em terra e lágrimas.

— *No nó número cinco, estou vivo* — sussurrei. — *No nó número seis, meu cordão é restaurado.*

Ele me encarou também, derrotado.

— Tire a mão de mim, Sebastian — avisei.

Devagar, ele soltou meu braço adormecido.

— *No nó número sete, com corda e pena. No nó número oito, não tem portão.* — Olhei dentro dos olhos dele. — *No nó número nove, para o que é meu...*

Nós nos encaramos, como dois adversários prestes a lutar até a morte. Só que um de nós já estava morto. Havia muito tempo.

— Você não tem direito nenhum sobre mim, Sebastian. — Minha voz era vazia, quase abafada pelo som do motor. Ao meu lado, Hodge continuava dirigindo, indiferente. — Mas se houver outra forma de te ajudar, farei isso. Esta é a sua última chance. Tem algo que você precisa me contar? — Fiz uma careta quando ele tossiu, espirrando terra no seu colo. — Alguma coisa que você queira me *mostrar*?

Ele assentiu, os olhos injetados de sangue fixos nos meus.

Estendi o braço para ele, oferecendo minha mão. Ele espelhou o movimento. Nossas mãos se encontraram, uma colorida pelo sol, outra colorida pela terra. Uma viva, uma morta.

O carro piscou e sumiu. A noite derreteu à nossa volta, um coquetel de árvores e campos e faróis e sol se pondo. Eu me preparei para ver o passado do garoto morto e o que mais nos esperasse lá. Mas, desta vez, eu não era um espectador como fora com Tess.

Desta vez, eu via tudo através dos olhos dele.

Capítulo 31

"Sebastian"

Árvores...

Árvores florescendo, soltando aroma e pétalas a cada sopro de vento. Passei pela grama entre as velhas formas retorcidas. Estava tarde, quase escuro, mas o ar continuava quente. Eu estava no pomar, mas não sozinho. Havia mais alguém ali, andando bem atrás de mim.

— Por aqui. — A voz era familiar, eu já escutara muitas vezes antes. Virei-me e o vi virando à esquerda em direção a uma árvore alta mais solitária do que as outras.

Arthur Hodge parou ao pé dela e jogou um rolo de corda fina no chão. Passou o braço sobre o rosto suado, fazendo uma mecha de cabelo grudar na testa como uma lagarta. Prendi o riso.

Ele apontou para a escuridão.

— Pegue aquilo.

Na luz fraca, vi uma escada apoiada em uma árvore próxima. Peguei-a, tropeçando por causa do peso.

— Cuidado — sussurrou ele.

— Tente carregar isso no escuro. — A voz que saiu não era minha. Não era tão grave, e, no lugar do meu sotaque, saiu outro mais leve. — Não consigo nem ver onde estou pisando.

— Tá bom, só vá logo. E fique quieto. Alguém pode nos escutar.

Arrastei a escada até o lugar e abri-a, prendendo-a em forma de torre. Hodge ajoelhou e tirou alguma coisa de dentro do monte de corda. Jogou para mim.

— Coloque isso, que nem eu mostrei. Você se lembra?

— Lembro. — Entrei no arreio e o puxei até meus ombros, afivelando-o no lugar.

— Precisa ser mais apertado. — Hodge se aproximou, segurando com força e puxando as cordas.

— E eu preciso respirar...

— Você vai. Mas precisa ser firme, ou não vai segurar direito. — Ele deu um passo atrás, assentindo. — Pronto. Agora isso.

Ele me passou o laço. A corda deslizou por entre os meus dedos. Era fina, e o nó era básico, dando uma volta ao redor dele mesmo para ser facilmente apertado ou afrouxado.

— Parece real.

— É real. — Hodge agarrou o resto da corda. — Não podemos fazer o nó certo para enforcamento, por isso fiz dessa forma. — Ele levantou a maior parte que sobrara. A uns trinta centímetros do final, uma parte menor estava firmemente enrolada, dando a impressão de ser um nó complexo. A parte de baixo da corda estava pendurada, solta, com uma fivela na ponta.

Passei o nó pela minha cabeça e apertei o máximo que consegui suportar. O que sobrou ficou pendurado às minhas costas.

— Coloque isso para dentro e esconda por trás da sua camisa — disse Hodge, me observando. — Bom. Agora, passe a ponta da corda pelas costas e prenda a fivela ao arreio. — Ele olhou para cima, analisando o galho grosso acima da minha cabeça. — Depois disso, fique de pé ali e não se mova. Preciso acertar a posição.

Fiquei parado embaixo do galho, esperando. Galhos partiam sob o peso de Hodge conforme ele andava de um lado para o outro, colocando a escada em várias posições, passando a corda por um galho, depois por outro. Ele voltou, a camisa para fora da calça depois de levantar os braços repetidas vezes, e reposicionou a escada embaixo do galho.

— Suba quatro ou cinco degraus e espere.

— Como vou subir amanhã? — perguntei, de repente. — Se usar a escada, alguém pode escutar.

— É exatamente por isso que você não vai usá-la. Terá de subir lá, prender a fivela e depois pular.

A escada estalou e balançou. Fiquei ali, pouco à vontade, olhando através dos galhos. Calthorpe House cintilava, suas janelas como olhos escuros vendo algo que eu não conseguia.

— Hodge? Isso não pode dar errado, pode? — Engoli seco através da pressão em volta do meu pescoço. De repente, a corda presa ao arreio ficou firme.

Hodge reapareceu na minha frente, mas no chão.

— Só vai dar errado se você não cortar a corda a tempo e ainda estiver pendurado aí balançando como um bobo quando eu apontar a lanterna para você de novo. Lembre-se, você terá mais ou menos um minuto para abrir a fivela, cair e se esconder. Vou prender um peso do outro lado para que a corda caia para lá. Corte o pedaço e leve com você, não deixe nada para trás. Entendeu?

. — Entendi.

— Certo. Vamos ensaiar. Pronto?

Tirei os pés da escada. Perdi um pouco de altitude, mas ainda estava a alguns centímetros do chão. Hodge tirou a escada do caminho e deu um passo atrás, o rosto redondo se abrindo em um sorriso.

— Está brilhante! — exclamou ele. — Daqui dá pra ver que o nó não está preso, mas, com a distância da casa, ninguém vai conseguir ver. De forma alguma. E amanhã, com a maquiagem e tudo mais... — Ele mudava de ângulo, rodeando como um predador. — Deixe a sua cabeça tombar pra frente... isso. Fique de olhos fechados; se eles estiverem abertos, a luz da lanterna pode fazer você piscar. — Ele sorriu para mim. — Se isso der certo — disse ele baixinho —, as pessoas vão falar disso durante anos.

— E se não der certo? — Eu me remexi, desconfortável.

O sorriso deixou o rosto de Hodge.

— Nem pense nisso. O fracasso não é uma opção.

Uma brisa levantou o cabelo da minha nuca, soltando flores de maçã dos galhos e fazendo-as flutuarem na frente dos meus olhos como uma nevasca esquisita. Quando acabou, eu não estava mais no pomar. Estava em outro lugar, com outra pessoa.

Estava escuro. Mofado e úmido, mas a luz do dia dançava dos dois lados da minha visão. Eu estava embaixo de uma ponte, encostado na pedra gelada. Água marrom esverdeada batia nas margens. Um barco estava amarrado a certa distância.

— Então é isso? Nós realmente vamos embora... para sempre? — Ophelia olhou para mim, o lábio inferior tremendo. Ela parecia mais jovem, mais suave.

— Para sempre. — Dei um beijo na testa dela, tirando uma mecha de cabelo molhado dali e puxando para trás. — Não fique tão preocupada. Tenho tudo planejado. A esta hora amanhã, estaremos a caminho de... — Parei, balançando a cabeça e sorrindo.

— De...?

— Não sei. Do nosso futuro, onde quer que ele seja.

— Ainda acho que já devíamos ter decidido.

— Não seja teimosa — murmurei, com os lábios na testa dela. — Podemos ir para qualquer lugar que quisermos.

— Paris? Milão?

— Não seja idiota. Estava pensando em algo perto de Brighton. Talvez Falmouth.

— Ah.

Levantei o queixo dela. Os olhos cinza estavam arregalados, olhando para todos os lados menos para mim.

— Você não mudou de ideia, mudou?

— Não, é só que...

— Que bom. Olhe, vou chegar um pouco mais tarde do que imaginei, mas vamos conseguir pegar o último trem. Encontro você no ponto de ônibus perto da sua casa, OK?

Ela franziu a testa.

— OK, mas... por quê?

— Sabe aquela coisa que eu te falei?

Ela franziu ainda mais a testa.

— Você quer dizer a coisa que você não me falou...

— Bem, é. Mas não importa. Você só precisa saber que foi para a frente e que o pagamento vai ser...

— Por que você não me conta? Não é nada... ilegal, é?

— Não. Claro que não.

— Jura?

— Juro.

— Então por que você não...?

— É melhor que você não saiba. — Puxei a cabeça dela para debaixo do meu queixo e acariciei seu cabelo. — Não é ilegal. Mas também não é exatamente moral. Não quero que pense mal de mim.

— Nunca pensaria mal de você.

— Você é a única. — Puxei-a para mais perto, sentindo o coração dela pulsar perto do meu. — Você é tudo que eu tenho. Tudo que me importa.

Ela levantou o olhar, os olhos brilhando com lágrimas.

— Ei... o que eu disse? Vamos lá, não chore. O que houve?

Ela fungou.

— Tem uma coisa... que eu preciso contar para você.

— O quê?

— Você não vai gostar. Ah, Deus, eu estraguei tudo, eu...

— Não estragou, não. E independentemente do que seja, não pode ser tão ruim. Contanto que ainda me ame, não existe nada que nós...

— Estou grávida.

Os únicos sons que quebravam o silêncio eram as fungadas dela e os arrulhos de um pássaro empoleirado embaixo da ponte.

— Merda, Ophelia. Você tem certeza?

— Fiz três testes. Tenho certeza.

Eu a soltei, virando-me para encostar a cabeça no muro de pedra frio e úmido. Sentia o calor dela atrás de mim. Esperando, desejando.

— Vou entender se você mudar de ideia.

— Não... Eu só... só preciso de um minuto. Preciso pensar.

— Desculpe. Achei melhor contar agora. E te dar uma chance de fugir, se quiser.

— Não diga isso. E não se desculpe. — Virei-me mais uma vez finalmente, puxando-a para meus braços. — Vamos dar um jeito.

— Mesmo? — As lágrimas quentes dela molhavam a minha camisa. — Você não quer ir sem mim?

— Escute uma coisa: eu não vou a lugar nenhum sem você. Escutou? Nunca. Agora somos eu e você. Diga.

Ela levantou o olhar, sorrindo apesar das lágrimas.

— Eu e você — sussurrou ela.

Fechei os olhos e a beijei.

Quando abri, a cena tinha mudado.

Eu estava deitado de costas na total escuridão, com alguma coisa cobrindo meu rosto. Um motor funcionava à minha volta.

— Posso me sentar?

— Não. — A voz de Hodge soou entre dentes. — Fique aí até eu mandar. Ainda não passamos pelos portões.

— Estou ficando enjoado.

— Espere mais um pouco. Estamos quase saindo.

O carro parou. Escutei a janela dele descendo, o ruído dos portões se abrindo. Meu estômago revirou quando o carro virou para a estrada e começou a ganhar velocidade.

— Saímos.

Afastei o cobertor e me sentei, respirando fundo.

— Pelo amor de Deus, não vomite.

— Vou ficar bem. É só que fico enjoado no banco de trás. — Passei para a frente, me espremendo entre os dois bancos para o lado do carona e colocando o cinto de segurança.

— Tem certeza de que ninguém viu você entrar no carro?

Dei de ombros.

— Absoluta. Peguei o caminho que você me indicou.

— Você entrou logo e se cobriu com o cobertor?

— Isso.

Ele soltou a respiração devagar, os ombros relaxando.

— Que bom.

— Então... como eu me saí? O pessoal ficou impressionado?

— Impressionado? Não paravam de falar no assunto. Bem, menos o maldito cara do Santuário: Travis. Mas ele não pode provar nada. Os outros caíram direitinho. E sabe por quê? Porque eles queriam. Eles queriam acreditar. — Ele bateu no volante e riu. — Preciso dizer que você estava pavoroso pendurado lá. Até eu acreditei.

— Pena que é um espetáculo de uma noite só. Seria uma boa forma de ganhar um dinheirinho.

— Não podemos exagerar nesse tipo de coisa. Tem de ser raro, inesperado. Apenas um flash, o suficiente para deixá-los morrendo de medo. E eles amam.

Uma leve garoa batia no para-brisa. Estremeci, olhando pela janela. Minha respiração embaçou o vidro.

— Está frio. Pode ligar o aquecimento?

— Já vai esquentar.

Escrevi uma palavra no vidro com a ponta do dedo: S E B A S T I A N.

— Ele realmente existiu?

— Quem?

— Sebastian.

Hodge torceu os lábios.

— Quem sabe? Existem tantas histórias nesse lugar. A do garoto enforcado é apenas uma delas. Eu só acrescentei uns detalhes aqui e ali. O irmão, a cozinheira...

— O nome dele era mesmo Sebastian?

Ele bufou.

— Ele provavelmente nem tinha nome. Fui eu quem escolheu um.

Olhei para as letras no vidro. Elas já tinham começado a escorrer.

— Ei, você percebeu?

— Percebi o quê? — Hodge olhou para mim. Fez uma careta. — Apague isso da janela.

— Vou apagar, mas olhe... — Passei a mão pelo meio da palavra, deixando apenas as letras iniciais e finais: S E A N.

— Sean. — Eu ri. — Como se eu sempre tivesse feito parte dele.

— Muito divertido. Agora apague.

Limpei a janela e me remexi no banco.

— Você trancou a minha mochila na mala. Eu poderia ter trocado de roupa enquanto esperava... juro que essa túnica está me dando coceira.

— Não. Se alguém visse você se mexendo no carro, poderia ter estragado tudo. Fizemos da melhor maneira.

— E a fantasia? Você não quer de volta?

Ele balançou a cabeça.

— Encomendei especialmente para isso. Não queria que dessem folha de nenhuma no museu.

Abaixei o espelho.

— Você, pelo menos, tem alguma coisa para eu limpar essa sujeira do meu rosto? Parece que não tomo banho há uma semana.

— Você é um servo. Essa é a ideia. — Ele apontou com a cabeça para o porta-luvas. — Tem uns lenços de papel aí dentro.

Peguei-os e esfreguei meu rosto. Camadas de sujeira saíram, deixando listras no meu rosto.

Limpei em volta do pescoço e comecei a rir.

— O que é tão engraçado?

— A corda. Ainda estou usando... Esqueci-me de tirar. — Não estava mais apertada, eu tinha afrouxado depois de descer da árvore. Estava quente em volta do meu pescoço.

— Jogue no banco de trás.

Tirei a parte que parecia um rabo de dentro da minha camisa. Ela veio deslizando como se fosse alguma coisa viva, depois saiu. Coloquei os dedos no nó na frente, começando a abri-lo o suficiente para passar pela minha cabeça.

— Você contou para Ophelia que vai embora?

A pergunta me pegou de surpresa. Parei o que estava fazendo, buscando uma resposta.

— Não contei para ninguém — menti. — Por que você se importa? Sua carteira disse tudo: você quer que eu suma daqui.

— Nada pessoal. — Hodge aumentou a velocidade do limpador de para-brisa. A chuva tinha ficado mais forte. — Eu só acho que vocês dois são jovens demais para passar tanto tempo juntos.

— Palhaçada. Você acha que não sou bom o suficiente para ela.

Ele suspirou.

— OK. Queria parecer legal, deixar tudo bem antes de você ir, essas coisas. Mas se você quer a verdade? Não. Você não é bom o suficiente para ela. Mas como eu disse, não é nada pessoal, não mesmo. Ninguém é bom o suficiente para ela. — Ele abriu um leve sorriso. — Ela vai ficar de coração partido por um tempo, depois que você for embora. Mas logo vai perceber que não era amor, e vocês dois vão ter se livrado do inevitável.

— Do quê?

— Ser outra estatística adolescente. Suas vidas acabadas mesmo antes de começarem. Você sabe do que estou falando.

Pavor tomou conta de mim. *Ele sabia?*, perguntei-me. *Mas como podia saber? Eu mesmo só descobri hoje...*

E, pela primeira vez, eu me permiti pensar como seria. Ficar sozinho. A notícia dela esta tarde... Eu ainda não tinha conseguido absorver adequadamente. Já seria difícil nós dois, quem dirá três. Mas eu podia fazer isso. Podia cair fora se quisesse. Meu futuro me esperava à minha frente, mas havia uma bifurcação na estrada. Qual caminho eu deveria seguir?

345

Passamos por uma placa. E, naquele momento, eu soube. Eu não poderia fazer isso, não poderia deixá-la de jeito nenhum. Sentei-me mais ereto.

— Aonde estamos indo? Acabamos de sair de Calthorpe.

— Suponho que vá pegar o trem?

— Vou, mas...

— Então, vou levá-lo até a estação. Qual é o problema?

— Combinamos que você me deixaria no ponto de ônibus.

— Eu sei o que combinamos — respondeu ele bruscamente. — Você acha que eu não sei o que está acontecendo? Que não sei que ela está esperando por você lá?

Encarei-o, imóvel.

— Não sei do que está falando...

— Ah, acho que sabe, sim. Ela tem andado estranha há semanas, mesmo que ela própria não perceba. Emotiva, até obediente. Em outras palavras, culpada. Então, vou levar você à estação, garoto. E você vai pegar o trem sozinho.

Pensei no meu celular, na mala do carro junto com todas as minhas coisas. Nem podia ligar para Ophelia e avisá-la, dizer para ela pegar o ônibus sem mim.

— Deixe-me sair. Agora.

— No meio do nada? Acho que não.

— Pare o carro. Quero as minhas coisas e quero sair.

— Esqueça.

Segurei a maçaneta.

— Vou pular.

Ele riu.

— Pule, então. Diga adeus ao dinheiro. Só facilitaria a minha vida.

Engoli as lágrimas de ódio enquanto Hodge calmamente esticava a mão e ligava o rádio. Ele sintonizou, passando por estática até encontrar uma estação.

— Ah, essa é boa. — Ele aumentou o volume. — A preferida da minha mãe.

"Às vezes eu sinto que não estou sozinho
Ainda escuto a sua voz, tão real quanto a minha.
Ecos do passado agitam meus sonhos,
Eles me dizem que o tempo cura, eles estavam errados, parece..."

A chuva enfraqueceu, voltando a ser uma garoa. O carro passou por uma rua atrás da outra até que eu vi a placa para Weeping Cross. Logo estávamos passando por casas, algumas acesas, outras não. Já estava tarde.

Ele fez uma curva e entrou no estacionamento deserto da estação. Olhei para o relógio no painel. Faltavam trinta minutos para o trem, mas, nesta hora, Ophelia já teria perdido o ônibus me esperando. Mesmo se eu ligasse para ela depois que saísse do carro e dissesse para pegar um táxi, Hodge sabia exatamente para onde ela estaria indo.

Hodge pegou um envelope do bolso interno. Jogou em cima de mim.

— Vá, então. Desapareça.

Olhei o interior do envelope.

— Só tem metade do que combinamos.

— Considere-se com sorte por ter alguma coisa.

— Onde está o resto? — gritei.

— Você deu adeus ao resto quando tentou passar a perna em mim, levando a minha sobrinha. Agora, suma.

— Não vou a lugar nenhum sem aquele dinheiro.

— É o que veremos. — Ele pegou as chaves e saiu, dando a volta até a traseira do carro, na chuva. Ouvi o porta-malas se abrindo. No momento seguinte, a minha porta foi aberta. Minha mochila estava em cima de uma poça.

— Saia.

— Quero meu dinheiro, seu cretino! Não vou sair até você me dar!

Antecipei sua investida e agarrei o volante, dando um chute nele. Hodge gritou quando meu pé acertou a virilha dele, então senti meu tornozelo sendo agarrado. Ele xingou quando chutei de novo, mas conseguiu abaixar minhas pernas com seu peso. Primeiro, achei que quisesse pegar as minhas mãos, para tirá-las do volante. Depois senti um solavanco no pescoço conforme a corda apertava. Meus olhos se esbugalharam. Instintivamente, larguei o volante, agarrando a corda para soltar o nó.

O maldito, estúpido nó. Eu quase o tirara antes. Quase...

Ele agarrou meus pés e me puxou para fora, me jogando no chão. A porta do carro bateu na minha cabeça quando ele a fechou e, sem nem olhar para trás, dirigiu-se para o lado do motorista. Fiquei deitado ali, meus dedos tentando afrouxar o nó, tentando respirar fundo, quando ouvi a porta dele bater e o motor ganhar vida.

Então vi a corda, presa na porta.

— Não... ESPERE! — Puxei o nó, tossindo, em pânico.

Ele soltou o freio. O nó se apertou. Cascalho espirrou no meu rosto. Entrou nos meus olhos.

Tentei ficar de pé, mas a velocidade me levou, desequilibrando-me.

E me arrastando...

Meu pescoço estalou para trás.

Dor. Como eu nunca tinha sentido antes. Tudo queimava: meu pescoço, meus pulmões, meus olhos. A pele que certamente era arrancada das minhas costas.

A única luz no estacionamento de repente ficou vermelha. Não, não era apenas a luz, mas tudo.

E, tão rapidamente quanto começou, a dor parou. Eu não sentia mais. Não escutava mais. O carro tinha parado? Ele deve ter sentido...

Então ele apareceu sobre mim.

— Meu Deus... meu Deus...

Gotas de suor pingavam do rosto dele no meu. Eu queria enxugá-las, mas não conseguia mexer o braço. Não conseguia senti-lo.

Ele mexeu na corda, patas grandes e desajeitadas no meu pescoço.

— Sean, você está me escutando? Respire, seu maldito! Ah, Deus, o que eu fiz?

Escuridão. Um espaço vazio, no qual algo roncava. Como o ronronar de um gato gigante. Ar... não tinha ar suficiente. Apaguei. E voltei Balançando, como se estivesse sendo ninado. Indo e voltando. Minutos? Horas? Eu não sabia.

Então, frio. Umidade no meu rosto. Por que eu conseguia sentir isso e não as minhas pernas?

Tudo vermelho de novo, por quê?

O rosto de Hodge sobre o meu. Atrás dele, estrelas. Quando a chuva tinha parado?

O ar não era suficiente. Nunca, nunca era suficiente.

— Desculpe — murmurou ele. Algo brilhou em suas mãos. Uma pá.

Mais escuro. Para onde as estrelas tinham ido? Havia alguma coisa na minha boca. Arenosa, com gosto de terra, o quê? Respirei aquilo... Estava tão difícil respirar agora. Todo o ar tinha sumido, mas meus pulmões ainda inspiravam... expiravam.

Inspiravam...

Expiravam.

Capítulo 32

O Apresentador

Voltei para o presente quando a figura no banco de trás soltou a minha mão.

Não era Sebastian. Não *havia* nenhum Sebastian, apenas um garoto interpretando seu papel.

Mas havia Sean.

O namorado desaparecido de Ophelia. O namorado *assassinado* de Ophelia. E, além das pessoas dentro deste carro, ninguém sabia que ele estava morto.

Lembranças passavam dentro da minha cabeça. O nome na janela, repetidas vezes. A música tocando no carro. Os momentos finais de Sean, reproduzidos para mim. A raiva, o ódio e o desejo que ele sentira ao ver Ophelia no pomar de novo aquele dia.

Minha.

Ela fora dele antes de ser minha. Talvez, bem no fundo, ainda fosse.

Uma imagem das mãos dela apareceu em minha mente. A mulher com uma coroa de estrelas: a Imperatriz, e as folhas caindo. Maternidade e perda. Ophelia não tinha mentido. Mas não dissera a verdade completa também. Dei-me conta de que não era apenas a perda da própria mãe pintada em suas mãos. Era a perda da chance de ser a mãe do filho de Sean.

Mas o que aconteceu com o bebê?

Virei-me, esforçando-me para voltar ao meu corpo. O pavor me deixou desajeitado e o balanço do carro me tirou o equilíbrio. Sean estava sentado no banco de trás, piscando de um lado para o outro. Um momento atrás de mim, no outro, atrás de Hodge.

Fechei os olhos e me joguei para meu corpo. Meu estômago revirou em uma onda de náusea, como se eu estivesse em um elevador com o dobro da velocidade. Consegui entrar, mas alguma coisa — talvez medo — me prendeu na paralisia por alguns poucos segundos cruciais. Concentrei-me no meu dedo mínimo, tentando afastar o cheiro de terra molhada do nariz. Ele ainda estava ali, atrás de mim. Perto demais...

Meu dedo mexeu. O resto da minha mão se contorceu e saiu do bolso, a escada da bruxa ainda nela. Vi Hodge olhar para baixo. Ele juntou as sobrancelhas.

— O que é isso? — Ele arrancou a escada da bruxa dos meus dedos.

— *Não!* — O protesto saiu da minha boca tarde demais.

E Sean aproveitou a chance. Seus dedos seguraram o meu braço de novo, apertando. Todo o progresso que eu tinha feito foi perdido naquele segundo. Para mim, só existia o medo, e ele sabia disso.

Saia. A palavra não foi falada, apenas soou na minha cabeça.

NÃO, falei. *Você não pode me obrigar.*

— Aquele maldito do Lesley Travis está te dando essas bugigangas de novo? — Hodge estava furioso, amassando as penas e a corda dentro da mão. Ele me deu uma cotovelada. — Qual é o seu problema? Acorde!

Minha mão se mexeu de novo. Perto. Muito perto...

Uma onda de ar fétido encheu meus pulmões. Senti gosto de podre e de sangue e de terra. Então, as lembranças, uma colidindo com a outra, colidindo com as minhas próprias, todas se espremendo em um espaço estreito demais em uma mistura de confusão, sofrimento e perda.

Crianças chorando. Um homem gritando, socando alguma coisa, alguém, em um canto. O rosto de um garoto, enrugado e tenso, o nariz sangrando. *Vince.*

— Deixe, Sean. — Ele cuspiu sangue no chão da cozinha. — Ele vai fazer o mesmo com você...

Em seguida, Ophelia. O rosto de Ophelia, sorrindo. As mãos delas, nuas e pálidas, acariciando a crina de um cavalo sem o menor rastro de hena. Ophelia com grama no cabelo, olhos fechados. Jogando a cabeça para trás, mordendo o lábio.

Você quer mais? A voz de Sean perguntava dentro da minha cabeça. *Posso te dar mais.*

Não, gritei. *Saia, saia!*

Eu não vou a lugar nenhum até que ele pague.

Uma dor forte. Pescoço estalando. Cascalho espirrando, arranhando. Pressão arrebatadora no meu pescoço, a ardência do nó apertado...

Com um grito, eu me livrei, caindo no banco de trás do carro.

A mão de Hodge estava no meu ombro — no ombro do meu corpo, ainda no banco da frente. Minha cabeça se virou, animada por alguma coisa que não era eu.

— Você está bem? Achei que tivesse entrado em coma!

Sean encarou seu assassino com os meus olhos.

— Estou bem — disse ele com uma voz seca, lenta. — Devo ter dormido profundamente. Profundamente mesmo. Mas agora estou acordado.

— O que era aquela coisa no seu bolso? — perguntou Hodge, remexendo a escada da bruxa. — Era para mim? Aquele cretino maluco te deu outra?

Sean balançou a cabeça.

— Nunca vi aquilo antes. Mas não quero.

Hodge abaixou o vidro. Ar quente de verão entrou.

— Não! — gritei, mas era tarde demais. A escada da bruxa passou voando pela janela, caindo na noite. O cordão da mamãe... foi embora.

Vi o sorrisinho de Sean nos meus lábios e percebi que tinha perdido.

— O que você vai fazer? — resmunguei atrás dele. — Qual é o seu plano?

— Você se importa se eu colocar música? — perguntou Sean.

— Fique à vontade.

Observei os dedos dele apertando os botões. Passando por músicas e notícias. Eu já sabia o que viria.

"Ecos do passado agitam meus sonhos,
Eles me dizem que o tempo cura, eles estavam errados, parece..."

Hodge estendeu a mão, buscando os controles.

— Essa não.

— Achei que gostasse dessa. Você disse que era a preferida de sua mãe.

Pelo espelho retrovisor, vi uma ruga se formar na testa de Hodge.

— Não me lembro de ter falado isso para você.

Sean deu de ombros.

— Talvez Ophelia tenha me dito. — Escutei, mais do que vi, o sorriso no rosto dele.

Hodge procurou outra estação.

— Era realmente uma das favoritas da minha mãe — murmurou ele. — Mas, às vezes, as lembranças são... difíceis.

— Posso imaginar.

— Pare com isso — sussurrei. — O que você está fazendo? Tentando causar um acidente? Vai matar nós dois!

Minhas palavras não causaram nenhum impacto.

— Quanto tempo até chegarmos? — perguntou Sean.

— Cinco, talvez dez minutos. Fizemos em um bom tempo. E o banquete Tudor vai compensar a espera. Com fome?

— Faminto. — Sean olhava para a frente. — Nunca senti tanta fome. Parece que não como há um ano.

Fiquei sentado, impotente. Observando, esperando Sean fazer alguma coisa. Agarrar o volante e forçar o carro para fora da estrada. Tentar estrangulá-lo com as próprias mãos. Mas ele não fez nada, exceto olhar pela janela para o céu avermelhado que escurecia, e a cada momento que passava, eu sentia um aperto maior por dentro.

Logo passamos por uma placa de Calthorpe. Sean endireitou-se no banco, e Hodge diminuiu a velocidade para fazer a curva para o museu. Os portões estavam abertos e, à nossa frente, carros se enfileiravam à entrada e pessoas a pé caminhavam pela estrada.

Entramos, e Hodge manobrou o carro para a área de estacionamento dos funcionários. Ele desligou o carro, se espreguiçou e bocejou.

— Foi um bom dia — disse ele. — Mas longo.

— E ainda não acabou — respondeu Sean. Ele saiu e fez a volta pela frente. Hodge fechou a porta. Passei por ele quando foi abrir a porta de trás para pegar a câmera e o caderno.

— Você trouxe alguma coisa?

— Não. — Sean sorriu. — Tenho tudo que preciso aqui.

As palavras me deixaram arrepiado.

— O que você vai fazer? — repeti. — *Responda!*

— Onde você acha que Ophelia deve estar? — perguntou Sean quando eles se encaminharam para a entrada.

— Provavelmente guardando nossos lugares — disse Hodge. — Melhor nos apressarmos antes que toda a comida acabe.

Fui atrás deles, invisível, conforme atravessavam os arcos de pedra. Já conseguia ver o movimento e escutar as gargalhadas à nossa frente. Lanternas brilhavam na escuridão, iluminando corpos se acotovelando para conseguir um espaço na Planície. Eles se estendiam como uma fila de vaga-lumes de Goose Walk até Cornmarket Street, e, mais alto do que o zum-zum-zum das conversas, havia os acordes de um cravo.

— É melhor você ir se trocar — disse Hodge para Sean. — Até os visitantes vão estar fantasiados hoje. Vou me arrumar logo. Se você vir Una diga a ela que fui no meu escritório trocar de roupa. Estarei lá em um minuto.

— Claro — falou Sean. Ele ficou exatamente onde estava. Seus olhos estavam vidrados, fixos em Hodge. Mais uma vez, eles estavam mais escuros do que os meus, e eu não gostava do olhar que via ali.

Hodge olhou para ele.

— Mais alguma coisa?

— Você me perguntou sobre Sebastian mais cedo. Quando eu o vi no pomar.

Escutei Hodge parar de respirar.

— Sim. Você se lembra de mais alguma coisa?

Sean se aproximou um passo.

— Acho que não foi a corda que o matou.

Suor escorria pelo rosto de Hodge.

— Então, o que o matou?

— Sufocamento.

— Suf... *o quê?*

Sean assentiu.

— Isso. Toda aquela terra saindo da boca dele? Só poderia ter entrado ali se ele ainda estivesse respirando quando foi enterrado. — Ele estreitou os olhos. — Você deveria ter verificado, Arthur. Se tivesse percebido, ainda assim o teria enterrado vivo?

Um som abafado saiu dos lábios de Hodge. Ele deu um passo cambaleante para trás, deixando a câmera cair. A tampa da lente saiu e rolou. Ele não fez menção de pegar nenhuma das duas.

— Por que você está dizendo essas coisas?

— Porque são verdade. — Sean sorriu. — No começo, você não sabia se deveria acreditar em mim, não é? Tudo bem. Mas alguma coisa me diz que agora você acredita. — Ele apontou para a multidão. — Fico me perguntando o que Ophelia vai pensar quando descobrir o que realmente aconteceu naquela noite. Quando souber por que Sean não foi encontrá-la de verdade.

O nome foi o prego que faltava no caixão. O rosto de Hodge se contorceu em uma careta.

— Onde você...? Não fique espalhando mentiras a meu respeito! Quero você fora daqui, *agora*...

— Errado. *Você* é um mentiroso. *Você* é um assassino.

Hodge avançou para cima dele, mas Sean se esquivou e saiu correndo através do arco.

— Volte aqui! — gritou Hodge.

Fiquei congelado entre eles, sem saber para qual lado correr. Hodge ficou parado, visivelmente tremendo enquanto Sean corria na direção da multidão. Será que eu deveria ir atrás dele e reivindicar meu corpo ou ficar com Hodge? Ambos seriam uma aposta. Agora que Hodge descobrira o quanto eu sabia, até onde ele iria para me manter calado? Ele já tinha matado uma vez. Mataria de novo para cobrir seus rastros? E o que Sean planejava para ele usando as minhas mãos? Ele me sacrificaria, fazendo de mim um assassino, para conseguir sua vingança?

Os piores cenários se formavam na minha cabeça. E, enquanto isso, o intruso no meu corpo se afastava cada vez mais. A qualquer segundo, ele se perderia na multidão e, então, o verdadeiro jogo de gato e rato começaria.

Então, Sean desapareceu, engolido pela massa de corpos, tomando a decisão por mim. Hodge juntou as peças da câmera. Fui atrás enquanto ele seguia tropeçando para os chalés e rapidamente se dirigia para seu escritório, batendo a porta antes que eu chegasse.

Mas portas não eram mais um problema. Atravessei-a, juntando-me a ele perto da mesa. A respiração dele estava alta e rápida. Ele jogou a câmera em uma cadeira e o caderno em cima da mesa. Caiu aberto, espalhando os papéis que estavam dentro. Alguns foram parar no chão. Abaixei e olhei as páginas. Havia fotos, diagramas, impressões e anotações feitas a mão com caneta preta.

O Castelo — hospedaria. Quarto de hóspede com reputação de ser assombrando por uma mulher chorosa que se suicidou ao se jogar da varanda. Funcionários e hóspedes a veem com frequência. Visita feita em 21 de outubro de 2009.

A história era familiar. Soava estranhamente similar à da dama de cinza no Swan. Olhei para Hodge. Ele estava abrindo o cofre. Abaixei-me sobre uma das folhas soltas no chão e li rapidamente.

The Bear and Peasant — taberna, Stafford. Quartos do andar de cima são alugados para estudantes. Histórias repetidas de serem "acordados" cedo por um espírito amigável de um ex-proprietário.

Centenas de histórias, todas dos últimos cinco anos, de todo o país. E percebi, enojado, que esse era apenas um. Quantos cadernos iguais a esse já tinham existido? A maioria das histórias vinha em trechos ou frases. Algumas eram mais elaboradas. Outras tinham palavras ou parágrafos sublinhados ou circulados. Reconheci apenas um fragmento, mas eu sabia que a maioria delas tinha de estar aqui: as histórias dos fantasmas do Vidas Passadas. Ele as pesquisara. Dissecara. Reinventara. Tentara torná-las reais, exatamente como Lesley Travis dissera, em um bizarro circo de horrores. E Hodge era o apresentador.

Além de Sean e o que quer que existisse na sala de aula, Annie era a única exceção. O único fantasma que *era* real aqui.

Ele xingou, juntando os papéis e os enfiando dentro do caderno antes de trancar tudo no cofre. Do fundo, ele tirou a garrafa de uísque e acabou com ela. O rosto dele se contorceu em uma expressão de choro, mas ele deu um rosnado para afastá-lo.

— Acalma-se, Arthur — sussurrou ele para si mesmo. — Vá com calma. — Ele encostou o decanter na testa, fechando os olhos. Então os abriu, devolveu a garrafa vazia para o cofre e pegou outra coisa.

Uma arma. Parecia a que Ophelia tinha usado para assustar Vince e seu bando, mas, ao ver Hodge a carregar com balas, soube que não era a mesma.

E não precisava saber de mais nada. Corri.

Capítulo 33

No Pomar

As ruas estavam cheias de pessoas fantasiadas: homens, mulheres e crianças, uma mistura de funcionários e visitantes. Mesas cheias de comida e bebidas contornavam a Planície, e a área em volta do poço tinha sido reservada para música e dança. Passei entre as mesas. Alguns rostos eu conhecia: Lyn e os funcionários dos salões de chá. A maioria pertencia a estranhos.

Encontrei Una e Ophelia em uma mesa perto da Cornmarket Street, uma cadeira vazia ao lado de cada uma. Una usava um vestido todo bordado, joias e um enfeite com plumas na cabeça. Ophelia estava com o cabelo solto e um simples vestido verde, sem nenhum enfeite. Ela não precisava. Ao lado dela, Una ficava apagada. Vê-la e saber que estava prestes a perdê-la fez meu coração se apertar.

Ela ficou tensa de repente, ficando mais ereta na cadeira como uma raposa percebendo o perigo. Segui o olhar dela pela Planície.

Três pessoas a encaravam. Mesmo de onde eu estava, podia ver as roupas comuns deles mal escondidas por baixo de fantasias baratas. Vince e Damian portavam espadas de plástico e Nina usava uma coroa chamativa.

— O que foi, querida? — perguntou Una.

— Nada. — Ophelia fitou o prato. — Onde estão o tio e Elliott?

— Eles já deveriam ter chegado. — Una esticou o pescoço, como se fosse um avestruz, por cima do mar de cabeças. — Ah, lá está Arthur. Está vindo do Velho Celeiro. O que foi fazer lá? Deixei a fantasia no escritório dele. — Ela se levantou e foi na direção do marido. — Aqui, meu amor!

Ele estava me procurando, isso sim, pensei sombriamente.

Estava tão concentrado em observá-lo que a voz atrás de mim me assustou.

— O que eu perdi?

Minha voz. E, ao mesmo tempo, não era.

Sean se sentou ao lado de Ophelia. Estava usando camisa de camponês e calça marrom. A camisa estava aberta no pescoço. Marcas eram visíveis no meu pescoço.

— Seu pescoço está todo vermelho de novo. — Ela pegou a mão dele, fazendo uma careta. — Onde você esteve?

Boa pergunta. Não era no Velho Celeiro, com certeza. Ele viera de trás.

— No pomar. — Os olhos dele não desgrudavam do rosto dela. — Deus, você está linda.

Ela deu uma risadinha pelo nariz.

— Virou poeta hoje?

— Não. Só um garoto. Isso basta.

— Sean — sussurrei. — Eu sei que você a amava. Mas não pode ficar aí para sempre.

Uma centelha de reconhecimento cruzou o rosto dele, mas seu olhar permaneceu em Ophelia.

Quanto tempo ele ainda ficaria antes de precisar sair do meu corpo? Cada vez fora um pouco mais longa do que a anterior. Cada vez, ele ficara mais forte.

Tentei de novo.

— Hodge está com uma arma. Se você não sair agora, Ophelia vai sofrer não apenas uma, mas duas perdas. Ele vai me matar. Você quer fazer isso com ela? *Quer?*

Ele balançou a cabeça quase imperceptivelmente.

— Você precisa deixá-la seguir em frente. Diga adeus. Depois me mostre onde seu corpo foi enterrado. Se tivermos isso, teremos uma prova.

Balançou a cabeça mais uma vez.

— Como assim, não? — gritei.

Ele não respondeu. Em vez disso, olhou para a mesa cheia de comida e começou a encher o prato. Queijo, uvas, pão, carne. Ele provou um pouco de tudo, o rosto expressando seu prazer. Só parou quando Una voltou para a mesa com Hodge. Eles se olharam sem trocar uma palavra. Perguntei-me onde Hodge tinha escondido a arma; a fantasia tinha muitas sobras e babados. Por enquanto, Sean — *eu* — estava a salvo. Hodge não podia falar nem fazer nada na presença de outros, e ambos sabiam disso.

— Então, como foi em Oxfordshire? — perguntou Una, servindo-se de vinho. — Quero saber de tudo.

— Foi bom. — Hodge pegou uma coxa de galinha, os olhos fixos em Sean. — Descobrimos muita coisa, não foi?

Sean assentiu.

— Coisas em que vocês não acreditariam. Fantasmas por toda parte. Certo, Arthur?

Hodge arregalou os olhos quando viu os hematomas no meu pescoço. Estendeu a mão para pegar a jarra de cerveja com dedos trêmulos, conseguindo apenas assentir.

Durante toda a refeição, Una tagarelou e adulou, tentando saber os detalhes.

— Basta, Una! Não quero falar sobre isso!

No silêncio que se seguiu, ninguém além de mim viu Sean esconder uma faca na manga. Momentos depois, fingindo abaixar-me para pegar o garfo, ele a transferiu para a bota.

— Vamos — falou Ophelia, olhando para Hodge. Ela puxou a camisa de Sean. — Vamos dançar.

Hodge observou-os cruzar a Planície. Fui atrás deles, impotente enquanto Sean a tomava nos braços. Ele a segurou com força. Sentiu o cheiro do cabelo dela. Então, sem aviso, recuou.

— Escute... vamos dançar mais tarde. Preciso fazer uma coisa.

— O quê? Aonde você está indo?

— Para o pomar. Tem uma coisa lá, não posso explicar...

— Tem a ver com aquele sonho?

— Tem. Ele está tentando me dizer alguma coisa.

— Você está me assustando...

Ele beijou as mãos enluvadas dela e soltou-as.

— Vá me encontrar lá daqui a cinco minutos.

— Deixe-me ir com você. Vince está aqui, está nos observando. Ele vai fazer alguma coisa. Sei disso...

— Ele não fará nada depois desta noite. Confie em mim.

— Mas...

— Cinco minutos! — Ele se afastou dela e das festividades em Cornmarket Street. Eu o segui, olhando para trás e vendo Hodge pedindo licença para se levantar. Eu sabia que ele não o seguiria imediatamente, mas o seguiria.

Corri, passando por crianças felizes, tentando desviar de dançarinos, mas nem sempre com sucesso. Eles não sentiam nada quando passavam através de mim, como se eu não fosse nada mais do que ar ou fumaça. Desci correndo pela lateral da Calthorpe House, atravessando os jardins e me dirigindo para o pomar. Uma única luz acesa no andar de cima da casa iluminava fracamente os galhos, longe e fraca demais para penetrar a escuridão abaixo.

— Cadê você? — perguntei. Não obtive resposta.

Alguma coisa estalou ali perto. Esforcei-me para ver através das trevas. Então, uma sombra um pouco mais escura do que todo o resto se tornou visível.

Sean estava ao lado da escada de madeira.

— É impossível voltar a não fazer barulho depois que se acostuma a não ser visto nem escutado. — Ele parecia estar quase se desculpando.

Passei entre as árvores, tentando me orientar. Nada estalava embaixo de mim. Eu não tinha peso.

— Por que você veio para cá?

— Porque é aqui que tudo acaba.

Cheguei ao lado dele. Só então vi a corda balançando, pendurada nos galhos de cima. Mas, desta vez, era mais curta, mais distante do chão. Em vez de terminar em um nó simples, apresentava um nó de forca.

— Você tem andado ocupado. — A voz veio um pouco de longe, do meio das árvores. Um estalo se seguiu, depois um feixe de luz iluminou a corda. Moveu-se para o meu rosto. Sean estreitou os olhos, levantando a mão.

A luz balançou conforme Hodge se aproximava, andando com uma discrição ensaiada. Ele girou com a lanterna à sua volta rapidamente.

— Como quem estava falando?

— Com fantasmas.

Hodge riu.

— É uma pena que a sua obsessão tenha chegado a isso, Elliott. — Ele iluminou o nó com a lanterna. À distância, a música tocava.

— Não sou Elliott.

— Ah, é? E quem é você, então?

— Sean.

— *Pare de repetir o nome dele!*

— Qual nome você prefere? Sebastian?

— Pare com isso! O que você quer? Dinheiro? É isso?

Foi a vez de Sean rir.

— Você adoraria isso, não é? Era como fazia todos os seus problemas desaparecerem, até me matar. Sinto muito, Arthur. Já sei como funciona. E você não manteve a sua palavra nem em relação ao dinheiro, não foi? Você preparou uma armadilha para mim.

A lanterna tremia na mão de Hodge.

— Como você sabe disso?

— Da mesma forma que eu sei que, antes de hoje, você nunca viu um fantasma na sua vida. Da mesma forma que eu sei qual música tocou um pouco antes de você agarrar a corda em volta do meu pescoço e me arrastar para fora do seu carro, da mesma forma que eu sei como você acelerou com a corda presa na porta...

— CALE A BOCA!

— A verdade dói, não é mesmo?

— Você não é ele... Você não *pode* ser ele...

— Nunca ninguém disse para tomar cuidado com os seus desejos? — zombou Sean. — Você não queria fantasmas, Arthur? Agora tem um.

Hodge lambeu o suor que brotava em cima do lábio superior, a mão livre apalpando embaixo do casaco.

— Cuidado! — gritei.

Ele tirou a arma da cintura.

Sean nem piscou.

Pulei em cima dele, dando socos inúteis.

— Saia daí, maldito! Ele vai atirar!

— É mais fácil agora? — perguntou Sean para ele. — Deve ser. Você já vive com a ideia de que é um assassino há um ano.

Hodge apontou a arma para Sean. Para *mim*.

— Como você vai se livrar desta vez? — continuou Sean. — Você teve sorte comigo. Ninguém procurou o bastante, nem fez as perguntas certas. Tudo bem um garoto desaparecer, mas dois?

Hodge balançou a cabeça.

— Você não precisa desaparecer. Só precisa ficar em silêncio. Eu só tenho que dizer que peguei você com essa arma. Eu o questionei. Você ficou violento e nós lutamos. Nenhum dos dois sabia que a arma estava carregada até ser tarde demais. — Ele se aproximou. Não havia como errar. — Farei com que seja rápido.

— Corra! — gritei. — Pelo amor de Deus, *corra!*

— Você está se esquecendo de uma coisa — sussurrou Sean.

Um músculo tremeu no rosto de Hodge.

— Do que?

— Eu já estou morto. — Sean pulou em cima de Hodge, agarrando a arma. A lanterna voou da outra mão de Hodge e voou em um arco, atingindo a árvore e caindo na grama. Eles lutaram, rosnando, tentando firmar os pés no chão.

Sean levantou o cotovelo, acertando a têmpora de Hodge. Ele cambaleou, mas não soltou na arma. Vi a minha cabeça ir para trás quando ele forçou o braço contra o meu pescoço. Sean tropeçou. Hodge usou ainda mais força, chutando a minha perna por trás para desequilibrar Sean.

Eles caíram cara a cara, Hodge por cima. Embaixo, Sean se debatia. Talvez na vida dele, com o corpo dele, ele fosse mais forte. Mas agora estava no meu corpo, e minha força não se comparava à de Hodge. Além disso, eu podia sentir que ele estava ficando mais fraco. Não conseguiria ficar em mim por muito mais tempo. Se ele saísse, tudo estaria acabado. Para nós dois.

Fiz a única coisa que eu podia. Saltei através de Hodge, forçando minha entrada de volta para o meu corpo.

— *Não...* — sussurrou Sean com dentes trincados.

Senti toda a força do peso de Hodge. O ar sendo comprimido para fora de mim. Os pensamentos de Sean, as lembranças de Sean, se misturando com os meus. Pensei no meu pai, na minha mãe, em Adam, Ophelia. E pensei no cordão. Na escada da bruxa. Eu não a tinha mais, mas eu a criara. Acreditava nela. E ela ainda estava por aí, em algum lugar. Ainda existia, assim como eu. E, desta vez, não forcei Sean para fora do meu corpo. *Não brigue comigo,* falei para ele. *Nós não somos fortes o suficiente para brigarmos um com o outro e contra ele.*

As lembranças dele recuaram para algum canto escondido da minha mente. Ainda lá, como uma coceira que eu não conseguia alcançar, mas suportável, me permitindo focar toda a minha força na luta real. Combinado com o ódio de Sean, uma onda de energia tomou conta de nós. Juntos, conseguimos abaixar a mão de Hodge, fazendo-o soltar a arma. Ele gritou quando ela caiu na grama alta, rastejando por cima de mim para procurá-la.

A faca, lembrou Sean.

Tirei-a da bota e a pressionei contra a pele de Hodge.

— Parado aí.

Ele congelou, ofegante.

— Vire-se, devagar.

Ele se virou, as mãos para cima em sinal de rendição.

— Levante-se. — Minha boca, palavras de Sean. Ele ainda estava fraco, mas a força conjunta permitia que ele continuasse aguentando firme. Hodge se levantou. — Agora, cave.

— Cavar? — Os olhos de Hodge desviaram para os arredores. Uma gota de saliva escorreu de seu lábio inferior. — Cavar onde?

— *Você sabe onde!*

Ele fez uma careta.

— Como você sabe...? Por favor, não me obrigue. *Por favor...*

— Cave.

— Não tenho nada para usar.

— Então use suas mãos — falou Sean, sem paciência. — *Suas mãos assassinas.* — A faca pressionou a pele de Hodge de novo. Ele uivou.

— Não sei exatamente onde...

— Sabe, sim. Vá!

Hodge caminhou entre as árvores, cambaleando sobre a grama irregular na direção da casa. Ele parou perto de um pequeno muro de pedra e se ajoelhou.

— Cave — repetiu Sean. Chutou uma pedra para ele.

Hodge a pegou e cavou a terra, tirando uma camada.

— Cave para baixo — mandou Sean —, não na horizontal.

Hodge obedeceu, olhos vidrados, ofegante. Foi cada vez mais fundo, encontrando a terra úmida embaixo da cobertura seca. Trinta centímetros, depois sessenta. A pedra bateu em alguma coisa.

Ele soltou um soluço. Então largou a pedra e começou a cavar com as próprias mãos. Algo claro apareceu. Dentes, parecendo pérolas.

— Ah, Deus, ah, meu Deus... — balbuciava Hodge. — Não me obrigue a continuar... Não consigo, juro que *não consigo*.

— Você pode parar aí, já está quase terminado.

Hodge se afastou, chorando e arfando como um bebê gordo e grande demais.

— Levante-se. Está quase na hora.

Hora de quê?, perguntei.

Vozes se tornaram mais altas que a música, se aproximando.

— Rápido — disse Sean. — A árvore.

Achei que Hodge fosse resistir, fugir. Mas ele obedeceu, inclinando-se e lamentando-se, disposto a fazer tudo menos ficar ao lado do que tinha desenterrado.

— Suba a escada — mandou Sean. — Então, quero que coloque o laço em volta do seu pescoço.

Hodge me encarou, os olhos vidrados. Começou a subir.

— *Não* — comecei, mas senti gosto de sangue quando Sean mordeu a língua para reprimir a palavra.

Obediente como um cãozinho de estimação, Hodge pegou a corda e colocou o laço em volta do pescoço.

— Mais apertado — disse Sean. — Bom. — Ele afastou a faca. — Agora vamos esperar.

— Deixe-o descer — sussurrei.

Sean retrucou.

— Ainda não.

As vozes ficaram mais altas, sobrepostas.

— Ela veio por aqui, tenho certeza...

— Cadê você, Ophelia? Não seja tímida!

— Você pode até correr, mas não pode se esconder!

A gargalhada de Nina ecoou.

Então a voz de Ophelia cortou a escuridão, vindo da casa, fraca e ofegante.

— Eu tentei despistá-los, mas eles continuaram me seguindo. Precisamos ir... vou falar com meu tio para expulsá-los... — Ela parou, olhando através dos galhos. — Quem está aí com você?

— Chame-a — sussurrou Sean.

— Ophelia? V-venha aqui... — Os ombros de Hodge balançavam com os soluços.

— Tio? — A voz dela estava atenta. — É você?

As lágrimas de Sean corriam pelo meu rosto.

— Agora você vai contar para ela o que fez — murmurou ele. — Conte a ela, e eu deixarei você descer. Minta, e eu chuto a escada. Você decide.

Ophelia se aproximou, os olhos indo de mim para o tio.

— O que está acontecendo aqui? — sussurrou ela.

Passos ecoavam na grama. Pessoas ofegantes se aproximavam, rindo e fazendo arruaça. Então Vince entrou no pomar, aparecendo pouco atrás de Ophelia.

— Estamos interrompendo alguma coisa? — começou ele. Seu rosto ficou pálido quando viu a escada e a corda. — O que é isso? — Ele deu uma cotovelada em Damian, que estava rindo. — Fique quieto!

— Ophelia — falou Hodge, rouco. — Me desculpe. Foi... um acidente, juro.

— Desça. — Ophelia deu um pequeno passo, o rosto enrugado e pálido. — Você está me assustando. Por favor, desça.

— É tarde demais. — Hodge levantou as mãos. — Eu não queria fazer isso. Você tem que acreditar em mim...

Segurei a escada, morrendo de medo de que ela deslizasse.

Ele já falou, Sean, acabou. Deixe-o. AGORA.

Ele estava ainda mais fraco, se segurando apenas por um fio.

No nó número um, o dia começa. No nó número dois, meu descanso é certo...

— Desça, Hodge — falei. — Tire a corda.

Ele pareceu não escutar.

— O que foi um acidente? — pressionou Ophelia. — O que você fez?

— Sean... — murmurou Hodge, o rosto se contorcendo. — Eu só queria uma boa performance, só isso. Ressuscitar Sebastian. Sean queria o dinheiro. Parecia simples.

— Sebastian?

No nó número três, o sono toma conta de mim. No nó número quatro, eu não tenho mais medo...

Vince empurrou Damian e Nina.

— Ele está falando do meu irmão? — perguntou ele. — Você sabe onde ele está, velho?

— Ali... perto do muro. — A voz de Hodge era um sussurro.

Vince olhou para a casa.

— Do que você está falando? Não tem ninguém ali... Ele pirou.

— Alguém faça alguma coisa — gritou Ophelia. — Chamem uma ambulância, tem alguma coisa errada com ele! — Ela se virou para Vince. — Encontre Una. *Por favor!* Não sei o que fazer...

Vince estreitou os olhos.

— Eu não vou a lugar algum. Nina, vá procurar a tia dela.

No nó número cinco, estou vivo. No nó número seis, meu cordão é restaurado...

Nina hesitou, depois correu na direção da casa. Passou pelo muro e pelo monte de terra que eles não tinham conseguido ver. Parou. Ajoelhou-se. Então se afastou, gritando.

— O que é? — berrou Vince, correndo para encontrá-la.

— Tem alguém... Ah, meu Deus... Alguém está enterrado lá... — Ela se jogou em cima dele, tremendo. Vince empurrou-a para Damian e foi na direção do túmulo.

No nó número sete, com corda e pena. No nó número oito, não tem portão...

— Eu não sabia — disse Hodge. Ele estava calmo agora, a voz monótona. — Não sabia que ele ainda respirava quando o enterrei. Achei que a corda já o tivesse matado... Mas foi um acidente. Um acidente...

Ophelia encarou o tio.

— Sean? *Você... você matou* o Sean?

No nó número nove, para o que é MEU.

— Sinto muito — sussurrou Hodge. — Por favor, perdoe-me.

As memórias de Sean ficaram mais fracas, separando-se das minhas.

Cuide dela. As palavras ecoaram na minha cabeça quando ele me soltou. Em um piscar de olhos, tinha ido embora.

Ele tinha ido embora.

Ophelia caiu de joelhos, balançando para a frente e para trás.

— Ele não me abandonou. *Ele não me abandonou.*

Escutei Vince ter ânsia de vômito e gemer. Ophelia também ouviu. Ela se virou, e eu corri para ela, puxando-a para meus braços.

— Não vá lá — murmurei no ouvido dela.

Ela se virou para encarar Hodge.

— Como você pôde? Como você *pôde*? Esse tempo todo... eu achei que era minha culpa. Que ele tinha ido embora por causa do bebê...

Hodge levantou a cabeça.

— *Bebê?*

— Eu tinha contado para ele naquela tarde. Quando ele não apareceu... eu esperei e esperei. Por dentro, tudo estava queimando, se contorcendo. Porque eu *sabia*. Não sei como, mas eu sabia que ele não ia aparecer. E comecei a sangrar.

— Você deixou que ele a *tocasse*? Você deixou... — Hodge chorou baixinho. — Você era a minha menininha.

— Una chamou uma ambulância... mas era tarde demais. Eu tinha perdido o bebê. — Ophelia estremeceu, os pelos de seu corpo todos arrepiados. — Eu perdi o bebê quando o perdi. Una jurou que nunca iria contar.

— Vamos. — Eu a levantei. O corpo dela estava mole em meus braços.

— Vamos sair deste lugar. — Olhei para Hodge. — Tire a corda e desça, devagar. Acabou, Hodge. Você não pode mais se esconder do que fez.

— Não — sussurrou ele. — Você está certo. — Ele encarou Ophelia.
— Eu amo você. Me desculpe. — Ele chutou a escada e caiu.

— NÃO! — Corri na direção dele, agarrando suas pernas, levantando-o. Os olhos estavam injetados, mas ainda havia vida o bastante nele para me chutar.

Ophelia assistia, sem demonstrar emoção.

— Deixe-o morrer! — gritou Vince. — *Deixe o cretino se enforcar!*

Parte de mim, *a maior parte* de mim, queria fazer isso. Era o que ele merecia. Mas outra parte não permitiria, pelo menos por Ophelia. Já houvera muita morte.

Vasculhei pela grama até achar a faca, depois coloquei a escada de pé com dificuldade. Consegui no momento em que as pernas de Hodge pararam de chutar e começaram a se contorcer. Dois, três golpes da faca, e a corda partiu.

Dois, três segundos atrasado.

Arthur Hodge estava morto.

Epílogo

Esperei até o intervalo para contar para Robert Bradley.

O sol do início da noite ainda estava forte quando o deixei na mesa e saí do *The Mask and Mirror* pela última vez. Do lado de fora, o calor de julho esquentava o asfalto e aquecia minha nuca.

Ophelia estava deitada no capô do carro em uma sombra, as pernas esticadas para frente e uma camiseta úmida amarrada na cintura. Ela se sentou enquanto eu atravessava o estacionamento.

— Ele acreditou em você?

— No começo, não.

— Ninguém acredita até não ter mais opção. Até que aconteça com eles. — Ela me entregou uma pena que tinha caído. — Acha que ele vai ficar até o final do show?

— Não sei. Ele a procurou por tanto tempo... Acho que vai precisar de um tempo até conseguir superá-la.

— Pelo menos, ele não está mais se perguntando o que aconteceu com ela. Acordando todos os dias sem saber.

Assenti, brincando com a pena entre os dedos.

— Para que é isso?

— Caiu em cima de mim enquanto eu estava esperando por você. Achei que talvez pudesse usá-la. Se algum dia fizer outra escada de bruxa.

Enfiei a pena no bolso da camisa, só por precaução.

— Vamos.

Fomos embora, passando por campos e fazendas. Igrejas e cidades e mais campos dos dois lados da estrada. Então, ela protegeu os olhos com a mão e apontou.

— Aqui? — perguntei, diminuindo a velocidade.

— Aqui.

Parei, e nós saímos, andando de mãos dadas por cercas vivas espinhosas e pulando raízes na direção de uma árvore solitária no meio do campo. Ophelia abriu um cobertor sobre a grama e nós nos sentamos, olhando o sol descendo no horizonte. Os únicos sons eram as abelhas zunindo e os pássaros cantando na cerca.

— Eles vão se tornar histórias um dia, não vão? — disse ela em determinado momento, abraçando os joelhos. — Sean. E Hodge. Sei que eles já viraram história, mas um dia, daqui a cem anos, quando ninguém que os conheceu estiver vivo... eles serão apenas isso. Fantasmas.

Ela se virou para mim, os olhos brilhantes e lacrimejantes. Toquei o rosto molhado dela com as pontas dos dedos. Beijei seus lábios para enxugar as lágrimas.

— Talvez ainda seja cedo — murmurou ela sob os meus lábios, afastando-se.

— Não. — Eu me afastei, analisando-a. — Você está perfeita.

Ela fungou e riu ao mesmo tempo.

— Até parece. Meu nariz está escorrendo, meus olhos estão inchados...

— Exatamente. Vai ficar... *interessante*. Exatamente como você queria.

Ele tentou sorrir.

— Ainda estou parecendo triste?

— Está. — Abri meu caderno de desenho. — Triste, mas esperançosa. Real.

Ela se deitou no cobertor, o cabelo formando ondas à sua volta.

— Coloque as mãos perto do rosto — falei. Ela obedeceu. A hena já está apagando, mas ainda tive tempo de capturá-la. Reservei um momento para apenas olhar para ela. Sua pulsação embaixo da pele e a maneira como a respiração dela acelera quando meu olhar cobre todo seu corpo, absorvendo-a por inteiro.

Então, levanto o lápis e começo a desenhar.

Por enquanto, não há fantasmas. Só existe este momento: eu e ela. Sozinhos, vivos, com o resto do verão à nossa frente.

Nota da Autora

A ideia para *Não durma* veio de uma parente minha que viveu com paralisia do sono e experiências extracorpóreas durante a maior parte de sua vida. Assim como Elliott, acordar paralisada e ver pessoas estranhas e assustadoras observando-a em sua cama é algo que acontece com frequência, e os episódios narrados neste livro são inspirados nas histórias dela.

Embora as experiências extracorpóreas dela sejam menos frequentes, foi isso o que me levou a questionar o que aconteceria se uma pessoa que saísse do corpo não o encontrasse quando voltasse. As descrições de Elliott — de não perceber imediatamente que estava fora do corpo e da dificuldade em voltar para ele — também foram baseadas nas experiências dela, embora eu tenha tomado mais liberdade nesse aspecto da história.

A paralisia do sono gira o mundo, acontecendo em todas as culturas. Em algumas áreas dos Estados Unidos e Canadá, é conhecida como a síndrome da "Bruxa Velha"; em Hong Kong, podemos traduzir como "opressão fantasma"; na África, "a bruxa que monta nas suas costas". O elemento comum que unifica essas experiências é a presença de uma aparição ou uma sombra em forma de pessoa e o medo que a acompanha.

Como Elliott descobre, acredita-se que a causa da paralisia do sono esteja relacionada ao estágio REM (movimento rápido dos olhos ou sonho) do sono. Um breve período de paralisia muscular acontece naturalmente durante o início do estágio REM para prevenir que a pessoa reaja aos sonhos. É quando o sonhador se torna ciente do processo de que um sonho pode se misturar aos seus arredores físicos. Teorias sugerem que a incapacidade de se mexer desperta um alarme instintivo de *ameaça* no cérebro, que, por sua vez, projeta os piores medos do sonhador no ambiente em que está.

Até hoje, não existe uma explicação clara do motivo desse medo se manifestar de forma consistente como uma presença humana. É uma área ambígua que eu escolhi explorar de forma fictícia em *Não durma*.

Durma bem.

Michelle Harrison
Janeiro de 2012

Impresso no Brasil pelo
Sistema Cameron da Divisão Gráfica da
DISTRIBUIDORA RECORD DE SERVIÇOS DE IMPRENSA S.A.
Rua Argentina, 171 – Rio de Janeiro, RJ – 20921-380 – Tel.: (21)2585-2000